吉本隆明全集

3

1951–1954

晶文社

吉本隆明全集3　目次

凡例
I
日時計篇（下）
〈還らざる歌〉 7
〈生の隔絶のうしろにあるもの〉 9
〈穢悪の時代〉 11
〈この寂寥の根にあるもの〉 13
〈寂寥に眼をかすもの〉 15
〈冬のなかの心景〉 17
〈惨像〉 19
〈わたしたちのうちで亡びゆくもの〉 21
〈天刑〉 23
〈冬の歌〉［わたしは冬を……］ 25
〈剝離された風景〉 27
〈絵画のやうにきた冬〉 29
〈冬の遺書〉 31
〈冬を監視する者の歌〉 33
〈冬が逝く〉 35
〈歳月のなかの空洞〉 41
〈詩の形で書いた非宗教的な説教〉 43

〈冬のまんなかにたつとき〉 45
〈わたしを信じない歌〉 47
〈虐げられた冬〉 49
〈もっと真なるものを〉 51
〈冬の奇跡〉 52
〈裂風のとき〉 54
〈冬の掟ての歌〉 56
〈暗い歌〉 58
〈冬〉 59
〈第一の歌〉 61
〈愛の絶えざる歌〉 63
〈雪が都会を埋める〉 65
〈冬の歌〉［きめこまかく……］ 66
〈酷しい冬〉 67
〈記されない愛〉 69
〈冬のかげに〉 71
〈死びとをかくまふ歌〉 73
〈夕日のある風景〉 75
〈冬のうた〉 77
〈冬の歌〉［わたしたちは……］ 79

〈禁制の歌〉 81
〈降誕祭前夜〉 83
〈冬風の鳴る夜の歌〉 85
〈余燼〉 87
〈暗い冬〉［街樹の葉が……］ 89
〈墓掘り人を憎む歌〉 91
〈渇いた二月〉 93
〈雪の暗いときの歌〉 95
〈暗い冬〉［巨大なビルディングの……］ 96
〈冬のとき仲間たちのための歌〉 97
〈ふたつない訣れ〉 99
〈凩がやむときわれらの陰にさすもの〉 101
〈冬の歌〉［冬のなかに……］ 103
〈冬眠〉 105
〈衣をつけた忍辱〉 107
〈独りでゆく冬〉 109
〈薄ももいろの冬〉 111
〈真をまもるもの〉 113
〈冬の花屋〉 115
〈発端〉 116

〈断ちがたい冬〉 118
〈転身〉 120
〈遇ひにきた冬〉 122
〈祝福をうけない男〉 124
〈冬のための哀歌〉 126
〈春がちかいといふ〉 128
〈遠くへ放つ小鳥〉 130
〈わがままな撰択〉 132
〈ある追悼詩〉 134
〈傷を負つた春〉 136
〈ソクラテス以前〉 138
〈複本〉 140
〈軛にかけられた生存〉 142
〈わたしの傍にあるものに〉 144
〈泥まみれになつた道〉 146
〈時間をかけた自画像〉 148
〈暗い晩冬〉 150
〈非宗教的な祈禱〉 152
〈瞋りをかすもの〉 154
〈冬のあと〉 156

〈壁画のやうな詩〉 158
〈詩への敬礼〉 160
〈ぼくらの国の黄昏は何処で夜になるか〉 162
〈ぼくらの傍に春がきてゐる〉 164
〈駅丁〉 166
〈偽使徒〉 168
〈来歴〉 170
〈わたしたちもまた時代のやうに暗い〉 171
〈不安な季節〉 173
〈詩でかかれた鼓舞のうた〉 175
〈暗い春の絵〉 177
〈晩冬のうた〉 179
〈崩壊期〉 183
〈凱歌〉 185
〈未知なものに〉 186
〈噴火〉 188
〈たのみがたい春〉 190
〈反抗期〉 191
〈視えない花びら〉 193
〈囚虜の時代〉 195

〈奇形な春〉 197
〈決められた春〉 198
〈征服されない人々に〉 200
〈寂しい転変〉 202
〈黠い春〉 204
遇ひにきた…… 206
〈非議するもの〉 208
〈側面史〉 210
〈邂逅〉 212
〈聖ニコライ堂附近で〉 214
〈小さな異端者の思ひ出〉 216
〈視えないといふことが……〉 218
〈恐慌〉 220
〈暗い絵本の註〉 222
〈架空の年代誌〉 224
〈寂しい太陽〉 226
〈反抗の沈められる時代〉 228
〈底知れない誘惑者〉 230
〈ドラマトウルギー〉 232
〈黙示〉 234

〈地上にきてゐる忍辱〉 236
〈告訣〉 238
〈都市街道〉 240
〈風景のない季節〉 242
〈愛を刻むうた〉 244
〈風をたずねる歌〉 246
〈花開くこと〉 248
〈虐げられた春〉 250
〈独りの道〉 252
〈旱天〉 253
〈通信〉 255
〈暗い春〉 257
〈夕べの時における都会〉 259
〈愛が自戒にかはるとき〉 261
〈春の日の自我像〉 263
〈小さな歌〉 265
〈真青な空のしたの街で〉 267
〈星のない夜も星のある夜も〉 269
〈海の手が都会を触れにくる〉 271
〈コミニストのための歌〉 273

〈信仰のないものの覚書〉 275
〈死を背にしたにんげんの構図〉 277
〈小さな街で在つたこと〉 279
〈時のある街と時のない街〉 281
〈辺疆地区〉 283
〈架空な春〉 285
〈色彩のある暮景のなかに〉 287
〈石材置場の詩〉 289
〈星の響きをきく歌〉 291
〈夕ぐれの歌〉 293
〈一九五一年晩春〉 295
〈星座のある風景〉 297
〈死の合間からの歌〉 299
〈女たちに告げる歌〉 301
〈鎮魂歌〉 303
〈暗い記録〉 304
〈ひとつの予感〉 306
〈物象のなかの季節〉 308
〈貧乏なY家の三男がうたふ歌〉 310
〈風が皮膚のなかを吹く〉 312

〈何故に愚行が赦されるか〉 314
〈風が夏を連れてくるわたしたちの処に〉 316
未生の混沌　スティヴン・スペンダー 318
〈ああきみたち！〉 320
〈最終の日の歌〉 321
〈更に大きくなつた少女たちに与へる歌〉 323
〈享けない星のうた〉 325
〈時がわたしに告げた歌〉 328
〈暗い季節におけるわたしたちの自画像〉 330
〈五月の夜を記憶するための歌〉 332
〈星の敷かれた都会のうた〉 334
〈未来のない季節〉 336
〈五月と六月とのあひだの歌〉 338
〈星の視えなくなつた六月の夜の歌〉 340
〈炎のゆく空の歌〉 342
〈時がわたしの傍に死者を遺してゆく〉 344
〈友と訣れる時にうたふ歌〉 346
〈怒号と運命とが一緒にきた〉 348
〈鎮魂的なる〉 350
〈長雨期〉 352

〈重たい鳥の歌〉 354
〈五月の夜に思つたことの歌〉 356
〈閉ぢられた窓からの風景〉 358
〈時の深みに在つての歌〉 360
〈寂かな眼のある時刻〉 362
〈明らかにわたしたちは変つた〉 364
〈海のなかでの季節〉 366
〈夜がわたしたちの周囲に降りてくる〉 368
〈形態のない危機〉 369
〈或る晴れた五月の夜に〉 371
〈夏のなかでうたふ歌〉 373
〈われらの街の黄昏の歌〉 375
〈眼のある季節〉 377
〈都会の女たちのための歌〉 379
〈六月の憂愁について〉 381
〈わたしたちの自戒の歌〉 383
〈ゆえいいの季節における手記〉 385
〈わたしたちの夜の追憶のうた〉 387
〈曙のなかの星たちの歌〉 390
〈架空な未来に祈る歌〉 391

〈砲火に抗ふものの歌〉 393
〈乾いた風と砲火の夜〉 395
〈流亡と救済〉 397
〈わたしたちの生のための六月の歌〉 399
〈戦士のための交響的な判断からなる詩〉 401
〈六月の風に対つてうたふ歌〉 403
〈青葉と敗北の日のうた〉 405
〈風が燃える日の歌〉 407
〈病者から病者への歌〉 409
〈小さな空のなかの暗い空洞〉 410
〈知られざる歌〉 412
〈流寓〉 414
〈物語を遺さない者のために〉 416
〈われらの未来と暗さをうたふために〉 418
〈愛する者のために記された詩の一部〉 420
〈敗者となつた兵士たちを回想する歌〉 423
〈酒場のある街の夕べから〉 427
〈不遇な愛のために書かれた詩の一部〉 429
〈午後の歌〉 431
〈多様な夏のなかの一つのうた〉 433

〈美しく優しい歌〉 435
〈連鎖〉 437
〈緑の季節の思想から〉 439
〈何を夏の夜に信じたか〉 441
〈夏の終りのうた〉 443
〈苦しい夜の詩の一部から〉 445
〈死霊〉 447
〈都会での擬抒情歌〉 449
〈憩ひのない夜の間に記したうた〉 451
〈残酷詩篇〉［鳥獣は狂気になって……］ 453
〈自由な夜のために書かれた詩の一部〉［知られない夜のしたで……］ 456
〈自由な夜のために歌はれた詩の一部〉 458
〈星をあつめる歌〉 460
〈対置風に書かれた星のうた〉 462
〈辺疆の地からの歌〉 464
〈都会の触手〉 466
〈わたしたちの望みを描いた詩の一部〉 468
〈暗い季節〉 469
〈火圏〉 471
〈自由な夜のために書かれた詩の一部〉［あきらかにすべては……］ 473

〈一九五一年夏に記したうた〉 475
〈わたしたちの星に寄せる歌〉 477
〈檻の季節〉 479
〈夜の広場〉 481
〈屈折の歌〉 483
〈自由な夜のために書かれた詩の一部〉［夕暮……］ 485
〈地球が区劃される〉 487
〈幻影から生れた女〉 489
〈自由な夜のために書かれた詩の一部〉［おまへのほうへ……］ 491
〈秋に似たうた〉 493
〈九月のはじめの詩篇〉 495
〈自由な夜のために書かれた詩の一部〉――ランプのしたの三人の会話―― 497
〈終末を感じる季節〉 499
〈遺志のない遺言歌の一節〉 501
〈残酷詩篇〉［おう風が冷えるとき……］ 503
〈無心の歌〉 505
〈秋の忍辱のうた〉 507
〈異邦人にうりわたされた時のうた〉 509
〈乾いた季節〉 511
〈夜の河〉 513

〈売女Kが去つたときに贈るうた〉 515
〈自由な夜のために書かれた詩の一部〉［遠くまで追つてくる……］ 517
〈流転〉 519
〈道化の歌〉 521
〈動乱の季節〉 523
〈聴聞のうた〉 525
〈都会の秋のときの歌〉 527
〈自由な夜のために書かれた詩の一部〉［ひとつの約束が……］ 529
〈反抗と現実〉 531
〈都会の睡眠時〉 533
〈自由な夜のために書かれた詩の一部〉［それは氷雨のやむ夜……］ 535
〈九月のをはりの歌〉 537
〈一部の者たちのために書かれた詩篇〉 539
〈火の秋のうた〉——あるユーラシヤ人に—— 541
ユーラシヤの暗い太陽の下で——父と子のうた—— 543
〈日光の乏しい季節〉 547
〈ユーラシヤの暗い太陽の下で〉 549
〈晨と夕ぐれとに祈ることを拒否する歌〉 552
〈夕ぐれと夜と晨とのうた〉 554
〈困難は暗いといふことではない〉 556

〈宿無しの女のために書かれた詩〉 558
〈愛なき者がうたつたうた〉 560
〈わたしたちの魂の鎮めのためのうたの一部〉 562
〈忘れてのちに彼等は何処に〉 564
〈夜は異邦のやうに〉 566
〈非詩的な詩人から詩的な女詩人へおくる晩秋の歌〉 568
〈忘れることのできないことの歌〉 570
〈兆候〉 572
〈後悔する時の歌〉 574
〈自由な夜のために書かれた詩の一部〉〔遠くからは……〕 576
〈秋のなかの暗い場処で〉 578
〈暗い（昏い）秋〉 580
〈シメオンの讃歌にかはる暗いうた〉 582
〈燃える季節〉 584
〈暗い記念碑〉 586
〈自由な夜のために書かれた詩の一部〉〔秋　すべての運行には……〕 588
〈風景と智慧〉 590
〈また其処に夜がきたとき〉 592
〈わたしたちの魂の鎮めのうたの一部〉 594
〈褐色の時代〉 596

〈地の繋約〉 598
〈焰と死の秋〉 600
〈知られざる秋のうた〉 602
〈祝禱〉 604
〈深夜に目覚めてゐた時のうた〉 606
〈秋の炎〉 609
〈踏切番の歌〉 611
〈砂漠〉 613
〈夕べとなれば安息もある〉 615
〈風景と祈禱〉 617
〈夕べの風景・都会〉 619
〈向うから来た秋のために〉 621
〈自由な夜のために書かれた詩の一部〉［苛酷な秋が……］ 623
〈火山湖から帰つて〉 625
〈わたしたちの魂を鎮めるための詩の一部〉 627
〈わたしたちは退くことができない〉 629
〈赤い日が落ちかかつてゐた或時刻に〉 631
〈秋の飢餓のうた〉 633
〈眠ることなき者をして眠らしめよ〉 635
〈城砦〉 637

〈罪びとの罪の歌〉 639
〈冬に具への詩の一部〉 641
〈積木と夕ぐれ〉 643
〈冬のうた街のうた死と荒廃のうた〉 645
〈記憶によつて回想された風景の詩〉 647
〈星と繫がれた歌〉 649
〈寂寥を巣にかへせ〉 651
〈鉄鎖と冬〉 653
〈冬にならない時のうた〉 655
〈冬の街角で画家に出遇つたとき感じたことのメモワアル〉 657
〈明日からはまた寂しくなる〉 659
〈雪が消えてまた来る季節〉 661
〈風と冬と奈落の土地〉 663
〈冬がはじまるときの歌〉 665
「日時計篇」以後
〈ぼくの言葉が戦乱と抗争する〉 669
〈独りであるぼくに来た春の歌〉 672
〈独りぼつちの春の歌〉 675
〈悲歌〉 677
〈ひとびとは美しい言葉でもつて〉 680

〈苛酷な審判〉 683
〈夕日がわたしたちの視る風景のうへに〉 686
〈貨車（ワゴン）と日附けについての擬牧歌〉 689
〈時代のなかのひとつの死の歌〉 690
〈緑の季節と蹉てつの時刻〉 692
〈死者のために捧げられた弔詩〉 694
〈雨期の詩〉 697
〈暗い太陽とそのしたの路〉 699
〈夕ぐれごとの従属の歌〉 700
〈絶望はまだ近くにゐる〉 703
〈黙契〉 705
〈太陽が遠のく〉 709
〈蹉跌〉 712
〈ついにそれは来た……〉 715
〈さてつの季節〉 717
〈われらの愛した悪は何処へいつた〉 720
〈運河のうへの太陽の歌〉 723
〈夜のつぎに破局がくる〉 725
〈ぼくの友たちによせるぼくのうた〉 728
〈冬〉 731

〈うしなはれた愛とその経路について〉 732
〈われわれの外がわからは〉 733
〈惨苦の語り手〉 735
〈失語症〉 738
〈時はちかづく〉 740
〈風が吹くたびに〉 742
〈ちひさな群へ〉 744
〈危地に立つひとびとへ〉 746
〈危地に立つ階級へ〉 747
〈死のむかふへ〉 748
〈それはうつくしいか〉 751
〈たのしい十字架〉 752
〈惨劇〉 753
〈いまはひとつの季節〉 754
〈救ひのない春〉 756
〈よりよい世界へ〉 759
〈危機に生き危機に死ぬ歌〉 761
〈韋駄天〉 763
〈一九五三年夏のための歌〉 764
〈青葉の蔭から〉 767

〈亡命〉 770
〈暗い地点で〉 772
II
〈手形〉 777
III
Phenomenon of Bronze in Surface Coatings 784
解題 785

凡例

一、本全集は、著者の書いたものを断簡零墨にいたるまですべて収録の対象とし、ほぼ発表年代順に巻を構成した。
一、一つの巻に複数の著作が収録される場合、詩と散文は部立てを別とした。散文は、長編の著作や作家論、書評、あとがき類など形がそろうものは、さらに部立てを別にしたが、おおむね主題や長短の別にかかわらず、発表年代順に配列した。
一、巻ごとに、収録された著作の発表年代を表示した。
一、語ったものをもとに手を加えたものも、書いたものに準じて収録の対象としたが、構成者や聞き手の名前が表示されているものは収録しなかった。
一、原則として、講演、談話、インタヴュー、対談は収録の対象としなかったが、一部のものは収録した。
一、収録作品は、『吉本隆明全著作集』に収められた著作については『全著作集』を底本とし、そのうち『吉本隆明全集撰』に再録されたもの、あるいはのちに改稿がなされた著作は、『全集撰』あるいは最新の刊本を底本とした。また『全著作集』以後に刊行された著作については最新の刊本を底本とした。それぞれ他の刊本および初出を必要に応じて校合し本文を定めた。また単行本に未収録のものは初出によった。
一、漢字については、原則として新字体を用いた。芥川龍之介など一部の人名について旧字に統一したものもあるが、人名その他の固有名詞は当時の表記を底本ごとに踏襲した。また一般的には誤字、誤用であっても、著者特有の用字、特有の誤用とみなされる場合は、改めなかったものもある。
一、仮名遣いについては、原則として底本を尊重したが、新仮名遣いのなかにまれに旧仮名遣いが混用されるような場合、詩以外の著作ではおおむね新仮名遣いに統一した。
一、新聞・雑誌・書籍名の引用符は、二重鉤括弧『　』で統一したが、作品名などの表示は底本ごとの表記を踏襲した。
一、独立した引用文は、引用符の一重鉤括弧「　」を外し前後一行空けの形にして統一した。

吉本隆明全集 3

1951
|
1954

表紙カバー＝「佃んべえ」より
本扉＝「都市はなぜ都市であるか」より

I

日時計篇（下）

〈還らざる歌〉

ひとよ　遠く出立つてかへらない無数の声がある　冬の風をひとりでにつきぬけてまた瞋りや
無心のうわ言をまじへて　わたしたちよぎない寂しさを知るものへかへりつく声がある　何処
からかそれは暗い花びらのやうな女たちの　胸のうちに哀切をきわめて訴へるかのやうだ　女
たちは世々愚かでその肌は温もつてゐた　女たちは無心の眠りをひらくように抱きしめた　だ
から女たちの胸もとに無数のかへらない声がたどりつく

道化を知らないでまつたく女の胸の乳房をしらないで逝つたもの
またはたくさんの女たちの子宮のなかに摩擦したもの
女たちの無心を憎しんだもの
冬の風のあれる夜　女たちと囁きをかはしたもの
わたしたちはかへらない者のなかに背徳と背信と従属とにんげんのもらし得るすべての切実の
声をききわける

ひとよ　すべてを引裂いたものがにんげんの極北にある
わたしたちはそれを昂然と排反する
わたしたちが自らの生存を嫌悪するように且て自らがつくりあげたすべての重積を嫌悪する

はじめに圧しつぶされた者たちがしだいに怨嗟のうめきを発し　その声は地上のすべてをおほふ　やがてわたしたちは愛することもならないであらう　いたるところに訣別がある　おう至るところに冬がある

還らない無数のこえがわたしたちと相惹くだらう
ひとつひとつその声をききわけて女たちは嘆くだらう
そのあとからどんな沈黙よりもなほ重くわたしたちの歩む影がある
あきらかに怖れと瞋りと哀切とを感じながら
死の影にひかれてゆく

かかる日　触目するものすべては蕭じようである　冬である

〈一九五一・〇一・〇三〉

〈生の隔絶のうしろにあるもの〉

にんげんは分裂したこころをきりきりと冬の寒冷のなかにもみこむ
にんげんの病魂の外になにが起つてゐるか　赤い硝煙のなかの屠殺、屠殺のなかに
瞋りや苦悶を視せてくれる映画《フィルム》、映画を痴呆のやうに視てゐる眼、
おうけれどにんげんは限りなく病みおとろへる
発狂に至らずに空洞のやうな沈黙にいたる病ひである
いたるところにつき刺すやうな冬がまんえんする
だがにんげんはいま感ずるこころを喪つてゐる
無惨な風景は何故われらのこころに〈何処か遠いところで〉を感じさせるのか
痛切といふ感覚はどうして地を払つたか
至るところで流れてゐる血はどうしてわれらに滲みとほらないか
にんげんはいま病みおとろへる
じぶんが首をつつこんでゐる空洞がどんな長い時間であるか測ることが出来ない
地球は巨きな風てん病院のやうに発作患者と摩めつした感官の
分裂病者を載せたまま子午線のまはりをぐるぐるまはる
冬の寒冷があざ嗤ふ
どうしてこの風景が嗤はずにゐられるか

自然はいまあきらかに優位をしめてこの風景をあざ嗤ふ
いつさいの病根を封殺するために
誰が誰を屠らねばならないのか
夕べがくると西のいつかくが赤い色に染まる
まるでにんげんの体温表のやうに時刻になると繰返へされる座標の信号
このときわれらの生は隔絶される
渚のやうにしづかな憩ひがこの一瞬にある

〈穢悪の時代〉

弓のやうにしぼる重くるしさが何処かにんげんのとどかない処からやつてくる
瓦礫のやうにいり混つた憎悪の種子が発作に踏みあらされた土地から
芽を出してくる　それを喜随する変態がゐる　肥料をまき散らす奴がゐる
寂しさが底ぬけのしたのほうから限りなくこみあげてくる
ああ　もともと風はいつも東南のほうから吹きはじめ夕方になると西にまはつた
こんなしづかな日がくりかへされてゐたビルデイングの屋上で風見車がからからと
音を立て方向計が指さしてゐた　商標旗はそのとほりひるがへつた
そんなしづかな日　わたしたちは何を考へてゐたか

にんげんはいまいちように暗い
にんげんが生きてゐることはたいへん危い
風もいつさいにさきがけて暗い光束のやうに空を過ぎる
わたしたちはじぶんの精神が穢悪にまみれてゐるのを感じる
その感じはいたるところの事件に紐のやうにつながれてゐる
だから決して逃亡することはできないだらう

にんげんがにんげんを殺ろすことはどういふことか
プランによつてにんげんを屠殺場へ運ぶものはわざわひなるかな
正義によつて死ぬものは貧しいかな
わたしたちは秘された愛戯を美しいと思ふ
女たちのあたたかい皮膚を愛する
もしひとりのひとを哀しむならばそのためにどこまでも溺れよう
だがわたしたちは正義と人道とを拒否する
その仮面のうしろに非情をふくむいつさいの美辞を拒否する
わたしたちはそのために断じて死なないだらう

いまいつさいの穢悪が危ない詭計によつて語られる
にんげんはにんげんの下に従属する
新らしいヴアチカンのしたに神聖な軍を起こす　いたるところに祈りと従属がある
おう　かかる時代に面をそむけるものは誰か
昂然とにんげんを発掘しようとするものはたれか
いつも背後にかくれてゐる真なるものに依らうとするのはたれか

〈この寂寥の根にあるもの〉

よりどころのないにんげんの幸ひである日はきた　幸ひはむごたらしい寂寥の形態できた　にんげんが殺ろしあふために仲間を呼んでゐる
荒れはてた稗畑や原野のはての村落で　また灰色の澱につつまれた都会のビルデングのあひだで　いちように〈にんげんの未来のため〉に呼んでゐる
中東か近東かヨーロツパか大洋のなかか
其処で殺ろしあふために仲間を呼んでゐる奴がゐる

脳髄のなかに神や善や人民の名を馬糞のやうに塡めこんだ選民が
まるですべては昔からの習慣であるとでもいふように明晰なプランによつてにんげんを屠殺場へ追ひ立てる
いたるところに拡声機や拡声人間をばらまいて目的を宣告させる
よりどころのないにんげんは右往左往する
よりどころのないといふことは果してそんなに虐げられねばならないか
よりどころのない寂寥は果してそんなに空虚であるか

神とにんげんとが分離したとき最初の寂寥がやつてきた

にんげんとピラミッドのやうな社会組織が分離したときつぎの寂寥がやつてきた
いまにんげんはじぶんの寂寥をうづめるために死なねばならないか
にんげんがにんげんとして生きつづけるために
あの何ものか善なる名目に抗つてはならないのか

よりどころのないこの寂寥の根にかたいかたいものがある
にんげんは再び穴居して
かぎりなく視なければならぬ
世界がぜんたい風てん病院のやうに露出するまで
はげしく視なければならぬ、

〈寂寥に眼をかすもの〉

友よ　冬の風が蛇のやうにとほりぬける街々のなかで　われらの天候やその信号を
かぎりなく暗くするものがある　寒冷の陰をつくるビルデングでもなく　ビルデングの
通風孔に錆びついた鉄格子でもなく　形態のない眼のやうに穿たれた窓々でも
なく　実にわれらのこころの底から噴き上つてくる暗さがある
われらは文明の極北を忌むものではない　文明の生みだすメカニズムを暗いとは
感じない　われらの感じてゐる暗さは　にんげんに似た巨大な影からくるものだ
にんげんに似てゐるがゆえに明らかにそれを忌むこともならず
にんげんの及ばないがゆえにわれらは恐怖のこころを感じる
友よ　冬の空は明澄にゆきわたり　もしわれらがそれを信じまいとすれば
われらの暗さは何処にも存在しないかのやうだ　そうしてわれらのこころも
また手易くそこに届きそうに思はれる　だが友よ　われらがその空を
視るために　たくさんのにんげんの築いた過去をふりほどかねばならぬ
にんげんのこしらへ上げた重たい累積をつきやぶらねばならぬ
おうそれは限りない寂寥の底にわれらをつきおとす
その観念のためにわれらはたくさんの訣別をいたさねばならぬ
友よ　じつににんげんはいま病んでゐる　まるで磁場にあるやうにわれらは

いちように暗い陰のなかにある　陰のなかで互に紐をつなぎあつてゐる
われらの視たいものはそれだその紐だ　紐の根源をにぎつてゐる巨大な
影の実相だ
われらの寂寥に眼をかすものは何か
われらの眼に明晰を与へるものはたれか
そうして曲りくねつた冬の街路のはてで　われらの天候やその信号をたしかに
見届けるものは　友よ　われら自らでなければならぬ
その信号はいつも〈危機〉でなければならぬ

〈冬のなかの心景〉

冬の風のなかにわれらの眼が消える　眼が占めてゐたひとつの心景がきえる　冬の風が
掠奪していつたわれらの確証　確証のために生きつづけてきたわれらの存在が吹き払はれる
そのとき寂寥は自由になる
まるで真空のなかの眼のやうに自由になる
果てしない遠くから赤い夕べの日が牽引する　われらは夜がふり下ろされないまへに
たどりつかねばならない　衣裳のやうな約束がある

冬が街々を沈降させる　影の国の影のなかの衰亡
われらは瞋りで風景を傾むけるだらう　ペイヴメントに埋もれた塵芥が風をまきあげるとき
われらは風景の転倒を願ふだらう
おうのこされたいちるの短絡　それは限りない自愛の幻想である

われらは独りの埋没されたものとして歩む
とほくからのひとびとの鼓動に耳をかたむけねばならない
女たちのもたらす冬の果実
それを交換するためにわれらの眼は衰亡してはならない

冬のなかにわれらが在る　われらが在る

〈惨像〉

滑車のやうにすべり寄つてくる冬の風のなかに
運河がひとすぢ白くひかつて流れる　銀行の裏側を流れる　銀行の影が河水のうへに
たふれかかり日の影が鈍くうつる　わたしたちはいく度もひとつの寂寥を抱いて
果てしなく飽きない生活をおいてくる　わたしたちの道標はきつと街路の曲り路の
ところに残されてきただらう　時が風景を改変するように　わたしたちは自らを
修正しながら　何処かに立佇つた　わたしたちの運河やわたしたちの銀行が
いつもわたしたちの心景にうつつた

わたしたちの運河には塵芥が捨てられ　にんげんの愛慾の器物が膨らんで流れていつた
運河は海に入ることがなかつた　わたしたちの血管のやうに街々の裏通りを循環した
わたしたちの銀行ではいつも貨幣が概算されてゐた　推計の果てにグラフが作られた
まるで腐敗した構造のなかに貨幣は吐き出された　わたしたちはむしろ衰弱する
ばかりであつた
わたしたちの心景のなかで惨憺たる肥沃がおこなはれてゐた
冬の風が鳴つた　滑車のやうにまたは果てしない覚醒のやうに

いたるところの街々は冬であつた
わたしたちはいつまでも埋没したひとのやうに歩むだ
わたしたちのむかふ側にはいつも惨憺たるイメージがあつた、

〈わたしたちのうちで亡びゆくもの〉

冬がわたしたちのうちで風景を凍らせる
風景のなかに無数にある悪因はそのまま凍土《ツンドラ》のやうにわたしたちの骨格を
つき刺してゐる　わたしたちはそのうへを黙然とわたる　わたしたちの影もわたる
まるであの耐えるといふことを愚かな父から習つたやうに　まさしく文明の匂ひの
ない凍土のうへを、文明の匂ひのない暗い忍従があゆむ
巨大なビルデイングの内部でも
Ｙ字形の鉄骨のつらねられた重工業地帯のなかでも
わたしたちの忍従は暗い原始のままである

愚かな父は子におしへる
〈労働によつてでなければ生きることができないといふこの世の仕組は…
息子よ　おまへが考へるよりはもつと怖ろしくもつと深い些細がふくまれてゐる〉
おう　そのために愚かな父の忍従は風景を凍土に変へた
そのうへをわたしたちは黙然とわたる　わたしたちの影もわたる
あきらかにわたしたちがじぶんのこころに刻みこんだ風景によつてではなく
幻想によつて音楽や歌劇やフイルムをおしへる都会のペイヴメントをわたつて

まるで喰べるために労働するといふことがどんなことか知らない無心の学者から
科学を習ふためにわたしたちは門をくぐる
愚かな父は子に囁く
〈息子よ　それによつておまへの苦しみはすこし軽くならう〉
だがわたしたちはこたへるすべがない
凍土のうへを黙然とわたる　わたしたちの影もわたる

いたるところに冬がやつてきて
わたしたちのうちで風景を凍らせる
わたしたちのうちで壮大なものが亡んでゆく
壮大な名目が亡んでゆく

〈天刑〉

独りして夜はなかば侵しかけてゐる〈わたしのうた　わたしのひびき〉
夜はどうしても重たい影をわたしに負はせようとする　何ゆえにすべては
わたしにとつて重たいか　まるで地上にあるものすべてがわたしのうへにあつまるかの
やうに、そうして何ものかわたしのうへにあつめるものの手があるかのやうに
夜は重たい影をわたしのうへに負はせる

わたしはすべてのもののうちいちばん目覚めきつてゐるのだから
夜はわたしの覚醒を知つてゐる
わたしがとほいむかうから影のやうに曳いてきたものは
いま脆弱な部分からくずれてゆく
わたしの天刑は時のなかにある　それはわたしの無為のときを罰しないで
ただ独りの覚醒を罰するためにやつてくる
時はその形態のなかに殺伐な瞋りを蔵してゐる
わたしの友たちは傷ついてしまふ
わたしの女は背をむける

だがどうしてわたしがすべてのもののうちいちばん強者であつたらうか
わたしのなかで寂しさは内側をむく
わたしの面しうるものは荒れた風の触知のやうなひとびとの不毛である

わたしはひとびとの生存のあひだを昂然としてもはや歩みぬける
わたしをつなぎとめる紐はひとびとの手に把られてゐない
依然としてそれは殺伐な時の手のうちにある　そうしてわたしの天刑を意のままにくずすことが出来るのは無頼な文明の影である

〈冬の歌〉

わたしは冬を捨てきれない　花も咲かず蒼い空に風のとほりすぎた痕跡も視えず　またわたしに自由となれる愛ももたらさない　暗い空洞のやうな冬をわたしは捨てきれない　苛酷であるがゆえに　からからに乾いた気圏をもつがゆえに　また処きらはずはびこる狐たちを痩せおとろへさせるがゆえに
いくたびもにんげんを膝まで埋める原野の屠殺場へおくり　いやらしい慈善会を催ほす貴婦人を冬眠させるがゆえに　乞食や浮浪者の群れにせめてコンクリートの地下道に住むことを許すがゆえに　わたしは冬を捨てきれない

茫然とした脳髄のなかに僅かひとすぢ真なるものの底を探るがゆえに　薄弱なる種族に生れながら尚懸崖を背にして叛骨を風にけずらせるがゆえに　女たちの偽善を看すえ情慾に妥協することなく真なる女《ひと》を求めるがゆえに　骨髄に透る瞋りをあの雑輩どもに問はせず巧まれた秩序にむかつて投げつけることを知るがゆえに、冬はわたしを捨てない　冬はわたしをユダの如く遇しない

冬はわたしの嫌ふ循環性《チクロイド》の文明を沈黙させる　循環性《チクロイド》の人種をこたつやストオブのまはりにふるへあがらせる　そうして時として貨幣の概算をやつてゐるビルデングの扶壁に暗い暗い吹雪

を叩きつける　まるで循環性の文明を滅亡させるやうに苛酷に都会のいちめんを埋没する　わたしはそのとき明るい未来の夢を描く　靴をびちよびちよにさせながらビルデングの間のせまい鋪装路を歩む　わたしに一匹の犬がついてくる　冬の野良犬がついてくる　わたしはその幻影を信じる

〈剥離された風景〉

にんげんは暗い冬の風にまき落され　にんげんの描く幻想はただれきつてゐる
にんげんの患疾は深く脳髄のなかに浸透してふたたび正常な呼吸にかへらない
風景はますます強烈に彩られ
憎しみの果てはいちように殺戮に変じてしまふ
こんな処でわれらはどんな芽を萌やさうとするのか
そのためにどんなものを守らねばならないのか
寂しさや苦しさも底をついてもう感官のまひをまつばかりである

幼児のやうに小さな事件をひとつひとつたしかめながら
たとへば食卓のたのしさや会話のおもしろさを過去のほうから引き出さうとして
夜の眠りのまへのひと時を茫んやりしてゐる
せわしげな風景のなかのせはしげな回想に何の意味があるか
脳髄の進行が風景の進行とくひ違ふとき
にんげんは限りなく病んでゐなければならぬ

われらの与へた意味は風景から剥離されてゐる

風景を視るためにどんな思慮もいらない　網膜のうつした風景を真とするために
われらのいつさいの文明を必要としない
文明は今日何の価があるのか
それを知るために且てわれらの憂楽をぎせいにしたわれらの遺産とは何であつたか
遺産を尊ぶためにまるで守銭奴のやうにうやうやしかつたわれらのこころは
充たされてゐない

永遠ととりかへるために鍛へてきたわれらの生存は死なねばならぬ

〈絵画のやうにきた冬〉

絵画のやうに固定した風物のなかにきた冬
冬のなかでにんげんがいつそう暗くなる　にんげんは額縁のそとへ動き出さうとする
額縁の外に激しい世界がある　そこでにんげんはじぶんの寂寥をゼロにしたいと考へる
乾いたペイヴメントのうへにぱらぱらとあられがおちる
風がそれを掻きあつめて吹き溜める
建築がいつせいに黙ずんでくる　陰のなかに冬がある　冬のなかに固定した
絵画がある
にんげんは固定した額縁の外に動き出さうとする
にんげんは今日赦されるか
額縁の外に死のかげがさす　死のかげはにんげんに永遠の誘惑である

にんげんは冬のなかに色彩を視ない
冬のなかに触目するものは色彩のない絵画である　廃墟から発掘したぼろぼろの
密画である　疲労によつて脱落した風景である
寂寥が冬に眼をむける
殺伐によつて生存してゐた狩猟時代の郷愁を視するゑるために寂寥が冬

の絵画のやうな世界に眼をむける
にんげんは今日かぎりなく暗い　その運命は雪あられのなかに埋もれる
たれも遺骨を発掘しないだらう　土圧は化石さへも遺さないだらう
かかる時代がある　かかる時代が新世代沖積世の初期にある
流行病がにんげんを屠殺したと未来が記録する時代がある

狂暴性の患者の妄想のなかに
絵画のやうにきた冬

〈冬の遺書〉

暗い冬が吊かごのやうにぶらさげた建築物
風が垂直にかけおりたりかけあがつたりして陰をこしらへる
こしらへられた陰にあるひとつの遺書を視よ
暗いひとつの遺書をみよ
愚かな父が遥か下のほうのペイヴメントをこつこつ歩きながら
愚かな子に与へた遺書を視よ
〈ひとびとのあひだにまぎれこんで永遠に身近かなことを感じ
永遠に沈黙して働き　永遠に抗ふことをやめよ〉
このとき愚かな子は風のなかに暗い信号を読まうとし
冬の空に架空の影のよぎるのをみやうとする
愚かな父の遺書は遥かな下のペイヴメントのうへにある
愚かな子の感ずる天刑は暗い冬の空にある

おう　索莫とした文明の血につながれた父と子よ
愚かな紐はいつまでもつながつてゐる
父がしたつとめを子がうけつぎ

父のした苦悩を子はくりかへさなければならない
文明がうち壊はされ　血が飛散し　悪因がくずれ落ちることをねがふために
子は父の遺書にそむき
にんげんの紐をにぎるひとつの理由に抗ふことをはじめる
不可抗にちかいたたかひを
唯一の理由である冬の季節にむかつて永遠にくりかへさうとする

父の遺書は泥汚にまみれる
父の倫理はくづれおちる
子は普遍的な文明の冬をいたるところに感ずる
子の視てゐるのは崩壊されねばならないひとつの理由である
あの冬の暗あい空である

〈冬を監視する者の歌〉

冬よ　おまへが国道や海のほうから風をつれてやつてきたとき
わたしは街のうら路にかくれたり　幼年の記憶をたどつたりしながら視てゐた
おまへが国道からビルデングの間の路に滲みとほつて水溜りを凍らせ
眼のない出窓をきいんと叩き　街路樹のスズカケを吹き払ひ　たたきつけ
埋め　女や男たちの肩を触れるようにさせて駈けていつたとき　わたしは
やつぱり独りでペイヴメントの上で視てゐた
そうして海の記憶をいつぱい感じてゐた
おまへがビルデングを清潔にし、陰をつくり商標旗のうへをとほり
たれもかも毛皮のうちがはに埋めてしまつたとき
わたしはやつぱり視てゐた
時間はわたしのなかで途絶えなかつた
雪で埋もれた戦場で北鮮扶余族の兵士やニユー・アングロ・サクソニアンが死屍と
なつてたふれたとき
わたしはやはり北の方の空を暗い眼でみてゐた
冬よ
おまへの為せるすべてのことは神の言葉やにんげんの言葉では言ひ尽せない

おまへの為せるすべてのことは文明の暗い絆をゆりうごかし悪因をまきちらした
おまへは荒涼と雪のしたに埋められた稗畑を血で沃肥させた
おまへは罰せられねばならない
おまへを罰するためにおまへの為せるすべてのことをわたしは視まもつてゐた
冬よ
おまへの時を撰んでにんげんを奪はうとした詐術師《ペテン》をわたしは知つてゐる
それを罰するためにわたしは力をもたない
それを視すえるためにわたしの視力は弱い
だからおまへがまた反対側の国道を駈けぬけて立去るとき
おまへがまた海の記憶へかへらうとするとき
わたしに信号をおくれ
暗い暗い信号をおくれ
わたしは敬虔な祈りを喪つてしまつたけれど　偽善に抗ふ激しい叛骨を
もつてゐる
わたしはおまへに悪しき理由を借した者にいつまでも抗ふだらう

〈冬が逝く〉

冬がゆきます
ひとつひとつ強引な風でもつてたくさんの墓銘碑を叩きながら
碑に刻まれた文字をつまびらかにしないような無智な貌をして冬がゆきます
骨ばかりになつたえんじゆの植込みのあひだ
霜ばしらの立つ赤い土のうへ
供養柱の梵字のうへ
五重の法塔の甍
みんな薄らいだ光をつぎこむやうにして
冬がゆきます
冬は何かしら自らを悔ゆるように　あまりに無惨にした風景を悔ひるように
また時には頭をはげしくゆすつて自らの善意を否定するように
風を吹きおとしきりきりと舞ひます
どうしたことか
わたしのうちにひとつの覚醒すら呼びおこすことなしに
ただ暗い空洞がのこされてゐます
わたしが抗がはうとしたすべてのものに惨めな敗北のすがたを視せ

貌さへあげて空を視ることもできないままに
わたしが歩む墓地の土塀沿ひ
石材のつまれた庭
寺門の古めかしい仏像の金網ごし
冬はいそぎあしでいまゆかうとします
冬は静止した光をすべてのうへにおきながら
果てしない意慾の空白を空にのこしながら
まるで悪びれた自分を恥ぢるように
また狐のやうに弱い女たちを震へさせて卑怯にもいまゆかうとします
わたしの期待を裏切り
遠い半島の北でわたしの仲間たちのうちいちばん善良な者
わたしの仲間たちのうちいちばん盗人や殉教者に遠いものたちをつぎつぎ屠殺しながら
それなのにわたしの憎む支配者の煖炉《ストオヴ》の傍をさけるようにてい頭しながら
冬はいまゆきます
冬は薄ももいろの被衣《カツギ》を着けて
適度な情慾を充たしながら
おうわたしのいちばん嫌ふ風貌をみせて
いやらしい夕暮のとばりのほうへ駈けてゆきます

冬がゆきます
無為に明けくれしたわたし　空しい足掻を繰返したわたし

女たちのあとを追ひまはしたわたし　下司のやうな痴呆のやうな馬丁のやうな救ひ難いわたし
そのわたしにさへ卑屈な愛想わらひを視せ　わたしを誹謗する意志もなく
また近寄つて仲直りをする勇気もなく
冬はゆきます
地上いたるところに祈りや叫喚や女々しい従属がぼつ起し
新しいヴアチカンが放火人をかりあつめ十字軍を組織しようとする
あまりに空々しい正義と人道
あまりに安うりされる人民の生命と名
こんなにんげん世界の寂しい衰退をしり眼にしながら
何といふ哀れな性根
何といふけちくさい逃亡
冬はきいんと張る冷気に頬かぶりしていまゆかうとします
何が為されねばならないか　わたしは知つてゐる
小さなネジをひとつひとつ巻き直してやがて全構成を動かさねばならぬ
わたしはその機微と感覚を知つてゐる
けれどわたしにあの天けんがやつてこない
期待や畏れの渦まいたわたしの動機がやつてこない
わたしの傍で死の影は激しい音をたてて累積し
たくさんの悪因は腐敗した紐でわたしをつなぎとめようとする
愛や優しい思ひ遣りは地上のすべての場処から塵埃のやうに追ひ払はれる
誰もその温さやささやかな息づかひをこころにとめるものもない

わたしのこころは渇き　わたしの表情はむしろ非情にちかくなり
たれの愛をもあがなほうとはしない
おう冬よ
おまへは壊れた土管のやうにわたしの忍辱や殺戮に逃げまどふ
わたしの仲間たちを打捨てて
世界の季節をあのひとつの清澄な空に問はせようとする意志もなく
いつてしまふ
わたしのこころは不安に泡立ち　ともすればおまへのあとを追はうとする
おまへの卑怯な薄ももいろの逃亡を
おほ昔わたしの国の卑小な信仰者がしたやうに
おまへの立去る夕べの色のほうへ惹かれようとする

冬がゆきます
かび臭い温暖と妥協をはじめ冬はしだいに眼のふちの険をうしなひます
暗い墓地の空洞な光のなかにしめつた風をおくりこみ
霜柱のくづれた赤土から蒸気をたちのぼらせる
わたしの靴が其処を踏んでゆくとき
冬はまるで泥濘のやうなまた腐敗した魚のはらわたのやうないやらしい
触手をさしのべる
わたしの眼はいつのまにか峻厳な風景の撰択をやめ
うつむきながら自らのなかに閉ぢこもります

冬がゆきます
殺戮を拒否してゐた人道の革命家は衰へて
掌に温暖をにぎりしめた円満具足の資本家と握手する
いたるところ何事か架空な約束がおこなはれ　奇怪な風評がばらまかれる
わたしの眼に隠された陰微な場処で貨幣が交換される
わたしの瞋りが届かないやうに用心深く
未来の設計が協議される
おう冬がゆかうとすると
何といふ微温がはびこることか
何といふ偽善がはびこることか
偽善を勲章のやうにぶらさげた黴くさい人種が横行することか
わたしのこころは苛立つてそのひとつひとつにつき刺る
わたしの感官は妄想のやうに彼等の構想を探知する
財権が殺人器と神聖同盟をむすぶ
その緊密な紐をにんげんの暗い哀号がとりかこむ
もとより温情と非情とは同じ種族のうらとおもて
にんげんの哀号は決してその紐帯を切りひらけない
なほも膨脹する生産
なほも拡大する再生産
にんげんの生存はその楯となつて先行する
かかる無法がわたしたちの時代を規劃する

おう冬がゆかうとしても
にんげんに暗い冬の象徴がのこる
冬がゆきます
貧しいわたしの仲間たちの肩に膨大な負債と膨大な苦悩をおいて
空気のやうに身軽に時には道化たどんでん返しを風に命じながら
キネオラマ的な墓地の展望を
靄気や光束で化粧しながら
冬は責任もないそしらぬ貌で叡智を知らぬ不可解な微温をはびこらせて
いちめんの取巻きといつしよにゆかうとします

〈歳月のなかの空洞〉

風の響きが真新らしいと思つたらわたしはすでに変つてゐた
けれどわたしのなかに語られない部分がある
風の響きのなかに忘却された空洞がある
語らうとしても語るすべがない
触れようとしても再現するすべがない
風よ　冬の風よ
わたしのなかの不明を
都会の運河のへりにきて棄て去れ
たくさんの塵芥や生活のしみのついた茶碗のかけらといつしよに
白いエプロンの主婦のやうな否み難い手でもつて棄て去れ
清潔で厳しい主婦の威厳でもつてそれをなせ
そうしてあとを見るな
わたしの残像を視るな
わたしはいつも愚かで怠惰で悪にちかい怯懦で　けれどわるびれるふう
を秘して生きてゐる
銀行のうら路をとほつて運河べりにきて佇つてゐる

黝い河水にメタンが泡立つのを視てゐる
わたしのこころに同じ風景を凝視してゐる
これは独りのにんげん
つまりじぶんを何ものにも手渡すことを欲しなかつたひとりのにんげん
その現像である
掌に美と美の幻影が逃げ去つた時代のすべての温りを握りしめてゐる
ひとりのにんげんである
風よ　冬の風よ
おまへの苛しやくなさを理解する数少い者のひとりに
海の匂ひを視せよ
ビルデングの触感をつたへよ
更にその外にわたしの愛する風景を撰りわけて去れ

〈詩の形で書いた非宗教的な説教〉

きみたちがきみたちとして在るかぎり
寂しさは丁度きみたちの充たされない形式として其処にある
神が隙ま風のやうにそれを充たしたとて
一九五一年代孤独な人種であるきみたちは火のやうな反抗をもつてそれを拒否せよ
充たされない形式を人道におきかへて
嵐のなかの一片の砂粒としてきみたちがある
あの変革の実践にきみたちをゆだねよ
人性が集団性にうつりかはる
きみたちの寂しさは欲求の形態をとつて
財権の神聖同盟を根こそぎにゆすぶる
そんな時代がやつてきた
きみたちは先輩たちの過失と非情とをつぐなふため
いま新たな倫理を創らねばならぬ
且て人類の個々の点として在つた愛の感覚を
無数の紐と悪因とから解放せよ
そうして愛のうへに義があると考へた

誤れるあの革命家たちの遺誡を訂正せねばならない
愛はまるで風のやうに
すべてのうへにゐるきみたちの侵されない領土に存在する

愚かな父がそう言つたとて
生活の楽慾性を獲るためにかけがへのないきみたちの魂を販るな
揉み手をした卑屈な番頭となるな
猜疑にいいんぎんを加へた狐のやうなマダムとなるな
書斎に安楽椅子を具へた学者となるな
支配と商権に奉仕する芸人となるな
屠殺を司る兵士となるな
しかして何よりもまた
きみたちがきみたちとして無いところの者となるな

（中絶）

〈冬のまんなかにたつとき〉

どんな悲劇のまんなかにでも冬は遠慮なくおとづれる
たくさんの故智を引いてわれらの学者は道をしらせるけれど
たれもじぶんの生命とその博引旁証ととりかへようとするものはない
おほよそ真なるものは地を払ふ
それから模造品のすきなマダムや紳士がいたるところ精神の風土を荒らしてゆく
真なるものは苦々しく
とうていかかる脆弱なにんげんのこころはそれに耐えられない
われらの生存は病むでゐる
われらの分裂症状はきりきりと昂進する
これをとりとめるために暗い空洞のなかの忍耐をどれほどつづけなければならないか

明日のことは考へおよばない
だからせめて寂寥といふものをこんな冬のまんなかで考へよう
どこからも救済はこないとしても　もう壊れてしまつたじぶんのこころに頼るわけにゆかない
だから寂寥といふものも飼ひならすよりほかにない
寂寥のむかふにまた異質の寂寥がある

かかる風景はわれらを決して飽かせないだらう

とほい時代われらは頼みとするにんげんに出遇ふことが出来た
いま瓦礫のやうなにんげんの破片からわれらは貌をそむけたいばかりだ
拡声器のやうな奴がゐる　慈善家がゐる　流行歌のさわりのやうな奴がゐる
はりねずみがゐる　三下奴がゐる
冬はどんな悲劇をも湿らせることなしに確実にわれらの外形をとりかこむ、

〈わたしを信じない歌〉

冬になつたのでわたしの孤独は凍りついてしまふ
たれかがそれを引かこうとしてもわたしの孤独はそのまんま　透明な衣をつけ
てすかしてみえる　わたしの大すきな魚どもは青い鱗をして泳ぎまはつて
ゐるだらう　喪ひかけたものはそのまんまにしておくほうがいい
寂しさといふものは冬のまんなかでじつとしてゐる

わたしはもうあらゆるものを信じまいとしてゐるように
冬の乾いた風のふきぬける動物園の金網のまへで
動物たちをみてまはる
わたしの友はこんなに愚かで思ひつきなどしない者たちだ
ゆつくりとわたしの孤独だけがしみとほつてゆくが
決してこたへようとしない者たちだ
それでいい
すべてはたのしいことばかりだ

もしもこの世でうしなひかけたわたしの所有がすべてかへらないとしても

わたしはそれになれることで感じなくなるだらう
日影になつた動物たちの巣のまへでそう考へながら
すべてはたのしいことばかりだ

わたしはあの信といふものをたくさんの見知らぬひとにわけてきた
余儀ないことだが無駄であつた
わたしの信をいま動物たちにわけようとしても
もう何処にものこつてはゐない

こんな日にわたしの冬は遠い子午線のむかうからやつてきて
わたしはそのなかにはいつてしまふ

〈虐げられた冬〉

空洞になつた生存のむかうにわからないものがまつてゐる
小心に実体にふれながらわたしはそこへゆかう
死にひんしたひとびとはとうのむかしに死に　渇えたひとびとがその場処をかはる
こんなくりかへしをにんげんは何年やつてきたか
そのあひだに虐げられた父と母から虐げられた子が生れいで
もうすぐ反抗のまねごとをはじめるだらう
おう　そうして暗い花びらのやうな文明のかげから
くすぶつた熔岩のやうに噴き出してくる
けれどその循環からは救ひはやつてくるまい
どうしてもにんげんには蒼い空がひつようだ
工場地帯に美しいペイヴメントが設けられ　しゆろの樹かなんかが植られたとしても
にんげんは限りなくつきぬけることを願ふだらう
たいはいを好む種族がゐる
濁み声の女たちは集まつて巷をつくる
そこへ謹厳を装つてゐる奴らがゆくのは赦せないけれど
そこへひようきんな貧乏人があつまつて焼ちゆうを飲みながら賃銀を論じたつて

誰がそれを阻止できるか
すべて健康な仮面は死ぬがいい
人道のためににんげんを殺す奴らは絶滅するがいい
民衆の名において悪を是認する奴は亡びるがいい
にんげんは限りなくつきぬけることをねがふ
もうわれらのまへに十年もかはらぬ虐げられた冬がきてゐる

〈もつと真なるものを〉

飢えかかつた者　はめつにひんしたにんげんにもつと無惨な虐待がふりかかる
そうして企むものがどこかにある　企むものの背後につめたい非情が秘む
それが何であるか
ほんたうはそれが何であるか
憎しみのうしろにはきつと悪因があつた　だからわたしたちは憎しむことが出来ない
悪因はまるで自然以前の自然のやうにわたしたちを暗い紐でつなぎとめる
まるで遺伝子のやうにかくじつに　にんげんがつたへてきた悪因はなにか
わたしたちはそれが知りたい
愛と憎しみが同じ感情であること　悪のなかに真なるものが潜むこと
正義のなかにいつも無惨が内在すること
おう　たくさんのよぎない寂しさが　わたしたちにそれをおしへる
無数にからまれて　ぬきさしならない紐がわたしたちを追つめる
もつと真なるものを！

〈冬の奇跡〉

冬空はあむまり高く澄みつくし
もうそれ以上はなにも考へられない
乾いた風にこころをふきさらして昔は何をおもつてゐたか
しだいに狡猾になつてゆく振舞ひをまるで革皮のやうな分厚い嗤ひにつつんで
かの女らと道化を演じたのである
冬　かの女は外套にくるまつて
まるで男を同族のやうに思ひなし
からからと高く笑つたものである

わたしは何か奇跡をみつけるおもひで
かの女のそばについてゐた
かの女が殺伐な革命の理論を産み出してゆくとき彼女の唇はあどけなく
たのしげであつた
かの女は義務を負はない種族のひとらしく陰影もなにもない眉をして
いつまでも語りつづけたのである
わたしはかかる種類のお道化をずゐぶん愛してゐた

わたしがもつて生存となすところのものは冬の街衢で空をいつそう暗くした
そうして末尾の感覚がかの女の言葉をきいてゐたのである

たくさんの奇跡が時の名に冠せられて過ぎていつたのをわたしは知つてゐる
そうして欲しないものがわたしを連れ出し
わたしを無下に浪費させてゐた
何の理由もなく殺意をぶちまけるひとびとのなかに加はることもした
そんな時かの女はわたしといつしよにお道化を演じたのである
かの女は冬が果てると婚姻してしまつた

〈裂風のとき〉

かはりめのない空がはてしなく暗い
こんな日にわたしたちは深い傷手のそこに托された遺言をよみかへさなければならない　おそらくそれはたくさんのひとの手によつて成されたにちがひないまるで冬枯らしの風のやうにひき裂くことばをよみかへさなければならない
わたしたちが埋もれようとしてゐる世界ではあんまり暗いことになれてしまつたので
わたしたちはむしろしづかにくりかへしそのことばを噛みくだく

どんなにたよるところがなくても
わたしたちは生きることの無価値を自らにむかつて語りきかせようとは思はない　そうしてちひさな安息をわたしたちはビルデイングや寺院の石階の途中でもつことができるだらう　花のやうに匂ふ女たちの素肌にかほをうづめて眠る夜もわたしたちは喪はないだらう
だからわたしたちの外側でたくさんの兇事がおこつたとしてもわたしたちが
それを感じない時間はすべてわたしたちが有つことになる
けれどわたしたちがおそれてゐるのはわたしたちの時間とわたしたちの外の時間とのどうすることもならない決裂の日がやつてくるのではないかといふことだ
冬枯しの風のなかにそんな予感がある

幼ない日のやうにわたしたちは風を自然とは思はなくなつてゐる
わたしたちは風を歴史のやうにしか感じられない
たくさんのひとびとの無声によつてなされるうつたへのやうにも思はれる
わたしたちは汚れた手をかじかませて
いつまでも聴いてゐるだらう

〈冬の掟ての歌〉

寒さにはいちように陰がある　陰のなかに暗い思考のあとがある
わたしたちは赦されない掟てのなかで激しく時とにんげんの秩序に排反する
誰が掟てをこしらへたか
そうして掟ては何故にわたしたちの思考を圧殺しようとするのか
低く鉛色の雲のなかを風がとほる　風はわたしたちを遠くはなれ
わたしたちの歴史をはなれ　自らの所在を他者の掟てからとき放つてとほる
まるでなだれるような雲のいちめんの怖迫！
わたしたちははるか下のほうで外套のえりを立てて歩んでゐる
わたしたちの街々には巧まれた風景ばかり並んでゐる

すべてのもののうちわたしたちはにんげんを愛する
にんげんのなかにわたしたちの少女がゐる
少女は掟ての外にあつてたのしげな眉をしてゐる
掟てをこしらへたのは誰か
掟てのなかに紐のやうにわたしたちだけをつないだのは誰か
暗い色のなかをよぎる冬

冬のなかにある撩乱
にんげんはこんな日に生存することは危ふい

わたしたちはそれを知つてゐる
だからすべての依頼を絶ちきつてわたしたちは昂然と生きるのである

〈暗い歌〉

わだかまる残渣をおいたまま　わたしはすべての訣れをする
訣れのあとにあらはれる断層　そしてそのあとにやつてくる背反
時はわたしとわたしの愛とを両極に分離する
みづからのうちにみづからの影を呼ぶものがある

時はいますべてを誤らせる
わたしは愛とただしいひとを捨てる
〈遺されたものは何か〉
〈遺されたものは何か〉
すべては神やひとつの暗い極にかへりつかうとしてゐる
わたしはそれをしない

わたしは暗い
暗い

〈冬〉

仲間たちは寄りあつまつてトランプをはじめたり雑誌をめくりはじめたり
いづれ焚火のなかには芋をうづめておいてある
冬は窓の外がはにきてゐるけれどこの部屋のなかにははいりにくそうにしてゐる
誰かは考へごとをはじめる
冬はたくさんの理由にかこまれてやつてくる
みんなはそれを感じてゐる
ひとりふたりの人はそれをはつきりと言ふことが出来るだらう
けれど仲間たちは愉しそうだからそれを言つてはならない

なにゆえにわたしたちは寒さのほかに暗さを感じるか
風はつめたいばかり　空は高くすんでゐる
わたしたちの感じてゐる暗さはどこからくるのか

わたしたちの寂しさを暗さに擦りかへるものがある
ひとりの女のひとがそれを言つた
生きてゐることは寂しいといふ日がこれからも続いてゆく

わたしたちの冬は風を吹き鳴らす
地球はその風をきつて転るのである
樹木も建物もにんげんもみんなおなじ方向になびくのである

わたしたちが生きようとする方向に不毛がある
かたいかたい不毛がある
わたしたちは愛や温かさやひとみしりをする羞みをもぎり捨てて
そこへゆかねばならない

冬は予感をともなつて窓の外へきてゐる
わたしたちのうちはじめに覚醒するものは必ず不幸である
みんな夢中になつてトランプを切つたり雑誌をめくつたり
たれかが焼き芋をひつくりかへしたり
冬は沈黙の速度を密にしてやつてきてゐる

〈第一の歌〉

わたしたちは独りでゐるときにたくさんのことを感じてゐた
わたしたちの感じてゐることにはいつも憩ひがなかつた
幼年の日のすべての風景はもうかへらない　そうしてひとびとの愛をうるために
正しく振まはうとしたこころは喪くなつた
わたしたちは唱つたり喋言つたりすることもなくなつた
だからわたしたちの沈黙はいつも充たされてゐた　それは暗い風の感覚や
空にまじつてゐる無数の形態によつて充たされてゐた

もうあらゆることの意味をかんがへなくなり
生きようとしてもまるで空虚をつかんでゐるやうであつた
わたしたちはしだいに重たくなつてゆく歩みをうちとそととにわけようとした
空しいことではあるけれど
わたしたちはすべての由因をうちと外とにわけようとした
〈性あるお人はわたしたちの愚さをゆるせ〉
いつはりの秩序に感じなくなつたひとはわたしたちの傍らを愉しげに
とほりすぎていつた

わたしたちの路にはいつも乞食と飢餓のひと影があつた
この限りない路の予感と不安よ
どこかでわたしたちも憩ひそして眠らなければならない

わたしたちはじぶんを愛してゐた
わたしたちは誰をも愛さなかつた
わたしたちはすでに物慣れてしまつたすべての秩序やひとを愛さなかつた

〈愛の絶えざる歌〉

茜いろの雲のしたに夕ぐれが寂しさや暗さや影をまきこんでやつてくる
わたしたちの愛はまるで稗のやうに踏みあらされむしばまれ
たくさんの戦場のしたに埋もれやうとする
わたしたちのために何びともいちまいの衣裳も寄来さずまた祝福のことば
も遺さない　にんげんはいま茫洋とした未来の幻覚におびえてゐて
わたしたちの小さな愛に気づかない
わたしたちが冬のやうに素裸で貧しく風のやうに遠くへむかつて振る信号を
みとめやうとはしない
すべてのにんげんがそれを寄り道のやうに思はうともわたしたちの愛は絶えない
だらう　装甲車のキヤタピラのしたや泥靴のしたに踏みつぶされようとも
わたしたちは　わたしたちの温もりをはつきりとつかみ合ふだらう

ある絶望のはてにいくたびも暗くいびつにされ
所労と排反のあげくのはて何もかも投げすててしまつたとき
わたしたちの愛もまた泥まみれになり　もう憎しみか悪感かも判らなくなつた
けれどにんげんがたくさんの嫌悪にかられながら尚生きつづけねばならない

やうに　わたしたちも限りない重積にたえて信号をつづけねばならなかつた
旗のやうにまたは暗い風のやうに
わたしたちの信号はそれがきつと届くにちがひないと信じたが故に
届けられた　寂しい微笑のやうに　あるかなきかの安息のやうに
決して騒音と恐怖に奪ひ去られてしまつたものには気付かないかすかな
信号でわたしたちは寂寥の底のほうでそれを抱きしめた

わたしたちは抱きしめたまま眠ることを赦されなかつた
わたしたちは抱きしめたまま凍りつかねばならなかつた
あらゆるものはわたしたちを引裂くやうに　わたしたちを威かくするように
あの夜の星座でさへわたしたちを覚醒させた
わたしたちの愛は何処へゆくかわからなかつた
わたしたちはわたしたちの愚かな父と母とにうつたへた、

〈雪が都会を埋める〉

灰いろの澱のやうな風のなかでビルデングや鉄橋や公園《パーク》がふくれあがる
ふくれあがつて視野のなかでふわふわと浮動する形態のない窓がある
窓のうちがはで白昼の電燈をともしてゐる
貨幣が概算される
複式帳簿が記載される

形態のない窓が暗い文明の眼のやうに街々を視おろしてゐる
雪はもつと降ればいい
これくらいでは暗い都会は終らないだらう
寂しさも苦しさも何もかも埋めつくして降ればいい

悪態をつく　にんげんを殺ろすことの好きな奴　腹のつき出た奴　女蕩らし
ルウレットをもてあそぶ奴　官僚　政治家　にんげんのくず
みんな埋めつくして雪は吹きつけるがいい
北のほうからにんげんの北のほうから何かしら信号するようにまたは
にんげんの肩に触れるように雪は吹きつけるがいい

〈冬の歌〉

きめこまかく刻られた空から乾いた風を吹きあげる　乾いた風はまるでわれらに
想ひ出を喪はせる　憎しみのない貧寒をあいし、こまごました愚かな祖父からの
遺言をまもり　女たちをいたはり過ぎてゆかうとする冬がここにある
冬が貌をまともにむけてここにある
路標ははげちよろけて文字をつまびらかにしない　路標はすべてわれらの空を暗くする
われらの空は風洞のやうに拡がりわれらの声はとどかない
息のあるうちに為すべきことは未前に累積する　振りかへることを好まないわれらは
自らの来歴を知らない　果てしない遠くから来て果てしないむかふを視る
視わたすかぎり冬である
その暗い空洞である

おう女たちはあんなに怖れてゐる　あんなに怖れて分厚い外套を被いでゐる
すくなくともわれらは寂寥を皮革によつて包むことをしないだらう
寂寥は風にうたれて暗い
風にうたれて過去のほうへ呼ばうとする
冬の空洞をぬけてわれらは欲するところにいたらうとする

〈酷しい冬〉

冬が三色菫のやうな寒冷をはこんでくる　寒冷のなかに眼に視えない酷薄な
気配がある　それはまるでにんげんを打棄るやうにまたはむごい孤独のやうに
エプロンをつけた主婦のやうに
顧慮のない支配者のやうに
わたしたちのまはりに降りてくる
それを感じてゐるのは何処へゆくあてもない浮浪者のむれと
何をなすべきかをしらない寂しい人種だ

冬は予告のない戦争のやうに
わたしたちがそれを求めないのにまるで既定の事実のやうにやつてくる
あらゆるものが所有をすべて喪つてしまつたのち
もう奪へるものといへば魂とか骨格とか生存とかいふものだけだ
だから冬はそれを奪はうとしてやつてくる

わたしたちの皮膚は収縮してじぶんをまもろうとする
わたしたちの魂はかたい鎧をつけて最終の懸崖まで卻く

わたしたちの守らうとするものは真とか正義とか昔のやうな愛とか
いふものではない　とうの以前　わたしたちはそれを喪くしてしまつてゐる
わたしたちを守るものはわたしたちの存在だけだ

何故に守らねばならないのかも知らず
果して守るに価するものであるかもわからず
ただそれがわたしたちの意志や異変を生む源であるがゆえにわたしたち
はそれを守らうとする　酷しい冬がそれを奪はうとする

〈記されない愛〉

われらのゆきつくはてに冬の風が吹きはらつた荒涼がある
いくたびも記されない愛をくぐりぬけてわれらの果てに荒涼がある　荒涼のさ中に
ひとつの自悔がある　自悔はいまたくさんの幻覚のうち醜なるものを
喚びおこす
われらはいつも飢えを充たしたか
われらはいつも飢えによつてひとを呼ばつたか
それをつまびらかにしない
ただゆき過ぎたひとびとに記されない愛を刻みつけてふたたび出遇ふと
はしなかつた　むくひられることの愚さをわれらは強い覚醒によつて知つてゐた

あらゆるものはいま暗い陰によつておほはれる
おほくのひとにわれらの寂寥を告げやるためになにものか
意志することのない抑制がある
われらのみちを変らぬ速さでたどるときあたりをかへりみる思ひがある
この困惑はどこからきたか
そうしてすべての〈もの〉に色彩をほどこそうとする群れに充ちあふれるとき

かかる〈とき〉にわれらはなほ多くを感じようとする
または冬の風のやうなもの音をきかうとする
そこにわれらの愛が在りうるように
われらの記されない愛が隠れることのできるように、

〈冬のかげに〉

いまとぢられたひとつの擬眼がある　冬のかげにむしろ悽惨のみを視てゐたひとつ
の擬眼がある　閉ぢられたあとにくる寂寥にもの問ふことを赦さない
瞋りがある　とほいところからあどけない色彩がよみがへる　色彩のなかに喜戯して
ゐる幼年の風景　もう決しておこなはれることのない死んだ風景
あらたに何がわたしに加へられたか
わたしの眼にどんな映像が焼きこまれたか
冬のかげが年ごとにつれてくる寒冷がさらに悽惨を加へる
そのたびごとに振子のやうに揺動する瞋りがある

冬はどんなものをわたしにのこしておいたか
何故に冬はそれをわたしにのこしたか
わたしのなかにわたしの生存を確証するものが激しい否定をもつてそれに応ずる
否定が生存を確証するときわたしは病んでゐる

病舎の窓に陽のあたるやうにいまわたしの擬眼に閉ぢられた過去がある
わたしの眼の外にたくさんの病棟が並んでゐる

病棟のなかでの愛慾　病棟のなかでの殺戮
病棟のなかにのこされたいつ本の稗の実

いつ本の稗の実がわたしの未前につながつてゐる
わたしはそれを信じる
且てない寂寥をもつてそれを信じる
わたしの冬のかげをわたしの信が過ぎる時刻がある、

〈死びとをかくまふ歌〉

夕べとなればわたしたちは愉しげにふるまはねばならぬ　秘しておいたわたしたち
のひとりの死びとの想ひ出がよみがへつてくるのだから　死びとの想ひ出のうちに
わたしたちは無傷だつた頃の自らをおもひおこす
何故かわたしたちの秘してゐたのが死びとであつたのもわたしたちが自らの傷手を
かくまふためにたくらんだ悲しみであつた
死びとに触れるときわたしたちは何もしないのに問ひかけられるやうな気がした
そうして問ひかけることはすべて同じものであつた
わたしたちによつて解きほどかれたたくさんのものはすべて死びとの幻影のなかに
入りこんで眠つてしまふ

どこからともなくわたしたちは風音をききつける
夕べとなればいよいよはつきりとわたしたちは足音をききつける
決してわたしたちはすべてがわたしたちの所有のやうに思はれることを願ひはしない
だから足音はいつもわたしたちに触れようとはせずに遠ざかる
まるでわたしたちの秘してゐた死びとのやうに

槐樹の蔭によこたへられたわたしたちの死びとの幻影
わたしたちは槐樹の蔭のしたでむかしむかしまるでつくられた構図そのままで
ひとりの寂しさを知るものとなつた
わたしたちの死びとの幻影のなかにあるわたしたちの過去！
それを視てゐるわたしたちのもうひとつの眼のなかの想ひ出！

〈夕日のある風景〉

わたしたちは建築たちのあひだで夕日がおちかかるのをみてゐた　わたしたちの眼はつかれきつたその西方のいろを視た　わたしたちによつて寂寥は幾重にも重なつてゐた　わたしたちはその色を視た　誰がむかし夕日を追つていつたか
風のむかふ側にある夕日を追つていつたか　夕日のなかにある閉ぢられた怡しさを追つていつたか

わたしたちは枯れおちた街樹の並らびあつた路上で夕日がおちかかるのを視てゐた
わたしたちのうへで車馬がとほりすぎた　還りつくところのない風がとほりすぎた
暗い空洞のなかに時間があつた　時間の影のしたでわたしたちの惨苦がおこなはれてゐた　いま乏しげにわたしたちの働らいてゐる建築があつた

ひとびとよ　あまりとほくから来てはならぬ
わたしたちはすべてを喪ひ、わたしたちのより処をすてて来た
わたしたちの欲するところ何かがまつてゐた

わたしたちの眼は峻厳に夕日の色のかはりめを視た

それから歩みはじめねばならなかつた
ひとびとによつてゆきつかれない路上をわたしたちは激しい瞋りによつて充しながら
いつまでもそれがつづくのを知つてゐた

わたしたちは夕日に背をむけて　やがていつか還りゆくことを知つてゐた、

〈冬のうた〉

われらの街は屍にうづめられ　われらは腐つた雑炊をうるために屍のつくつた路のうへを乾びた喉を鳴らして過ぎる　喉は風のやうにひゆうひゆうと鳴り風のやうにひとすぢに暗い空洞に繋がれてゐる　冬の飢餓だ　わけてもわれらのこころの果てしない飢餓のときだ　軍楽をかき奏で銃を肩にかけてわれらの街をゆく群れがある　幼児のやうに見送るわれらの眼がある

われらは死びとを送るやうに重たい沈黙をつづける
われらの眼もまた語らうとはしない

けれども蛇のやうに長く氷塊をひいてゆく雲がある　街々の入口に植えつけられた慈善の告知板がある　乞食がゐる
まるで架空の虚点をゆくように長く長くこの路ははてしないことを知つてゐるのにわれらはひとりひとりじぶんの路をまもらうとするのである
われらは殺戮のむれからずれおちて　もはや幾重にも暗い谷のはざまに光塵のやうに埋もれようとする

冬がわれらを凍らせるとき、

〈冬の歌〉

わたしたちはいつか願ふだらう　ひとびとをおきざりにして風がとほりすぎたあと
赤いむつ衣のやうにとりのこされたわたしたちの羞恥が　わたしたちの生存を傷つける
ことのないようにと
やがてわたしたちは冬の季節をあいするだらう
わたしたちは冬のなかに死ぬことを　わたしたちの過去に祈るだらう
冬のなかに骨のやうに乾いたこころを生ましめるだらう

何にもましてわたしたちは愛するもののために生きるだらう
わたしたちによつて喪はれる時間はいつも暗い空洞のなかをとほりすぎ
暗い空洞のなかからわたしたちの望んだ角のやうな芽が萌えはじめ
太陽の影とひかりを追ひはじめるだらう
わたしたちの惨苦はそのときうなだれて歩むだらう
暗かつた過去のために　暗かつた生存のために

冬は偽善の街路をおしつぶし
洋燈をぶちこわし

女たちを狐のやうにやせおとろへさせながら過ぎてゆく
わたしたちはそのなかで生きつづけるだらう、

〈禁制の歌〉

それをうたふものは罰せられる　それを訴へるものは排せられる
真なるものはいつも秘められてゐる
それを摘出するものは生産社会を追ひたてられる
追ひたてられて何処へゆくか
風が空のどこかで容れられてゐても追ひたてられたにんげんはゆくところがない
追ひたてられたにんげんはかへるところがない

にんげんがにんげんを紐でつなぐ
紐でつながれてまた紐でつなぎはじめなければ生存は危ふい
この世の快楽はみんな豊饒な紐をもつてゐることだ
だから弁腹をつきだして哄笑する　あんな哄笑はわれらにはない
われらは禁制の歌をうたつてこの世の紐をづたづたに断ち切らうとする
そうでなくてはわれらはいつまでも暗く　真なるものはにんげんの手元にかへらない
野垂れて死ぬといふ夢がわれらにある
工場の機械の片隅におひこまれて賃銭のためにのみ働くといふ夢がある

悪夢かどうか知らない
大痴のやうに黙つて働き黙つて食へば生きてゐるといふことだ

われらはその外に何をしようとするか
何がわれらに待つてゐるか
やがてわれらに余りものの紐を分け与へ　われらが幸福な予望でこころを充たすと予想する
ものは患ひなるかな
われらはこの世の紐をづたづたに断ちきつて禁制の歌をうたふ
うたへなくなるまでそれをうたふ
われらが野垂れて死ぬことはあつても　われらが紐にすがつて生きることはない
それを信じないものは患ひなるかな　紐によつてわれらを封殺するものは患ひなるかな、

〈降誕祭前夜〉

あけらんとして赤く染つた雲は都会のうら路のうへをうごいてゆく
銀のハリ紙や金ピカの糸を垂らしまるで騒擾のまへのやうな形のない飾り
を門ごとにならべ立て酒場はひとを誘ふのである　濁み声の女どもや手に余まる
過剰の悪夢によつてひとを誘ふのである

わたしたちの悪夢はことによつたらこんな夜充たされるのである
にんげんの不幸によつて築きあげられた文明の末裔の夜に
あはれにも亡霊をおきざりにして逝つた男の生誕を祝ふ前夜に
わたしたちの不幸はそのまま四散しさうにも思はれる
購ひやすいものをつぎつぎに漁りあるく群れにまじつて
まことに購ひうるものはつひに帰えらない
帰えらない
わたしたちのうへには由所のない寂しさや神のやうに築きあげられた
飢餓の秩序のほか何も存在しない
ああかかる日の夜に汚れた手に抱きあげられる男の生誕はまことに
数々の誤算のうちもつともあはれな誤算のうちにとりあげられる男の生誕は

みじめである　みじめである

その男のためにわたしたちは祝福しない
そうしてこの夜はまるで喪服のやうな外套と泥靴をみにつけてうなだれて歩く
この夜この男を祝福するものは酒場と踊り場の主
またすでに偽善にまみれた偽牧師めに限られる

わたしたちの夜の記憶はいつものやうに暗いのである、

〈冬風の鳴る夜の歌〉

何がわたしたちにとつて救ひであつたのか
わたしたちの凍るような冬が風をひきつれて夜にやつてくる
風は鳴る　風は地上の糧の不足をかんがへることもしないで窓や甍や
なだれのやうな層雲のしたを鳴りわたる
わたしたちの愛する街路も塵埃をまきあげて　わたしたちの愛する群集も
外套のすそを吹きぬかれて
風は夜になると鳴りわたる

おう暗いにんげんどもの形づくる暗い世界をわたしたちのこころは感じてゐる
わたしたちの暖炉はとぼしくなつてわたしたちの会話はいつさいの夢を
構成しない
〈何がわたしたちにとつて救ひであつたか〉
神の秩序から惨虐がくる
神の秩序から破滅がくる
みじかにゐてわたしたちの愛してゐるものはみんな傷ついてゐる

友よ
こんな颪の鳴りわたる冬の夜に訣れにやつてくるがいい
おまへの駈せてゆく秩序にわたしは組しないのだから
また聖書をまへにして掻き口説くおまへの師にも組しないのだから
いつさいの由因はわたしの及ばない外廓からやつてくる
そうしてわたしは量られないにんげんの不幸の理因を憎んでゐる

こんな夜
またとない悲運がわたしたちのちかしい扶余族のうへに降りてゐる
颪は半島の北からわたしたちに暗い信号をおくつてゐる

〈余燼〉

吹きつぱなしの冬の風が　貌をそむけて過ぎてゆく　余燼のくすぶつた風景のうへをゆくときである　飢えたにんげんはたいていその息を途絶えさせ　残された女たちは汚埃だらけの着物をぴらぴらさせてそれぞれの速度でそれぞれ落ちるところはきまつてしまつた　未だくすぶつてゐる余燼は　だから悪因の腐敗するときのものだ　巨大な重積がくづれおちるとき　にんげんはうろたへて放火する　誰か暖まる奴がゐる　誰か追ひ立てられる奴がゐる　こんなとき冬は貌をそむけてとほりすぎる　にんげんが繰返してきたチクロイドの風景である

寂しさは空になつた荷車のやうにわたしたちのあとについてまはる
わたしたちは韋駄天を忘れた荷車曳きのやうにあてもなく投げやりになつたじぶんを持ち運ぶ　わたしたちはことさらに嫌悪の風景のなかを　まるで自分を嚙みつくす蛇のやうにのろのろと歩む　風景は眼のなかにとびこんではこない　わたしたちの眼がわずかに風景を反映する
寂しさは無機物になつてわたしたちの影についてまはる
寂しい男たちによつて余燼はほじくりかへされる　賭博者は狂喜してはかない賭けごとに集まる　その眼は炎のやうに燃えてゐる　おう　わたしたちの寂しさはどんな貌をしてこれを消し

たらよいのか

吹きつぱなしの冬の風が貌をそむけてとほる
孤独といふものは変な方向からやつてくる
背中の方からやつてくる

〈暗い冬〉

街樹の葉が死んでしまつて路上に無縁の墓地ができる　色濃い陰が滲みこんだままつひに消えそうもない　われらが歩むとき冬の陰はついてまはる
われらはいつまでもその外に逃れることはできない　ひとつひとつ記憶のなかに刻みこまれた瞋怒が封じられたまま火を噴いてゐる　われらの貌に死のかげがある
決してわれらは凍みついた土地を離れないだらう

冬よ
われらから双手を奪はうとするものにいつまでも組するな
そうしてわれらに暗憺を与へることあまり遠きに及ぶな
もはやわれらの路は極まりはてたと感じながらわれらの仲間たちは辛うじて生きてゐる
辛うじて生きてゐる者からその瞋りを奪はうとするな
われらの優しさもいまは微かな糸のやうにひとりのにんげんを愛せそうもなくなつてゐる　これ以上われらの仲間を苦しめるな

冬よ
われらに氷結した表情をあたへよ

われらに乾いた風の苛しやくないこころをあたへよ
われらに流氷のやうなかたい瞋りをまもらせよ
あきらかにいま寂しい冬が暗いかげをもたらしてくる　おうそのはてに
にんげんは異様な表情で鎖につながれてくる
且てどんな画家たちも描かなかつたあたらしい十字架のうへで　盗人でも
殉教者でもないわれらの仲間が死を言ひわたされる

冬よ
この鎖りを解きはなつために　われらに厳しい力をあたへよ、

〈墓掘り人を憎む歌〉

無数のちがつた寒冷が冬の風から剝れおちてくる　えんじゆに似た
植込みの葉つぱを埋れさせた土のうへに暗い陰のやうに剝れおちてくる
身振ひしながら墓を掘る奴らがゐる　まるで明るい仕事でもあるかのやう
に精いつぱいの力量をこめて凍つた石材をはねのけてゐる奴がゐる
彼の眼が視てゐるものは白い素焼のなかにひと握りの骨に変つた
恋人であるかのやうに　男はあの文明のかけらを視つめながら墓を掘つて
ゐる　かかる陰惨な男をこしらへたのは果して誰か
かかる陰惨な奴が文明の腐れおちるヨーロッパや反抗にふるひ立つアジアの
此処彼処で瘦せおとろへた土を掘じくりかへす
まつたく大きな屠殺場といつたあんばいの地球のうへで
かかる陰惨な男が飢えるといふことはあるまい
流された血が凍土のうへに滲みこんでゆく
やがて肥えた稗や粟のたぐひがそのあとから生えてくる
小さなマス目でそれを量つて雑炊をつくる流民の群が集まつてくる
流民は飢えるとも
陰惨な墓掘り人の飢えるときはあるまい

われらの夏はかぎりがある
われらの憎しみもかぎりがある
ほんたうは寂かな地球の辺疆地区で女たちとの寂しく深い愛をあがなふこと
をねがふけれど　いたるところつめたい冬である
われらのうち力の強いものは陰惨な墓掘人となる
われらのうち力の弱いものは飢えた流民となる
この運命をまぬがれるものは稀であらう
われらのまへに断崖がまつている
われらは背をまるめこんで暗い寒冷のなかにすべりおちる
憎むべきものは何か　われらはそれを知つてゐる
ゆくべき処はどこか
ああ　たれもその天譴をしらない、

〈渇いた二月〉

褐色の瞳孔をしぜんにひらいて女たちが嗤ふ
女たちはむかしから文明の象徴である
暗い空洞から貌をのぞかせて女たちは冷たく嗤ふ
一九五一年二月　文明は渇いた嗤ひで象徴される

水は涸れ電力は乏しくなる
生産社会は膨大な軍需をうけて回転をはじめる
奇形のやうに膨れあがつたわれらの知らぬ生産
たぶん夜陰にかけて発送される製品のむれは北上する貨車のうへにある
渇いた二月

寂寥がわれらの生存をかたどつてゐる
われらに冠せられた名称はたぶん植民地化された日本《コロナイズド・ジャパン》
まつたく見知らぬ名称がわれらの知らぬ海のむかふで使はれてゐる
フイルターを通つてくる電信・報道・正義・人道・
われらは泥ぬまのやうにそのなかにのめりこんでゐる

渇いた二月

〈雪の暗いときの歌〉

あらはな暗い雲から雪はいくまいも剝れおちてくる
風のいたましい音が空洞のそこのほうからひゆうひゆうと噴きあげる
わたしはいつたい何処からきたか　そうして何処へゆかうとするのか
文明の埋められる風景をこんなにも喜びながら　眼のない窓にしみついた雪をみたり
葬列のやうに垂れさがつたビルデイングの扶壁を　影のやうにとほりすぎる粉末状の
風をかんじたり　ひと通りのない路のうへでうしろをふりかへつたり
そうしてそれがわたしのできるいつさいのことだ
わたしの出来る天然に対するただひとつの加担だ
わたしはいつたい何処からきたか　そうして何処へゆかうとするのか
コオヒーも喫んだばかりだし　暗い都会のなかに飛び出してはゐるのだし
これがわたしの感じうるすべてだとすれば　わたしはどうしたらよいか
ふわふわ膨れあがつて活動する電線もあるし　自働的に明滅する黄色い
信号標識もあるし　生産社会を集計するビルデングには真昼の電燈もついて
ゐる　わたしの愛する都会がわたしを暗い吹雪の路上で震へさせる
何処か知らない影でわたしを視てゐる眼も感じられる

〈暗い冬〉

巨大なビルデイングの工事場の鉄骨が雪に埋められてゐる
動かないクレインの天辺から粉末状の雪が飛散する
風が突然おりてくると
黄ナ臭い感じがする
一九五一年二月の雪
雪は珍らしく晨から降りはじめ降りやまない
雪をとめる手段はにんげんの掌のうちにない
にんげんの精神は永久にそれをうけいれる
雪は何故降りつづき降りやまないか
理由のない都会が理由のない天候の異変をうけいれてゐる
その風景はひどく暗い
暗い風景をよろこぶものが何処にゐる

〈冬のとき仲間たちのための歌〉

空から降つてくるのはアルミの箔のやうな雪
雪は結晶をもつておりてくる
この世にちつとも椅子をもたないで生きてゐるわれらの仲間たち
その窓や屋根甍や軒のあたりに降つて積み重さなる雪
だから雪は暗い陰をつけて冷たい風をともなつてくる
椅子のない主人　椅子のない主婦　勉強する子
子はやはり椅子のないままに大きくなる
大きくなつたら何になれるか
雪が降つても寒くないストオヴの傍の椅子を欲しがるな
それから書斎に安楽椅子を具へつけた学者になるな
モオニングを着て神の教へを口説く牧師になるな
この世の真なるものはいつも秘されてゐる　真なるものを指さすものは
葬られる　椅子も奪はれる
真なるものが暴はにされるそんな世界を欲しいと思つて
可憐な恋人や椅子のない父おやを嘆かせるな
雪がどんどん降りつもる

そんな夜々に黙つて勉強しろ　勉強して真なるものに透徹せよ
掌から湿気を拭ひ去り　感情から俗臭を奪ひとれ
一日に三片のパンと人造バターがあればにんげんは生きることが出来る
だがこの世に椅子がなくて生きることが大変難かしいのをわたしは知つてゐる
だから雪の降る夜の幻想はともすれば野垂れ死の場面だ
その場面に地上のあらゆる悲惨はみんな集中される
それを訴へるためわたしはうたふ

〈ふたつない訣れ〉

友よ　ひとりでに雪ふる渇えた二月に　われらの感ずる気配はめつぽう暗い
この暗さをわれらの仲間の悪因とかんがへる　そんな考へかたはやめてしまはう
われらの暗さはにんげん世界の外からやつてくる　恐らくはわれらの仲間を真二つ
に引裂いて　お互に訳もわからぬ憎悪の坩堝で熔かされる
友よ　そのときぎみの眼は冷たくぼくを視るな
ぼくがきみの築かうとする虐げられたひとびとのための世界をただ遠まきにして
視てゐるからといつてきみの眼はぼくを冷たく視るな
ぼくの忍辱はきみよりも暗い　ぼくがきみの築かうとする世界を欲することきみより
も激しい　ぼくは永遠に虐げられたひとびとの友である
だからわれらはきつと真なるものの底で繋がれてゐることを信ずる
ぼくは真なるものの具現のために虚偽なる手段を用ひることに組さない
うそ寒いわれらの国でぼくの闘はねばならぬものがそこにある
「学者とパリサイ人」　ぼくが考へてゐる人類の敵である
幼年の日の孤独がぼくをそこへ連れさつた　人性の深い傷手を苦しんだ日から
ぼくは人性のために闘ふものの宿命を感じた
世界がどのやうにならうともぼくの最大の敵は「彼等」である

書斎のなかに安楽椅子を具へてゐるものである
苦悩の表情に時計をぶらさげてゐる者である
プランによつてわれらの仲間を屠殺場へ送りこむ者である
人間の弱さを知らぬ者である
人間の頽廃を解さぬ者である
友よ　われらのふたつない訣れは刻々と近づいてゐる　その予感と惜情のためぼくのこころは
暗い
けれど友よ　われらを引裂くものは患ひなるかな　きみに冷たい視線を供すものは患ひなるか
な
ひとりでに雪ふる渇えた二月に　ぼくは限りなくきみとの訣れをおしむ、

〈凩がやむときわれらの陰にさすもの〉

三十間道路の凩をとめるやうに踏切がぴつたりとおりてゐる
踏切のつり手がぶらぶらゆれてゐる
踏切の影が線路をさまたげるやうに横はつてゐる
疾走するわれらの陰が鉛色のそらを過ぎる
明日こそはわれらの新しい生誕の日
この踏切を越えて寂しい工場へ働らきに出かける
工場に仕事がまつてゐる　椅子のない下働きがまつてゐる
われらがわれらの存在をあらはさずに黙つて働ける仕事がまつてゐる
春がくる
春がくる
われらがまた労働者に立ちかへつてしづかに働くときがくる
憎むべきひとのゐない寂しい工場の寂しい働き人の仲間にはいつて
賃金やいろいろの手当をこころまちにする椅子のない下働きがまつてゐる
丁度凩のやむ頃
われらの陰にさすものがある
踏切りをこえてわれらは孤独な労働者のひとりになる

機械となじみ薬品となじみ
無口なじぶん自身となじみ
あたらしくわれらの陰にさすものを感じ　椅子のない下働きをする
われらの陰にたいとうする
この予感はたのしい
たのしい
三十間道路の凩をとめるやうに踏切がぴつたりとおりてゐる
ここから先はわれらの孤独な世界
われらの物おぢしない巨きな寂しさをすくすく育ててくれる世界
われらがにんげんを拒絶して機械や化学の夢を視る世界
風車のやうに廻転するプウリーの傍で最後の最後の仕上げをする世界

〈冬の歌〉

冬のなかに日々　剝れおちる死者の影
冬のなかに撩乱を絶えさせない風景の悪因
風景のなかに狡猾に沃えてゆくにんげんの群れ
にんげんはしだいに孤独になつてメカニズムのなかに廻転する
冬はどこからきたか
冬はにんげんの極北からきた　切断された理由のむかふからきた
疾風のやうな重圧の手をさしのべて
抗ふことの不可能を誇示するようにメカニズムのなかに滲透してきた
にんげんはいちように変貌しじぶんの固有の廻転を喪ふ
あたかもじぶんが構成してゐるメカニズムがじぶんを虐殺してゐると
思ひこませるように暗い冬の触手がにんげんを圧しつぶさうとする

むしろにんげんをあたらしい戦慄に追ひこむため
架空の狡猾な未来図を脳髄のなかに植えつけて
冬は正義と人道との獣皮をつけてやつてくる
冬の寒冷はたやすく冷酷に変貌し　冬の蕭条は屠殺の計画《プラン》を苛烈にする

おう　あざ嗤ふものがどこかにゐる
患ひなるにんげんの敵手がどこかにゐる

寂しいかなにんげんの眼は弱りはてそれを視するゑることができない
冬のなかにつぎつぎ倒れ去る死者の影
おう　にんげんはそれを救さいする術がない
暗い太陽のしたににんげんの瞋りはゆき場がない

〈冬眠〉

捨て去られた空虚のなかで　あんまり尊重されない空虚のなかで
余儀ない冬ごもりをする
撩乱と詐謀のごつたかへした世界のたれもが還りみない底なしの空虚のなかで
冬ごもりする　この空虚にわたしの妄執がある　妄執のなかの瞋りがある
妄執のなかに寂しかつた愛の痕跡がある
わたしは冬ごもりのなかの一刻を惜むやうに眠る
やがてわたしの移動がはじまる
ローマン的でない疾風怒濤がはじまる
権勢と虐殺者とに抗ふためにわたしの移動がはじまる
片片とした感情の変化に確かな構成をあたへるやうに
憎むべき者を疾風のやうに截断する厳峻を和らげるように
おう　わたしがすべてを感じすべてを照らしすべてをその処に肯定することが出来るように
いま海溝よりも低い底なしの空虚のなかで冬ごもりする

眼前に去来するのは妄執の軌跡
眼底にたたえられてゐるのは寂しかつた愛の痕跡

どこからもひとは訪れない
どこへも通信しない
この孤独な空虚の外で世界の風は荒れてゐる
死者の阿鼻けう喚がきこえる
虐げられて盗人でも殉教者でもないのに殺される仲間たちよ
いましばらくわたしの冬眠をゆるせ
きみらを殺さうとする者に抗がふためわたしの移動の時期がきつと来る、

〈衣をつけた忍辱〉

あんまり長すぎるわれらの国の冬のあひだ
われらも忍辱の衣をつけて　自らの衣を忘れはてるまでにいつまでも冬であつた
われらは時に奴れいのやうにじぶんの忍辱を泣訴し
または売女のやうにじぶんの忍辱をひけらかし
寂しさ極まるときそれを脱ぎすてようとした
けれどこの寂しさは抗ふすべがない
まるで天与の衣のやうにまるで生存の証左のやうに抗ふすべがない

友よ　きみとわたしとをわかつものは忍辱によつてではなく忍辱の衣によつてである
衣の色によつてである
わたしの忍辱は鈍い暗色をなし
風にひるがへるときなく
ひとびとに信号することばなく
無惨にも鐘のやうに固く　鋼のやうに閉ぢられてゐる
きみの衣は血の色を映し
風にひるがへり

同志的なひとびとに信号する
きみに理論あり実践あり　ぼくに暗い空洞のなかの時間があるのみだ

この差異はどこからきたか
この世に存在する必然の紐を疑惑し　ただことを為すに必要な信が
与へられないためにわたしはこの暗い空洞を撰択する
この運命は傷手である
わたしの人性にひそむ消し難い痕跡である
きみにおける価値感の転倒はわたしによつて更に転倒されねばならぬ
わたしにおける価値感の転倒はきみによつて更に転倒されねばならぬ
友よ　きみとわたしとを相惹くものは
実に抗ふべき〈もの〉の同一による
同じい忍辱による

〈独りでゆく冬〉

冬は薄ももいろの顥気に充ちた夕方ひとりで行つてしまふ
自悔のない季節を待ちのぞんでゐる
われらの仲間をおきざりにして
まるでその貌は無関心　まるでその風のおとは非情
いつさいのものは恃むにたりないといふように
花子さんも恃むにたりない　太郎さんも恃むにたりない
髭のおやじも狡猾
夜の女も取引き上手
濠端の松も古ぼけてけちくさい
水は鋼のやうな薄氷をまとふ
焼酎はみんな水膨れ
やきとりは野良犬かなにかの臓物だといふ風評
みんな火のないところに煙は立たない
冬はかけ足でいつてしまふ
ビルディングのあひだのペイヴメントで補修工事は幾月も放つたらかし
喫茶店のコーヒーは二番煎じばかり

女はつけ焼刃の愛想が剝げおちてそつぽを向く
冬が何かを連れだしてしまふ
にんげんの根にある狂暴性　にんげんの根にある狡智　つけ焼刃　怠惰
のんべんだらりんとした恋愛　冷酷な孤独
みんな暴き出したまま連れさつてしまふ
われらの仲間はみんな自分にとう痛を感じだし
自悔のない季節を待ちのぞむ
けれど冬は独りでいつてしまふ
見かけ上はひとりでたれとも和やかな握手をしながら
けれど触れるものすべての表皮を剝していつてしまふ

〈薄ももいろの冬〉

おう　またかび臭い薄ももいろの夕雲がかかるときがきた
冬はまさしく温暖と妥協をはじめた
暗い空洞のなかにしめりをおびた風がいりこんでくる　わたしは秤りによつて
峻厳に撰り別けることをやめる　わたしもまたいくらかの睡眠をねがふ
薄ももいろの幕のなかの冬

冬はしだいに眼のふちの険をうしなふ
殺戮を拒否してゐた人道の革命家を衰へさせる
掌に温暖をにぎりしめた円満具足の資本家と握手する
羽根蒲団は色情を催させるにふさわしい温度を示めす
わたしの冬の惰落

空が綿糸をひきのばしたやうな雲を薄ももいろに染める
わたしの冬の惰落
にんげんは凍土の雪に埋められてぞくぞく屠殺されてゐる
彼等に薄ももいろの冬はこない

卑しい自然に挑発された卑しい権勢のなかに薄ももいろの温暖がくる
わたしの冬の惰落　わたしの冬の退却
わたしは瞋りを密封して薄ももいろの冬を遠ざける

〈真をまもるもの〉

生産社会の獄窓でしだいに堅くなつてゆく金網ごしに
また冬の澄んだ空が狭まつて視える
その社会を肯定しないもの
その社会の非理を悪むもの
行き処なくておれの処へやつてきたとしてもどうにもできない
冬の澄んだ空はしだいに狭くなる
新聞の三行の広告がまるでおれたちの慾しい三片のパンを象徴する
三片のパンを求めて広告に集まる
おれたちの仲間はいちどきに二百人はゐる
真なるものをかけ代へにして
おのれの生存を販らうとする
真摯にして暗いおれの仲間たちよ
先づそのまへに1/4ポンドの人造バターと三片のパンがなければならない
この瞋りは永遠のものだ
この瞋りには来歴があるけれど
この原因には真なるものは存しない

だから冬の澄んだ空がしだいに狭められ
その方向に邪魔ものとして虐げられるおれたちの衰亡がある
おう力のかはりに貨幣を創りだした
人類前史最後のチヤンピオン資本主義的帝国主義の魔術のとばつちりを
いつまで浴びねばならないか
もうすぐ冬の澄んだ空が視えなくなる
おれの視力が弱くなる
もうすぐ真なるものを死に手わたして
おれたちは卑しい永眠をすることになる

〈冬の花屋〉

街の花屋はけうも水を打つ
水を打つてコンクリートの床を清掃する
冬の花が色を放つてゐる
飾窓のうちがはに硝子を越してそれが視える
春はこない
一九五一年二月のおはり
春は騒音や群集の足音といつしよに来ようとはしない
にんげん解放の激しい戦乱にのつて
春は来ようとはしない
花屋のおやじは花にかこまれて鶴のやうに淡々たる貌をしてゐる

〈発端〉

どんな発端にも理由がぶらさがつてゐる
だから喧嘩してみてもつまらない
ふたりで千代紙を折りませうと花子さんが言へば
太郎であるおれはそうするさ
太郎であるためにおれを戦争に連れてゆかうとしたつて
おれはゆくわけにはいかない
あらゆる人殺しには理由がない
国家は人類過途期の仮構体
資本制は人類前史最後のチヤンピオン
どんな書物にもかかれてゐる事実をおれはほんたうに信じてゐるので
けつして人殺しに加担しない
正義　人道　プロレタリアートの解放
目的と手段とがいつも転倒される
人類歴史の痛ましい弁証を太郎であるおれは真剣に考へる
世界はすべて
ひとりの太郎のためにある

世界はすべて
ひとりの花子のためにある
おほきな声でそれを言へばおれは殺されてしまふ
けれどほんたうのことは
結局ほんたうだ
正義の発端はおれにある
人道の発端はおれにある
それを知らないものをおれは信じない
おのれを捨てて義に就くといふ
人道の戦士を信じない
おのれのために神の義を宣べる
財権神聖の牧師を信じない
だから発端に立つて千代紙を折りませうと花子さんが言へば
太郎であるおれはそうするさ

〈断ちがたい冬〉

夕べになると冬はうすみどり
うすみどりの果てに綿糸のやうな雲がわたされる
風は暗い空洞から断ちがたく逃れがたく噴き出してくる
にんげんはじつとして皮膚を截らせる
血がきられた皮膚から噴き出してくる
それが文明といふものだと
教へてくれた愚かな祖伝の悪因よ
われらはじぶんをつなぐ鎖のやうにそれを感じてゐる
遠い時代からわれらの血管に累積してゐる侮蔑と反抗の暗い鼓動が
いま断絶を予感して激しく鳴りわたる
われらの行動を繋ぎとめようとするものは
究極するところ日に三片のパンである
ただ生存の断ちがたさである
夕べになると冬はうすみどり
うすみどりの果てにどんな日が来るかわからない
わからないままににんげんは屠殺され

死屍清掃人の日当は三千円
生きることは味気なく
死ぬこともまた味気ない
こんなひどい時代があるものか
瞋ってみたとて何にもならない
寂しさはただ寂しさとして
いつもわれらの未前にあり
それでもなほ生きつづけるために
われらは三千のまた三十倍のじぶんを虐げる苛しやくに耐えて
結局その忍辱は永遠に解かれない
その宿命は断ちがたい

〈転身〉

冬のあとに春がくる
おれはほんたうにそれを知つてゐない
冬はいつまでも逃れがたくその暗さに執着を感ずるまでに
おれはいつまでも其処にゐた
充分しづかで寂しくて何かしら視えない罰を感じてゐた
視えない罰はきつとおれの知らない遠くの星がそれを定めた
決定に不服はないので
おれは自然の空怖ろしさとにんげんの限りない重さを考へた
あとからあとから
憩ひのない日がやつてくる
どうにか生きてそのうへ何をするか
そのうへ何ができるか
こればかりは決定するのはおれ自身だ
嗟嘆と哀愁に時をかさず
つぎのあゆみを踏み出さうとする
なんて暗い冬なんだらう

きみこの暗さは何処からくるか知つてゐるか
暗さはみんなおれからくる
つぎに暗さはにんげんの悪因に塗られた来歴からくる
外の暗さを内に繰込む
おれは何て愚かな鎖をもつてゐるのだらう
この鎖のむかうの端に
何かしら視えない罰がある
おれの軌道を幾何学から外らす
どうにもならない天けんがある

〈遇ひにきた冬〉

独りであゆめといふ声をきいてから
独りであゆんできた男に
冬がむかふから辞をひくくして遇ひにきた
たくさんのにんげんのうちむしろおれが望まなかつた奴らをしり眼にして
冬はやつぱり独り
冬はさびしい霊歌に似た風の響きで遇ひにきた
その響きには無限の暗黒
その響きには無量の瞋り
こまつしやくれた思ひ遣りもなく
おれの弱みに抗がふような生ぬるい愛もなく
まるでおれを奈落につきおとし　そのままいつてしまふやうな冷酷さだ
冬はむかふから遇ひにきた
辞をひくくして遇ひにきた
おれは何にも欲しくない
まして生産社会がこしらへあげた
紐つきの場処なんぞ真平だ

生きるといふことを除いては
おれの欲しい場処はこの社会にはない
おれの望んでゐる愛の形式は
やつぱり冬のやうに独り
その響きには無限の暗黒
その響きには無量の瞋り
むかうからおれに遇ひにくる
にんげんのやうな形をしたひとりの天使といふ訳だ
その足音は前方から
いつも女のやうに楚々として
妙に用心深くきこえてくる

ああその足音は決して近づいてはならない
その相《すがた》は視えてはならない
おれの肯定がこの世の奈落を根こそぎに洗ひつくして
あり余るまでは
たれもおれに遇つてはならない

〈祝福をうけない男〉

ぼくは何処から生れた
ぼくの母から生れた
大雪の日に幼年性肺炎を患らつて死にかけた
老いた律気な藪医者が長靴をはいて救ひにきた
ぼくはそれ以後病気ひとつせず
何といふ自然の恩寵をうけたことか
神に祝福されなかつたことのため
神を信ぜず
藪医者だけをいまでも信じてゐる

ままよ生れてきたからには祝福されない男にも生きる根底はある
幸せでないもの
貧乏なもの
病弱なもの
虐げられたもの
すべて何となく敗者の側にあるもののため真なるものを貫かうとする

これがぼくのひとつの倫理
寂しさから湿気を拭ひ去り
サンチマンタリズムを風に晒らし
弱者から哀愁を奪ひとり
ああせめてぼくの仲間のうちに敗北の与件を無からしめよ
ぼくの力の及ばないところに
如何なる非理と非情とが在るとしても
ぼくらの魂のうちに敗者の恨みごとを入れるな
祝福をうけないで生れてきたものは幸ひである
奪はれるものを持たざるゆえに幸ひである
ぼくをいつまでも
ぼくとしてあらしめよ

〈冬のための哀歌〉

どんな冬よりも世界が暗いときの冬は暗い
明け方になると冷たい戸口から活字がほうりこまれる
軍需拡大再生産
アジアの一角でにんげんが殺し合ひ
青年詐ぎ師のお話をよつてたかつて打ちのめすお偉いひとの
茶番な説教
まづポンチ絵はそれくらいだ
陰惨のうへにまた陰惨
進軍ラッパのやうに勇ましくにんげんを屠殺場へかり立てる
かれらの国のラッパ卒
どんな冬よりもことしの冬は真暗だ
革命家のせんない逃亡と
人道主義者の変節と
あれ程せつなく美しかつた廃墟のあとの鉄骨がふたたび組立られ
貧しいものがますます貧しいといふ
どんな冬よりも大きなニユーズが

にんげんの脳髄で廻転する
何処へ逃げたら逃げおほせるか
まづにんげんの地平にはわれらの欲する処はない
神の秩序には偽善ばかり
神のふところは旱ばつのやうに乾いてゐる
かれらは群集のひとりとして
われらの未来にうつたへる
われらの惑ふ時
巨大な方舟が用意されよと、

〈春がちかいといふ〉

春がちかいといふ
何処からかわれらの暗いイメージのちかくに眼鏡をかけた小鳥がきてゐる
へブライ産の何とかいふ男に似た小鳥がきてゐる
そんな小鳥では風折れしてしまふ
心配なのはわれらの自由の明日しれない宿命
われらの生存の暴落する価値
遠い大陸からわれらにむかつて暗い信号を発信するものがゐる
われらは無事だ
万事うまく籠に入れられて
此年のうちには屠殺場でみんなにおめにかかるようになる
おたがひにその時はぴいとも鳴くな
春はちかいといふ
われらの死を買ひ漁るものがゐる
われらの価値を暴落させて
利潤を占めるものは誰か
間歇にちかく循環される瞋りは出場処がない

ときたま海のむかふに噴火の烟を視る
視たときがわれらの救ひだ
こんな春をまちこがれて
われらは生きるといふ
一九五一年代の絵空ごとである

〈遠くへ放つ小鳥〉

ぼくが掌に包んでゐた小鳥をとほくへはなつ
小鳥はチルチルとミチルの願望をのせて二度とかへつてこない
その精神の由所は正しいものだ
小鳥よ決してぼくにかへるな
残骸のひとつとしてぼくの後の半生があつたとしても
ぼくは当然しかるべき理由によつてそれを感受する
寂しさはぼくの無双の胎児
暗さはぼくの影
女のやうに楚楚としてついてくるぼくの侶伴
ああこれ以上はぼくといへども俗化できまい
小鳥よ決してぼくにかへるな
ぼくよりほかに真なるものはないとおもふあの類のない非望に
ぼくを戻すな
ワンタンの汁を腹いつぱいすすつてゐるそれがぼく
空虚のうへに厚顔をうわぬりするそれがぼく
利益のために道をゆるめるそれがぼく

女のために辞をひくくして乞ふそれがぼく
ぼくがぼくでないように視える一瞬の瞋りをあんまり信ずるな
友のために信を厚くし
敗者のために抗ひ
みづからの善を敢て秘とくしようとする
ぼくの偶然のおこなひを信ずるな
ぼくにまだ残渣としてある正しさと真摯と善良《ボンテ》とを根こそぎにしろ
ぼくに悪虐と非情とをかせ
ぼくに淫びを与へよ
なによりもおほくぼくに己れを販る狡猾を与へよ
そうしてぼくは空闊な天のやうに
生きたいとおもふ

〈わがままな撰択〉

〈それは空想といふもんだ
この世にそんな心美しいがゆえに美しいといふ女《ひと》がゐるものか
むしろ探すのなら心汚れたがゆえに美しいといふ酒場かどこかの無邪気な女さ
結局そうと決めて
たいていの男がけちくさい遊冶郎になりさがる
きみもそれか
その伝か〉
友がおれにそう言ふ
けれどおれのこたへることはたつたひとつ
この世に席がない貧乏人で　孤独で　死んでもおれのきらいな人種からは
びた一文の借銭も負はないごうまんなおれのこたへることはたつたひとつ
決定されたぎりぎりの限界で
投げられた紐にすがつてパンを得るより外に術がない
撰択権を奪はれた生産社会の鋼のめどで
おれが断じて守り奪ふことをゆるさないといふ
たつたひとつの撰択はそれだ

結局にんげんのなかに触れられないである
その撰択だ
このおれのわがままはおれの底しれない瞋りにも通じるし
寂しい宿命のなかに登録されたおれの美意識にも繫つてゐる
決しておれに文句をいふな、

〈ある追悼詩〉

まさに彼は死すべきときを撰んで死んだ
肉慾はいやおうなしに青年であることをすすめ
精神はそれを拒んで無数の理由をこしらへあげた
撩乱とひらく花々を彼は地上に視なかつた
花々の翳に曳光する哀愁は空気よりも軽かつた
彼はたしかにそれを視ふかく信じた
彼の生理と彼の心理とは底しれない断層をつくり
何ものもそれを埋めるとは思はれなかつた
彼は死すべきときが来たと感じた
一九四六年晩春である
苦悩によつて彼の白皙の肉体はづたづたに傷つけられ
ぼくはそれを棺底に確かに視た
紫斑の点々たるあひだに彼が受容した愁毒が凝結してゐた
純潔のもたらす嫌悪感と無限の哀感が
懶惰であるぼくをうつた
ぼくは昂然たる瞋りを何ものかに激発させた

憎むべき自然よ　あげ潮どきの仕業よ
それに耐え得なかつた脆弱な彼のために
醜悪でふてぶてしいぼくは瞋つた
こんな事件のあひだを
春はしだいに夏の焦熱に変つた
彼は多すぎる骨片となつて墓地に眠つた

〈傷を負つた春〉

傷を負つた春がやつてくる
傷を負つた冬のつぎにやつてくる
冬のつぎに春がやつてくるその不思議を知つてゐるか
子午線の上ばかり視てゐてはだめだ
きみやおれやたくさんの群衆のなかにやつてくる微小な変化を視なければ
この且てなかつた暗い春の訪問はわからない
貧しさは貧しさとして
諦めが肝心だといふ先祖からの言ひ伝へ
けれど決して自ら死なうとするなと愚かで孤独な父親が教へた
子の運命が天にあるのではなく
設計好きのにんげん共に握られてゐる
この地上の果敢ない惰落を知つたら
父親は瞋るだらう
そんな春がやつてくる
われらはみんな自分のこころに傷をつけることにより僅かに耐えてゐる
耐えて生きてゐる

設計によればおれたちはきつと一九＊＊年代のうちに殺される
この運命を断ち切るみちはたつたひとつしかない
おれやみんなははつきりそれを知つてゐる

寂しがらずにどこまでも生きる
やがて天の一角に信号があがる
傷を負つた春のなかを傷を負つたおれたちは黙つて歩む、

〈ソクラテス以前〉

たれもおれのために弁明の修辞学をおさめない
おれも自らの為すことのために弁明を用意しない
理解はすべて卑しい
同情は羞恥のなかつた時代の本能の染色体
どこからも窓のあいてない場処でおれは生きる
生きることは何であるか知覚しないで生きる
何故に何を為さねばならないか理由なしに為すべきことを為す
これから先どうなるかわからない
わからないといふことは美しい
陥落を意識しない魂は絶対のものだ
小賢しい知謀によつておれをはからうとしても
おれは平気だ
未だ何処かでおれが秘してゐる瞋り
それがあるあひだ生きることをやめない
つねに虐げられるものが無能のレッテルを貼りつけられた民衆であるあひだ
おれの闘ひをやめるわけにいかない

機構が搾取を廃滅せしめたとしても
おれの革命はその先にある
関心がいつも貧しく脆弱なものを指さす
にんげんよあんまり虚偽を装ふな
名目のしたに鎧をちらちら視せるな
ソクラテス以前の男が生きてゐる
本能に着けた衣裳をにんげんのために瞋るものが何処にゐる

〈複本〉

どこかにおれが置いてきた風景がある
主役のゐなくなつた演劇《ドラマ》のやうにいまはきつとだめになつてゐよう
おれが与へた役割のとほり山や斜平原や雑林や雲のひとつひとつにいたるまで
そのとほり演じたとしてもやはりだめだ
おれがゐなくては動勢が欠けてしまふ
あらゆるものに意味を附与する天才として時間が暗い衰退を降ろし
みんなおれの自然における仲間たちは散り散りになつて眠つてしまふ
時間がそのとき何といふか
おれにはわからない
どこかでおれが独りぼつちで仕事をしてゐるとして
まはりはみんなにんげんばかりだ
それから原料や機械だ
過剰なにんげんが集つてゐたとしても独りはやつぱり独り
おれの複本は何処にもない
おれの仲間はどこにもゐない
時間がおれを何と呼ぶか

おれにはわからない
先づおれ自身を販りこむために模型をこしらへる必要がある
模型には動勢はゐらない
だからおれはやつぱり何処へいつて生きていいのかわからない

〈軛にかけられた生存〉

寂しいといふのはまだ上出来だ
こんな時代にもやつぱり寂しいといふのは病気とちがふか
まさかおれのまへで軍拡景気を吹張する奴はゐないが
おれのまへで革命や自衛を説く奴がゐる
真なるものがこそこそと秘れて生きなければならない
いよいよそんな時代がやつてきたか
遠いむかしからおれの敬愛する師や先達たちは
狂気でなければ野垂れ死
迫害でなければ放浪といふように
何処にもゆき場処をもつてゐなかつた
けれど巧まずにおのれを貫きとほして死んだことにはちがひない
にんげんはいま真なるものの価値を集群性によつて既定しようとする
あたらしい価値感の時代にはいつたのか
もはや真なるものはいつも秘されて生きなければならなくなつた
迫害は集群から集群におこなはれる
その重圧は且てにんげんが感じてきたどんな種類とも異つてゐる

精神は憩ふ場処もなく
この苦痛は忘れ場処をもたない
だから寂しいと言つたつてその寂しさは全く異質だ
いつも烈風に吹き貫かれてゐるような
いつも無限の焦熱に煮られてゐるような
軛にかけられた寂しさだ
この寂しさを
革命や戦争でもつて交換しようとする奴がゐる

〈わたしの傍にあるものに〉

知られないものはみんな美しい
知られない民衆のなかに素晴しく醇化された叡智がある
その叡智に聴くことはたのしい
たとへばわたしの傍にあるものは
三枚の絵を撰択することよりも三軒の八百屋を撰択する眼をもつてゐる
厚ぼつたい瞼におほはれた汚れた眼が視るのである
歳月がその眼のうへに累積してゐる
それを知つたときは愉しい
わたしが無口で孤独好きで無愛想であつても
みんなはわたしを感じてゐる
わたしが彼等の仲間のひとりであることを納得する
それから先が問題だ
みんなが当然だと思つてゐることでわたしがそう思はないことがある
みんなが瞋らないことをわたしは瞋る
みんなが知りたくもないことをわたしは知りたい
みんながもつてゐるものでわたしの耐えられないものがある

みんながもつてゐるものでわたしのもつてゐないものがある
みんなのなかにもわたしの敵がゐる
わたしのなかにもみんなの敵がゐるかも知れない
みんなを愛すると称する奴でわたしの愛しない奴もゐる
わたしは限りなくみんなを愛するけれど
その愛は根強く嫌悪や妄執のからみ合つたものだ
みんなを苦しめてゐる理由がそのままわたしの愛を錯綜したものにさせてゐる
わたしの傍にあるものよ
世界はいまわたしたちのために在るのではないようだ
それを言へばわたしを殺さうとする奴らが
みんなの味方らしい装ひをした連中のなかにもゐる
みんなのひとりひとりよりも徒党を大切にするといふ
人間歴史の倒錯がわたしを殺ろす理由をつくる
だがみんなはやつぱりわたしを信ずる
わたしのなかにあるみんなを信ずる

〈泥まみれになつた道〉

二月の雪のあと路を
泥まみれの靴をはいて泥まみれになつた男がゆく
男はけさから何も考へてゐない
何も喋言つてゐない
過去がむかし住つた山峡の街のやうに薄すらと脳髄を占めて
未来はどんな路よりも遠く
その先は何にも視えない
それでもひとあしひとあし歩むことだけは赦されてゐるので
泥まみれの道を泥まみれの靴をはいてあゆむでゐる
冬のおはりの果敢ない絵空ごとである
男は約束といふものを自分のこころにしかもつてゐない
だから時間がどんな忙しくとほり過ぎようとも
冬の空がいつのまにか薄ももいろに染つても
急ぐことはない
急ぐことはない
男をまつてゐるのは永遠との約束ばかり

梢のあひだに網の目のやうな光がみえる
遠くを近くにするような奇蹟が
しきりに恋しくなる

〈時間をかけた自画像〉

いまよりも重たいものがおれにのしかかつたとして
寂しさはいつまでも寂しさとしてあるし
太い骨格とやせた腕　おほきな砂漠のやうなおれの貌は変らない
おれを暗く陰にしてゐる
あれは何だ
あの累積された巨きなものは何だ
吹雪のうちつけるビルデングの扶壁のあひだや
窓のうちがはの無数の電燈
たつたいままで明るかつた文明の未来が暗い予感を誘つてゐる
そんなときおれは独りの技術者として
空やビルデングや膨れあがつた公園《パーク》の色彩を観察する
殆ど形成されない色彩を観察する
かつて時間をかけてつくりあげたおれの自画像は
流れる意想に流動されて
これらの風景のなかにはつきりと投影されてゐる
少くとも光感覚論にしたがえば

おれの自画像の投影が暗いといふことは
おれをみてゐるおれの眼が暗いといふことに帰りつく
結局おれにかけられた時間が
どうしようもなくすべてを決定してゐる

〈暗い晩冬〉

セミ・コロンの矢たらについた英文を読みにわれらの暗い晩冬がくる
セミ・コロンには謎がある
掻き集められた経済試料の集積がある
解読するために学問ではない　しんらつな手腕がゐる
ああわれらの晩冬をとりまく事件はいちように暗い
詐謀に時をかす季節よ
こんな時われらの小さな愛の技術をふみにじつて
女たちはいちように背をかへす
女たちは昔から文明の象徴である
われらの暗いれい属を予感するかのやうに
女たちは奔馬のたてがみを逆立てる

風景は一角からくずれる
崩壊をたすける薄もいろの晩冬の空の夕べ
そのなかに秘かに貨幣と交換されてゐるわれらの生存は空しい
救済の途絶えた世紀

神聖な十字軍を拒絶するわれらは果して謀反人であるか
殉教者の充満に反吐をはくわれらは永遠にユダであるか
知らない
寂しさは窓を叩く雨風のやうにいつも在る
暗冬のいちにち
書庫にたてこもつて経済試料を掻きあつめる
やたらにあるセミ・コロンに謎がある

〈非宗教的な祈禱〉

わたしによつて設定された神でない至上の宿命は
わたしに出口はないように思はれる
わたしの生存は既に紐につながれてゐる
紐をたぐりよせようとする醜怪な設計がわたしに秘されたところで規劃される
瞋りによつてわたしの忍辱が破れさるものならば
神でない至上の宿命よ
いまこそおん身はわたしに生命をすててそれを為すことを赦さねばならぬ
わたしの瞋りはにんげんの形をしたにんげんでないもの
神の名目のもとになされる屠殺
人道と正義のもとに行はれる殺人器の生産
にんげんの防衛のためになされるにんげんの布石
かかる非道　かかる非理
無限に暗い宿命の布石に対しむけられねばならぬ
わたしの瞋りはまた力ある蒙昧によつて支配されるわたしの時代に対し
むけられねばならぬ
わたしの瞋りはまた弱者によつて建築されてきた文明をまもるために

かかる文明の自虐性に対しむけられねばならぬ
わたしの瞋りはまた
善良《ボンテ》や美や真なるものを地上から逃亡せしめ
特殊の意味を観念のなかに描かしめた芸術家や思想家にむけられねばならぬ
すべて正しきものを弱きものと同価にした
にんげんの価値感に対しわたしの瞋りはむけられねばならぬ
神でない至上の宿命よ
すべては喪はれた
わたしは依るべき処に拠つて生きることはできない
わたしは寂寥と孤独に耐えて生きねばならない
わたし独りで世界の全ての非道とすべての価値に抗はねばならない
そうして最後に
神でない至上の宿命よ
おん身のすべての設計をも倒さねばならない
わたしに信なきものの強さを与へよ

〈瞋りをかすもの〉

わたしの瞋りは神の背骨からやつてこない
わたしの瞋りは酬いられなかつた小さな善からやつてくるのではない
わたしの瞋りはわたしの獲られなかつた場処からやつてくるのでもない
それは遠いところからくる
遠いところに発祥したわたしの存在の理由からくる
わたしの存在を抹殺しようとするものは
遠いところからきたわたしの存在の理由をも抹殺しようとするものだ
わたしの瞋りは
且てにんげんの心理学に記載されたどんな種類ともちがつてゐる
類のない抑圧に対する類のない瞋り
この瞋りに力をかすものは何か
わたしの多元的無神論に祝福をたれるものは誰か
ゐない
あらゆる存在は今日わたしをつき放つ
あらゆる名目はわたしの登録を赦さない
わたしの忍辱にどんな日がくるのかわからない

友よわたしを離れて去れ
時代よわたしをさらつてゆこうとしても無駄だ
わたしはわたしの時代がたどりつくどんな栄光をも拒絶する
わたしの真とわたしの美とがはつきりうなづくために
わたしはわたしの時代と訣別する
わたしは異つた天を指す
異つた天の無数の平和を愛する
異つた天の由所ある瞋りに就く
わたしの瞋りに力をかすものはわたしの無量の寂しさだけだ
寂しさは腹背からくる、

〈冬のあと〉

どこからか春がやつてくる
春はちがつた方向からやつてくる
冬が貌をみせずに去つたあとを春がやつてくる
暗いことばかりたくさんあつたので途まどひするような温暖をふりまいて
春は思ひがけない方向からやつてくる
信号を振つてゐる男がゐる
信号は危機である
信号によつてにんげんに知らせなければならないものを持つてゐる
その男は不幸である
にんげんの暗い時間が春の温暖とすれちがふ
にんげんは異ふ時間をもつてゐる
認知されない不幸を充塡したままにんげんの時間は逆行する
殉教者がゐる　死刑執行人がゐる
腹の膨らんだ財権が屠殺を命令する
機械が動く　拡大する生産と再生産
統計によつてあきらかにされるマルサスのＰ《ピイ》

春がそしらぬ貌をしてやつてくる
そしらぬといふことを知つてゐる
男は不幸である

〈壁画のやうな詩〉

海が視える
海のむかうのほうへ還りたいと思ふ
海のむかうのほうにたしかぼくの記憶が静置されてゐたはずだ
記憶のなかに人が視えるけれど
たれだかわからなくなつてゐる
ぼくの孤独が不明の灰色の霧におほわれて
ぬけ場処もなく斜いてゐる
時代が吊り上げた暗い臓腑のなかに三色菫のやうに歪んだぼくの
貌がある
ぼくの抗つてゐるものは未知の数だ
折れまがつた焼ビルの鉄骨を組み合はせてぼくは
古代の建築家のやうにぼくの思想を築造しよう
ぼくの思想にゆきつく涯てがない
ぼくの思想にシステムはない
ぼくに含まれてゐるぼくの不幸が磁針のやうに方位を示す
そこへ行かうとする

時代の暗い影像がぼくにとつて何であるか依然としてわからない
けれどぼくのとほる道は確実に用意されてゐる
後背から海の引力が牽引する
ぼくは海のむかうへ還りたいと思ふ
この牽引も未知数だ

〈詩への敬礼〉

一九五一年三月
春は低く暗い気候にのつて近くにきてゐる　気候のなかに信号するものは
われらの思想のゆき処ない不遇によつてあをざめてゐる
加ふるに詩によつてわれらの思想の不遇を証左しようとするこの不幸を
暗号してゐる
資本制社会におけるわれらの思想のシステムは如何なる時空の契機に
よつても他者と混合しない
かかる時代にあつて
われらは詩の不遇と孤独とにこころから敬礼しよう
且て詩はにんげんの孤立を証左するものとしてあつた
いま詩は歴史的社会系体における人類の孤立と危機とを実証しようとする
かかる意味において
われらは詩の芸術からの訣別と孤独とにあらためて敬礼しよう
詩はいま礼服やベレー帽と分離し
さらに外的な条件を内的な必然として感受する種族から離脱し
抗ふものの証左として存在する

かかる点について
われらは詩の転身と孤独とに敬礼しよう
詩はいまやわれらの生存の寂しさを実存主義的内閉性から更に下降の方向
につき堕とし実在として現代する社会機構の根底にまで到達せしめる
言ひかへれば
われらの生存を社会機構と分離して
あの原始時代における個我の問題にまでさかのぼらうとする
かかる徹底性において
われらの詩の永遠の孤独と不遇とに敬礼しよう

〈ぼくらの国の黄昏は何処で夜になるか〉

ぼくらの国の黄昏は何処で夜になるか
にんげんのビルデイングの恥辱の　汚れきつた路のうへの
これらのすべてにきてゐる黄昏は
ひとつにはじしんの悲運によつて
ふたつには累積された悪因によつて
みつにはぼくらの怠惰と無意志によつて
何処で夜になるか
星たちとぼくらのうへの空とは永生であり固定してゐる
ぼくらの国が移動してゐるからだ
戦火と乾いた風の傍に
ぼくらはぼくらと愛する者たちとの離反を
忘れ去らうとする
意志によつて恢復できないすべてを
放棄しようとする
さしたる理由もなくして繋がれたぼくらと愛する者たちとの国よ
おまへは何処で夜になり

すべての者の死を等価に約元するか
そうして廃墟となるか
そのあとでぼくらの訣別するのはいつであるか
苦しみは暗示する
ひとつの決定された形態が
ぼくらの国とぼくらの愛との破滅を証してゐるのを
勇気に充ちた意志が
一対の荒廃した眼でそれを視つづける
失ふものをもたないぼくらこそすべてのうちのただひとつの崇高だ
ぼくらは空間とその構造とを変へるために
指によつて鉄鎖をたち切るだらう
歴史の形を構成するだらう
ぼくらは夜のなかでぼくらの国に目覚める

〈ぼくらの傍に春がきてゐる〉

ぼくらの傍に春がきてゐる
寂しさと鉄鎖のなかの三月よ
ぼくらは苦しみや貧困のために忘れはしない
ぼくらの未来とそのなかに可能なひとつのスイステムを
そのなかに回想される三月の水仙の花のことを
ぼくらの傍に春がきてゐる
ぼくらの傍に春がきてゐる
何故にぼくらはそれを歓ぶことが出来ないか
フイナンツカピタリズムの鉄鎖のなかで
従属と真空にされた意志とが
ぼくらを何処かへほうり出さうとする
ぼくらは乞食の衣装をまとひ
乞食のうたをうたひ
眼は悲しい空にうつつた三月の陽のかげを視てゐる
行政のなかにある恥辱についてぼくらは暗憺とする
フイナンツのなかにある放らつを瞋る

何を以てぼくらは
誰にそれを語れるか
陽のはてに陽が沈む　三月のむかふに春は沈む
ぼくらは亀のやうに影をおいて路上を歩む
ぼくらは決して歩み去ることが出来ない
ぼくらは
ぼくらはぼくらの為すことを地上で語ることが出来ない
暗黙のなかにぼくらを現在に繋ぐ意志がある
ぼくらの傍に春がきてゐる
それは寂しい絵画のやうな統制のなかで
できるだけのことはしようとしてゐるように
ぼくらを包む風を
時々は安息させる

〈駅丁〉

色々な雑沓があるにはあるが
みんな忙しさうなおまへにかかはりないことだ
それにおまへの変な帽子やウクライナの工服といふやうなその制服の
まぬけな道化ぶりときたらすべておまへにかかはりない
ガード下の扉のなかに
雑多な仕事がつみ込まれる
それが処理されるころは
駅前通りの百貨店が過剰の朱色シグナルを夜空にあげ
二十時すぎの列車が発つてゆく
すべての哀愁といふものをおまへは知るまい
知らなくていいことのなかにおまへの知らないことがみんなある
貨車のなかに何が積みこまれ
いつたい何処を指してゆくか
にんげんの幸せに役割しないことを
イムピリアリズム崩壊期における独りの貧しい駅丁として
おまへが知らずに果してゐる

そうして積みこまれた貨車の出発を見送つてゐる
それをおれは肯定しなければならない
おれは貧乏で力がなく生活のためには何でもするといふ
おれたちの余儀ない倫理を肯定しなければならない、

〈偽使徒〉

おう　そうならばおれはことさらに厳粛を装つて
おんみたちにんげんと訣れねばならぬ
今日にんげんの第一の不幸は己れをしらぬ小しやくな智慧を働らかせて
確実に死を与へようとする設計者をこしらへたことだ
第二の不幸はすべての価値物が占有者によつてのみ動かされることだ
第三の不幸はにんげんの生存がもつてゐる固有の不幸だ
この不幸をつなぎあふために、にんげんは無限の紐をこしらへ上げようとする
この紐につながれてにんげんは縮収する
まるでベンベルグのやうに縮収する
だからおんみたちが好むと否とにかかはらず
おれはこの紐を断ち切らうとする
そのあとに何が残るか
おれは知らない
おれは神から遣はされたり　みんなの不幸を代表したり
そんな聖職をもつてゐない
海辺の土管のかけらを踏みながら大きくなつた偽使徒だ

自分が痛いからひとの痛みも理解するといつた偽使徒だ
どうにも寂しくて仕様がないから孤独に狃れる演習をする
あんまりにんげんが可哀そうだから
おれはにんげんであることをやめる
何が出来るか知らないが
とにかくにんげんの紐だけは真平だ
おれは断じてにんげんではない
むしろ不幸から受胎された偽使徒だ

〈来歴〉

生きてゐることは盲目のやうだ
来歴は木のつたのやうに遠くの過去からからまつてゐる
このもつれを解くためにおれはおれでないところのものを欲する
改造よりももつと水際立つた
ひとつの転身を欲する
運命が歩ゆむようにおれが歩む
おれが歩むようにおれの来歴が歩む
何処かで
誰かに出遇ひそうになるのを嫌ふ
類のないといふことはやはりひとつの牽引だ
あらゆる魅惑はおれの外にある
おれの外に饒豊な可能性がある

〈わたしたちもまた時代のやうに暗い〉

〈わたしたちもまた時代のやうに暗い
そうして苛酷な風に貌をふきさらして屈従してはいけない
注意ぶかくかつこうな死を選びとるまでは――〉
まつたく死がその非情な明るさに思はれて
わたしたちの暗い穴蔵のなかに光をいれてきそうだし
あるいは　はやまつた撰択にせかれて
わたしたちは愛するものをふりすてて把みとろうとさへ考へる

たつた一瞬でも手を休めたり
食物をたべたりすることをやめれば
わたしたちはゆき処のない暗い管のなかで暗い風景を視なくてはならない
とりわけてじぶんの怖ろしい貌をじぶんで視るように
既に類型になつたさまざまのにんげんが戦さをしたり稗畑を荒したり
巨きな硝烟をぶち込んだりしてゐるのに出遇ふ

仲間たちは途中から引返へして訣れ際にきつと言ふのだ

〈何処までゆかうとしても一切は無駄だ
おれたちは救済のある場処にじぶんを引曳つてゆくには疲れすぎてゐる
さようなら親しい友よ
親しいといふ感覚ですらいまでは疑はしくなつたけれど
おまへのゆくみちはやつぱりおまへだけのものだ〉
訣れといふのはいつも斯んな風に遺されたものに隙間風を吹きいれる
わたしは何のあてもないけれど
わたしの細胞がむいてゐる方向に歩んでゆく

わたしたちの時代を正しく撰びとるために
パン屋の主人のやうな支配者や
コンサルテイング・エンヂニヤーのやうな支配者に
ひとつのマニフエストをつきつけてやらう
〈全くきみたちは可愛気のない奴だ〉といふ風にね

〈不安な季節〉

おまへの星はおまへのものでない
おまへの光はおまへの発光ではない
これから降りてくる世界では昔この国の僧侶が説いたやうに
死が無上の安楽であり　椅子の脚のそろつた寝台である
みんな死のほうへ急ぎあしで近寄り
どうぞわたしを近寄せて抱きしめてくださいと祈つたりする
ああだから
おまへもほんたうは遅刻してはいけない
遅刻したものはフイナンツ・キヤピタリズムの社会でのやうに
生存を削られて罰せられる
おまへの不安はおまへのものでない
おまへは場処のない流寓のひとのやうで
ゆくところがないのだから
いいかい
にんげん以上の機構がつくられてからは
神のかはりにそれを愛しなければならない
場処をまちがえて生れてきたものは

ほんたうのことを告白すればいつでも殺される
だから昔　山窩がしたやうな流寓のおきてを守ることが必要だ
おまへの星がいつもおまへのものであるために
おまへの光がいつもおまへの発光であるために
おまへの不安がおまへから削れおちるために
何ものにも交換しないおきてが必要だ
扉をあければ
ちがつた世界のちがつた夜空が視える
おまへは時々窓をあけておまへの星に遇ひにゆくことをしなければならない、

〈詩でかかれた鼓舞のうた〉

独りでゆくときには勇気がたいせつだ
独りでゆくときは寂しい冬がれの風景がことさらに寂しく視える
この寂しさは喪ふわけにはいかない
みんなとおれとを区別するひとつの標識であるし
この寂しさは出処も終末も不明だ
まるでおれのゆく道がそうであるように
おれが来たところが不明であるかのやうに
おれのゆきつくところが不明であるかのやうに
だから勇気といふのはおしなべてこの寂しさからやつてくる

寂しさを鋼《はがね》のやうに鍛へよ
鋼のやうに水際立つて孤独を堅く充塡し
湿気や錆をいれようとするな

何か言ふべきことをもつてゐたときおれは空にむかつて
それを言ふ習性をもつてゐる

この習性から寂しさが反響してくる
だから言ふべきことをひとにむかつて言ふようにせよ
とりわけおれを知らないひとにむかつてそれをなせ

勲章のやうにおれの種族の標しを明らかにつけて
ひとが飢えよと言へば飢えざるを得ないことをあきらかにし
なをかつ　為すべきことを為し了へるまで決して死なざることもあきらかにせよ

〈暗い春の絵〉

暗い春がやつてくる
春は絵画のやうに歪められた風景をつれてやつてくる
風景のやうに歪んでゐるのはにんげんだ
にんげんの敏感な眼だ
眼のなかに戦乱が映る　踏みあらされた稗畑やそのうへを過ぎた
聖霊となれる兵士が映る
眼底にのこるモノクロマテイツクな残像は表象されたにんげんの悲惨である
暗い春がやつてくる
にんげんは精神の子午線を修正するために風癲になる
おう　風癲になれば万歳だ
日に三片のパンとバターによつて生存は全うされる
意外な事象に托する意外な寂寥の健康さを
且てなかつた暗い春よ
おまへは知つてゐるか
にんげんが信なくして生きる日に狂へるものは幸ひなるかな
狂はない者は多く加虐性淫乱症となり

弱者を屠殺場へ行進させる
暗い春がやつてくる
人類歴史の生理を露出させて
罪なやつかいな暗い春がやつてくる
寂しさはもともとにんげんにつきつきり
だからそれはそれで正しいにんげんの所有物だ
この所有は絵画のやうに歪められた風景のなかにも
ちらほらと映つてゐる

〈晩冬のうた〉

ゆるやかにわれらは身を転ずる
いつも未知である場処に
われらが知つてゐるのは空や子午線をよこぎる小鳥の影ばかり
またビルデングの工事場の組立てられた鉄骨や砂利を運ぶコンベアの
ひびきばかり
またわれらが知つてゐるのは決してひとたちのまへに身を晒らすことのない
われらのこころの孤独ばかり　その長いあひだの暗い空洞のなかの
風景ばかり
われらはそれでもゆるやかに身を転ずる
丁度季節が冬を終へて何処へかゆかうとするとき
あまりに物慣れない諸作をこころのなかでくりかへし
埋められることを知りきつた腐葉土のやうにこころを温めて
何ものか未知なる従属に狃れようとする
墓地からは光が　街々からは騒音の印象が
ふた目も視られない汚れた乞食の少女からは花々が
みんなわれらの転身の日に集まつてくる

われらはいつもより択選の宿命をゆるやかにし
為すべきことを半ばも為し了へないことも忘れて
われらに集まつてくる心象をうけとろうとする
物すべてを祝福としてうけとることの少なかつたわれらの孤独
またひとに物問ふこともなかつたわれらの傲きよ
それが今まるで晩冬の縞目のある温暖に溶けはじめる

こころよ
こんなとき何処かで秘めごとをなさうとするな
われらの醜悪に光をあて　われらの耻羞に風をいれよ
そうして告げるがいい
〈われらはたつたこれつきりだ
われらの知られない未前は知られないが故に美しい
われらの叡智に花がひらいたとしても花が凋んだとしても
とにかく知られないものは美しい〉
その先きはわれらのつぶやきよりも
聴きなれない物象のつづける反響をききいるがよい

ゆるやかにわれらは身を転ずる
心を焦慮させたよき女《ひと》も
いまはただ遠隔にゐて寂かな微笑をおくる

われらは諦めよりもむしろ肯定にちかく愛に充たされた距離を理解する
季節が冬を了へて何処かへゆかうとするとき
われらの焦慮も無用のものとなる

こころよ
みだりに目覚めようとするな
われらに負はされた多くの不信や苦痛を
われらの孤独に関はりもないひとたちに投げつけようとするな
そうして自らの限界のそとへ今は歩み出さうとするな
あらゆるものを偽りと真とにわけて
そのひとつを採らうとする
われらの覚醒をしばらくは寂かに眠らせよ

おう何処かへゆかうとする晩冬のときよ
われらはいま善良《ボンテ》のひとにならうとする
薄青いおまへの風の移動をさしたる空虚もなしに視上げる
まことに病みつくこともなくおまへの弱々しい怯懦を注視する
おまへに与へられた宿命が稀薄にならうとするのを
われらはむしろ自らの苦しみを稀薄にしていたはらうとする
赦されたこころがわれら不信の者に宿るとき
われらの不遇である孤独よ

畏れることをせよ

ゆるやかにわれらは身を転ずる
いつも未知である場処に
われらは自らの孤独を巨きくし自らの影を巨きくして……

〈崩壊期〉

遠いところに小さな回想がある
回想のなかに真昼の小さな風景がある
幼年が追ひかけていつた風景
もうすべての購ひうるものは購ひつくしわれらの崩壊ははじまらうとしてゐる
決定された方向にゆきつくしたわれらの愛と憎しみ
想外のことに見まはれることのない低落した生存
われらの影には自愛の傷手がつきまとつてゐる
何処へともなく歩み出してゐることで
無下な復讐もうけてゐる
外界から崩れかかつてくる未来の風景と
われらのこころの支点をくつがへす回想のなかの風景と
けつきよくわれらはほそぼそとした路を
きわめて不興気にゆかうとしてゐる
われらは帰心を喪ひつくし
まるで鋼のやうにくすんだ季節のなかをつきぬけて
まるでメカニズムのやうに

まるで揺動することなく
時をうちけそうとしてゐる
この歩みが抗ふことに似てうち克ちがたく苦痛であるのは
われらのうちと外とに崩壊の時が重なつてくるからだ

〈凱歌〉

疾風のやうに過ぎてゆくものに
時とわたしの寂寥とがある
空が北方から春めいた信号をおくる
信号のなかに点示されてゐるのは未来の風景のなかのわたしである
わたしのうちで行はれようとする何ごとかである
わたしはそれを知らない
わたしの知つてゐるものはかぎりない寂寥ばかりだ

北方から信号がくる
まちのぞんだ途方もない茫漠がくる
わたしに受容する支度がある
わたしに嚥下すべき愁毒がある
そしてすべての果てにわたしの凱歌がくる

〈未知なものに〉

独りできたのにもうこれつきりで
あらゆることはみんなおれのものと異つた道の異つた愁ひにわかれてしまふ
寂しさは寂しさとして
おれの生れた理由からやつてきてどうにもならない
生れた理由からやつてきて
未知なむかうへ駈けぬける

だから冬のおはりの冷たさと暖かさが交換するとき
おれも交換したいものがある
夕べが雲を鋼と朱銀とに交換するとき
おれも交換したい愁ひの色がある
結局すべてはおれから由因しておれから結果する
何といふこの循環だ
たくさんの仕事をなし遂げたいと思ふけれど
この循環だなあ
すべてのひとに各々の理由があるのを肯定しないかぎり

おれはきつと罰せられる
いつかきつと
おれの仕事を救助してゐるやうでさまたげてゐる魔性《デモン》のために
喰はれてしまふ

まだあるつぶやきをひとにきかれないために
おれは沈黙しよう

〈噴火〉

どろどろに流れ出すのは熔岩ばかりではない
死んでも死にきれなかつたにんげんの終焉のとき
盲目にされた現実の瞋りからもやつぱり噴き出しどろどろに
流れ出すものがある
暗い春のちかく
丁度　人類歴史の一九五一年三月
大スンダ列島三原山が活体に変る
活体に変つた噴火口が活字の間にはさまつてほうりこまれる
だが噴火は山ばかりにない
活字のあひだにも噴火がある
みんなが怖恐してゐるものはむしろにんげん世界のそれだ
みんなが憎んでゐるのはその圧力だ
金融資本制のまつ盛り
腐つて流れ出すように財が流れ出す
火成岩層のやうにおしつぶされるにんげんの地層ができる
新世代沖積層のわづかな一瞬

われらの文明はおしつぶされて固成される
あざらしのやうに足なえたにんげんの化石を発見するものがゐる
ああ　われらに未来への予見があることは怖ろしい
われらに英知の眼が具足してゐるのは怖ろしい
だれもが自らを正しいと信じてゐる
この錯覚の由来するところはどこにあるか
あたかも人類歴史の一九五一年三月
手のつけようもない暗い風景がいたるところに廃墟をこしらへる、

〈たのみがたい春〉

この混乱のいはれはたのみがたい
寂かに落ちかかつてそのままになつてしまふ夕べの日
夕べの日が悲しい眼をしてゐるようだ
悲しい眼に文明の今日の日のいはれが写る
この混乱のいはれがうつる
たのみがたい一九五一年の春のとき
紅雀が小鳥屋のまへで首をうごかし
往来のほうを視てゐる
おれがとほつたときおれのほうを視てゐる
小さな脳髄はおれに似てゐる
寂しさ加減もおれに似てゐる
まさかおれのやうに瞋つてはゐないだらうが
混乱の時代はおなじ混乱の時代だ
どこから視ても籠のなかにいれられてあまり遠くへはゆけない
たのみがたい春が
海のむかふからおれたちの街々にきてゐる

〈反抗期〉

ゆけどもゆきつく処のないことにおいて
にんげんの精神は復讐されてゐる
遠いむかしヘブライ語で書かれた経典のなかに
砂漠をあゆむときの渇きをうるほすのに何を用ひるべきかが示されてゐた
砂漠をあゆむときにんげんの影がゆいつの陰をつくり
それをかへりみるときにんげんはきつと死の幻影に侵される
だから日の果てにむかひあゆむものは
後背からの牽引をふりきらうとして
寂しい日恋のうたをうたつた

にんげんはいま
ゆけどもゆきつく処のないことにおいて限りなく不遇だ
たちどころに造られた設計に則して
方位を異にする精神をもつことにおいて
ぬきさしならないほど不遇だ
だから抗ふことによつて

にんげんの不遇な時代を過ぎらうとする
まるで砂漠を過ぎるもののやうに
死の幻影をふりほどきながら
にんげんに経典や呪文のなくなつた時代をかたいかたい孤独によつて
過ぎらうとする

〈何ものによつてかにんげんは罰せられてゐる〉と
古老のいふことをあてにするな

〈視えない花びら〉

うつくしい陰が空にあらはれる
暗い低い雲がゆきちがつたあとの空にあらはれる
あれはおれのこころにある残像（nach bild）だ
どうしても捉へることの出来なかつたおれの過去が　あんなに美しい陰になつてゐる
やがて視えない花びらも落ちてくる
物狂ほしくおれが探してゐるおれたちの時代のほんたうの相が
いつたい何処にあるのか
おれたちに秘されて生産社会が膨脹する
おれたちの知らぬまに群衆が死の列に加へられてゐる
おれも一緒にいちばん貧しい土地でみんなのうける受難をうけようとする
おれに赦されたたつたひとつの孤独を
おれたちの時代に対する瞋りのためすり減さなければならない
だからこんな不幸が
おれの過去を蘇生させる
ビルデングのうへの空にうつくしい陰があらはれる
鷲のやうな翼をもつた巨きなおれの過去だ

みんなと一緒にとんだことのなかつた
巨きな孤独のあとだ
もう足掻きもとれなくなつたおれの翼さが
視えない花びらになつて剝れおちてくる

〈囚虜の時代〉

われらの眼にうがたれてゐるのは侮蔑の刻印である
鉄窓のやうな文明の窓から視えるのは変らない空の色である
わずかに視える空の色である
鳥の影が過ぎるのもわずかな瞬間である
逆上のなくなつたわれらのしづかな反抗
笑ひのなくなつた沈黙の自恃
三度の食を購ふために刻を決めて生産する
われらはいつまでも肥沃するものではない
肥沃するものはわれらの他にある
時よ
われらに自らの所有となつた時間をあたへよ
この鉄窓に穴をうがつためにわれらから侮蔑の刻印を剝ぎおとす
余剰をあたへよ
せめてわれらの美の意識を鉄窓の外に放つために
愛するものを愛すべき余剰を与へよ
非道を文明の圏帯に放牧する者のために

荒廃は極る
自責のない支配のしたの自責のない生存
こんな時代の隷属をいさぎよしとしない
われらはにんげんの名を返上する
囚虜に対するおもんぱかりを拒絶する
われらに自由はない
われらに依るべき形態はない
だがわれらに侮蔑の刻印された永遠の眼がある

〈奇形な春〉

実りのない生活の果てに
ぼんやり頬骨をつつぱつた春がやつてきた
春はふたいろある種族をいつそうはつきりさせて
おたがひに争はせながら
独りでゐる寂しい真昼のときにやつてきた
視えるものはすべて
澱んだ空気のため膨らんで奇形にされ
奇形はとほい記憶にまで及んでゐた
るるるるとくりかへし電線が振動するとき
遠廻りしたものはすべて春にかへりつく
春が小鳥を空に放してゐる
ああ　その手つきといつたら大正時代から少しもかはつてゐない
小鳥の羽搏きかたもいつそう同じだ
ただにんげんに待つてゐるこれらの憂愁はちがつてゐる
憂愁の質はちがつてゐる

〈決められた春〉

斉一なうすい膜のある空からは
決められたやうに季節がやつてくる
暗い春
来歴のないにんげんのやうに独りでに憂愁に充たされた貌で
たくさんの事件を起こしにやつてくる暗い春
われらはうすみどりの膜をはつた空に視入ることも忘れ
にんげん世界の動乱に凝集される
はじめて巨大な累卵としてきた時代
つぎにゆくへのわからないにんげんの運命
果敢ないことに賭けようとするフイナンツ・キヤピタリズム
からくりのないようである生産社会
からくりのあるようでない善良《ボンテ》の群集
どつと海の外から荷上げされる原料を運ぶ貨車の列が
暗い春を過ぎる
われらの心景は密度のない真空に充ち
瞋ることはことごとくわれらの生存から噴き出す

噴き出して何処へゆかうとするか知らない
地上いたるところに呼応するものがゐる
この抑圧された系列のうへに
決められてやつてきた春
どうなるかわからない春

〈征服されない人々に〉

われらの街々にも空にも視えがたい寂しさがきてゐる
寂しさには際限のない持続がある
ひとつひとつその連鎖をたどつてわれらは記憶の方へではなく
未前の方へさ迷ひ出る
何れどうなるかを意識しない生存の刻がいつもある
われらは押し出すようにして
自分のなかにある美の遺産を組立てる
征服されることのないわれらの同族に販るためにそれをする
一切の理解は今日では卑しくなつてゐる
孤独のなかに栄光も敗北もない
孤独のなかに孤独だけが塡められてゐる
寂しさは孤独からはこない
寂しさは隷属のわりなさからくる
だから征服されることのないわたしの同族よ
わたしの生産する美を信ぜよ
あらゆる理由の貼りつけられた設計書を拒絶して

ただ自分の生存に依らうとするわたしの非理を信ぜよ
たとへ神が黙示しなくても
わたしは為すべきことを為す
にんげんがすべてメカニスムのなかの歯車になる日がきても
わたしは欲しないことを欲しない
かかる傲きよのなかにある非詩的なる詩を信ぜよ

〈寂しい転変〉

海は記憶のはてから幾度も屈折してわたしの現在にいたる
わたしより外にたれもゐない真昼ま
海は鈍い鋼いろをして腐敗した沼土をうかべる
飾り窓のない幼年時のひととき
土管屑の傍で海をみてゐたのはわたしよりも寂しいわたしの影である
かかるわたしの影はその後どうなつたか
寂しい転変のかたはらにいまもひとつの海をみてゐるわたしを視よ
わたしに関はる巨きな影の累積をみよ
折れまがつて使ひようのない自由がある
あまりに生々しく感じられる死の兵士らがゐる
わたしのゆくてにわたしよりも寂寥を知つてゐるものたちがある
わたしはむしろ独りの視察者として
諸々の非難と怨嗟を受感しながら過ぎようとする
この生存のひとつに名を冠せよ
むしろわたしよりもわたしの知らない多くの同族のために
この傍観に位置を与へよ

寂しい転変のかたはらにいまも海を視てゐるわたしがゐる
わたしの知らない同族がゐる

〈黝い春〉

信ずるにたりないにんげんの群れのなかにきてゐる黝い春
窓をつきぬけてわれらはしきりに文明のゆくてを視たいとおもう
憂うるに資格ないもののひとりとしても
われらの孤独にかけがへなく
このあゆみには来歴のひとつがある
いはれのないことに時が過ぎてしまうこの湿つた列島のなかに
いはれをたずねて身もだえることは
何という空しいことか
この空しさを季節の風や湿気にかへて
黝い手のやうな春がきてゐる
列島のなかのにんげんの住居
住居ごとにある窓といふ窓はみんな閉ぢられてゐる
異様なゆきどころのない撩乱の気配が
みんなを暗いと感じさせる
何処からか眼をはこんでくる風がある
巨大な集積された財が撩乱を撒きちらしにやつてくる

生産と再生産の拡大に抗ふのは忍辱の価値論である
われらが知つてゐることのうち
いちばん信ずるにたりるテオロギアである
永遠に栄光の無かるべきもののためあるべきようを覚知させる
寂しいロギア・グロリアである
見むきもしないものを素通りしながら
黙い手のやうな春がやつてきてゐる
視えないものに決して視えない
黙い春がきてゐる

遇ひにきた……

自ら遇ひにきたといふのは青い空のことです
三途の河原に鳥が過ぎり
鳥は幻変する跡をひいて
ああもうそれつきりです
いちめんの青さのなかに何もない
わたしはひどく疲れて空を視上げます
わたしが苦しいのは自然に対してではない
わたしを関心させるのは自然の知らぬ惨劇です
惨劇に象徴されるわたしの運命です
わたしでありひとであるところのにんげんの葛藤です
身ぶるひするほど嫌なことを為すたびに
それだけ老いてゆくといふにんげんの歴史のいまのことです
わたしに追ひすがりひきこもうとするのはそれです
自ら遇ひにきたのは青い空ばかり
わたしの間隙をみはからつて
ほどよいわたしの仮構に乗ずるのは

ひとつの伝説　ひとつの無量に象徴された青い空です
にんげんには故郷はない
にんげんには帰心はない
たとへどれだけさいなまれても生きてゐることははつきりと生きてゐることです
鈍痛が精神の疲労を計測してゐても
ふりかへることは嫌です
わたしに同情するものはわたしを理解しないものだ
わたしに遇ひにくるものはわたしの眷族ではない
巨きな背骨のやうにうしろからわたしに遇ひにきたのは青い空です
充分　わたしを理解してゐるわたしの敵手です、

〈非議するもの〉

海の潮が暗いように
無限にむかつて非議するものはいつも暗い
海の潮のやうに流れて何処にも居場処がない
すべての構築されたものに疑惑がある
未来にむかつて旗をふるように
何か視えない可能にむかつて信号する
究極するところ
あらゆることはどうにもならないけれど
怖れがあるあひだ生きることはやつぱり素晴しい
この素晴しさには深度がある
暗あい暗あい深度がある
無風帯を流れる海の潮のやうに孤独で寂かな
われらの時代の平安がある
いく度も出遇ふ仮想された陸地に仮想された風景がある
もつとも憎むべきものを除けて流れる
それを知らないものは永遠に出遇ふことは出来ない

ああわれらに流寓のおきてがある
あかしてはならないおきてがある
われらは季節の花びらをうかべて
いつまでも流れるのである

〈側面史〉

ひとつの愛が多岐な不可能にはばまれる
小さな夕ぐれどきに
ひとつの愛は豊饒な影になつて　単調な生存のまへにある
こんな時刻をたいせつにしなければならない
わたしたちの時代は
わたしたちの掌のなかにはない
小さな夕ぐれどきに
これらの多岐な不可能はたとへば小鳥のやうにわたしたちの視野を過ぎてゆく
がらんどうな空に
罪びとのやうに繋がれたわたしたちの影も過ぎる
歴史よ
もの問ふことの好きなわたしたちにあんまり悲惨をよこすな
寂しければ寂しいままにわたしたちは充分　多忙なのだから
そのうへ屠殺や近似の設計で
いゝいゝにんげんを不幸にするな
まねごとのすきな群によつてすべてはまねられてしまふ

あとにはわたしたち孤独なものによつて側面史が編まれる
ひとつの愛が虐げられて小さな時をまもらうとする
知られないひとによつて
知られない空が視える

〈邂逅〉

われらに疲労の色して出遇ふのは一九五一年の春の夕べ
夕べのなかに染色されたビルディングや鉄骨やにんげんの群集
ああ群集のなかにわれらがゐる
寂しいまでに見はなされて生きてゐるわれらがゐる
われらのなかに反抗や傲きよがある
またひとつの弱々しい微笑もある
春はわれわれに何をもたらしたか
風袋のなかにかくされて
まるで多様な魚介
あるひはぼろぼろの稗のやうに
積集され捨てられてゐるのはたれの生存であるか
変換された作用素によつて
変換されたにんげんの価値
財は占有された価値物であり
交換された生存である
蛇のやうに一九五一年の春から這ひ出してくるのは

賭博の札だ
札をもつた太つ腹のおかしな獣だ
われらはわれらの生存を賭けようとするものを寂かに視やうとする
われらに与へられた択撰を傍観しようとする
われらの眼には一物の具へが無い
すべて振りあてられた邂逅に従はうとする

〈聖ニコライ堂附近で〉

聖ニコライ堂附近で
男女の学生が群らがつて通りかかるとき
眼科病院の扉がぎいつと開いて　盲になつた友とわたしが
出てくる
わたしは腕を友人にあたえ
眼を友人に気兼ねしながら学生たちの群れにあたえる
学生たちはみんな僧侶のやうな真黒な制服を着てゐるので
青いニコライ堂のドオムのいただきから
ミサの荘厳な光がおりてくるやうに思はれる
わたしは友人に中世期の抑圧と平安について語りかける
茶房の時刻に間に合ふように
急ぎ足をしながら
トマス・フオン・アクイノの如何にも平和で綿々とつきない論理について語る
影がこしらへあげてゐる午後
午後のなかの学生たちが　小わきに抱いてゐる書物
書物のなかの思想

愁毒にあてられてゐるに違ひない小さな脳髄
その終末にまちかまへてゐるのはふためと視られない露岩のやうな現実
坂道をおりてゆく学生たちは平穏であれ
盲になつた友もまた平穏であれ
茶房の時刻に間にあふために
急ぎ足をしながら
わたしは世界の暗さについて禁じられてゐる言葉を語らない
聖ニコライ堂附近で
M夫人がわたしに会釈しながら通り過ぎる

〈小さな異端者の思ひ出〉

わたしは語つた
まるで日光の網をかけた街路樹の小枝のやうに痩せ細つて
青い静脈が
ひたいの両わきにかけて膨らんでゐた
そうして物も語らず　縁先の土間に座つて
茫んやり視てゐたと
視線のむかふがはは都会の運河が流れ
河べりにちかく工場の煙突が立つてゐた

まるで小さな異端者といふように
たくさんの未知とすくない既知とのまはりを　できるだけ
速やかに　できるだけ多様に想ひつづけてゐたと

そのときから頭骨の形はすこしもかはらず
想ふことはすべてとりとめもなかつたけれど
あるひとつの経路が

みちびかれてゐたのでそれに従つた
べつに正教徒風の習俗が
どこか異つた場処へみんなを集積していつたときも
あの訣れの異様な寂しさをいつの間にか通り過ぎてゐたと

わたしは語つた
且てあのやうであつた小さな異端者が
やがてどうならうとするかを
そうしてたくさんの未知とすくない既知とが
いつの間にかそのまま膨らんで
青い静脈のうちにいまも隠れてゐると

〈視えないといふことが……〉

視えないといふことが
わたしたちの思考を時間のなかにこもらせる
そうしてわたしたちの倫理が時間のなかではじめられる
為されてゐることが眼のまへに累積し
為されてゐることのために人間が死に絶えてゆくときも
わたしたちは理由を視ることがない
わたしたちは理由をわたしたちの時間のなかに引もどし
わたしたちの思考がそれを決定するまで
どうすることもならない

距離に隔絶された地点から風が
にんげんの死や殺戮の感覚をはこんでくる
わたしたちの思考のなかへ
またはわたしたちの決定してゐる理由のなかへ
何ごとかわたしたちのなかに事件が起こされたのを感じると
わたしたちの孤独や

盲目の時代にむかふ瞋りが蘇へつてくる

おう　わたしたちに安堵をあたへるのは距離の感覚であるけれど
わたしたちの思考は不安な時間をつきぬけて刹那にやつてきてゐる
わたしたちはいつも不安から身を守りたいと感ずることのために
架空の壁をつくりあげることしか為し得ない
その壁にわたしたちの倫理の色を塗り
混乱や自悔や発作をもとぢこめる
わたしたちはこのときはじめて
わたしたちの時代をじぶんじしんの手によつて盲目にする

〈恐慌〉

戦乱が口をあけるところにしだいにのまれてゆく
財やにんげんの生存
ますます下降のほうへたどるわれらの孤独
ゆきつく果ては均等である
均等にいたるためにわれらの孤独はしだいに自滅の用意をする
じつにわれらは曙にちかく
薄れた星のやうに生れ出て
時軸の動乱のなかに没し去つてしまふひとつの共通の宿命をもつてゐる
われらは過去から未来にわたる時を
たつたひとつの自由として歩行する病をもつ
閉ぢられた扉のまへで
われらは
共通のにんげんの鼓動をきくことが出来る
財の偏在が周期をもたらしてくる
生産や再生産が拡大される
意慾の海に

暗い潮が流れはじめる
われらの苦しい思考が
週期的な噴火をもつ
消えることのない
終末を与へることのない

ああ　知るといふことによつて築かれた文明は寂しい
叡知の微分によつて
はてしなくわれらは孤独である
いづれか未来の一角にわれらの孤独に対決するものとして
ひとつの恐慌がある

〈暗い絵本の註〉

花がいつまでたつても咲きませんので
いつまでも世界は暗くありました
絵本を視る子供たちのために註を加へておきますが
この青い三月の空間からビルディングの建築されてゐる都会の
ペイヴメントの裏にいたるまで
みんなの視る絵本の主題はそのことです
世界が暗く
こころあるひとびとは言葉を奪ひとられ
ひとびとは眼のまへにひとつの仮説された理由を言ひわたされ
つぎつぎに死者の列に加へられてゆく
そんな危い世界で
コーヒーを喫んだりドラマを観たり
あるひはじぶんの愛してゐるひとと出遇つたり
みんなが視てゐるのはそんな絵本です
描き手のわからない（本たうはわかつてゐるのです）
色彩も定まらない（ほんたうはきまつてゐるのです）

それを視るときつとみんなは寂しくなるでせうが
ほんたうは寂しいといふよりも暗い
終りのわからない絵本なのです
だからわたしの註はただそうであることをそうであると言ふだけで
わたしが言ひたいことは
みんなに言ふことが出来ないのです
まるで春の小鳥または風
もつとひどいたとえをつかふならば
神の子から裏切りを言ひわたされたユダのやうに
わたしの言ふことは葬られるために
絵本のなかの未来
またわたしの時間のなかの永遠にわたつてわたしのなかに確かにあるのです

〈架空の年代誌〉

一九五一年四月　皮膚に泡立つのを覚えた
夜　星たちが座を正しくしてわたしの苦しみを視てゐた
祈りのない沈黙がわたしの為しうるすべてであつた
地球の皮膜がうすれ
無限の青ざめた空間がしばしばその間隙からのぞかれた
寂しさから寂しさへ隕石が発光しながら流れたが
ひとびとのまたわたしの処へとどかなかつた
わたしは大凡ふたつのことを為しうると考へた
ひとつは死であり
ひとつは従属された生存である

巷の医師がまたひとつの可能性をわたしのために暗示した
架空の生存である
既に内閉性を獲てゐるわたしの精神は
恐らく若干の衝激によつて純粋の時間を獲得し空間のすべて
を喪ふであらう

わたしはわたしの苦しみを理由と現存とにわけたかつた
わたしの理由を注視するものはわたしのみであらう
この孤独はもう狃れきつてゐる
わたしの現存を視てゐるのは星たちであつた
四月某日
地球は数日にわたつて風と皮膜とに覆はれ
窓が揺動した
わたしは煤けたテーブルのうへで夕餐をとり
茶を喫せずに暗い世界に対座した
わたしの思考は了らないであらう、

〈寂しい太陽〉

夏のきてゐる空に寂しい太陽が移動する
正しく座してゆくもののあの独りといふものが
太陽を視てゐる風に
マニフエストの乱れてとぶ暗い地球のほうから
はつきりと感じられる
正邪をわけることの辛いままに
われらのこころは眼覚めの眩しい視感で視上げるのである
夏のきてゐる空を
夏のきてゐることをわたしに知らせるのは
瞬間の意欲を過ぎるひとつの安息
または風の過ぎることばに似た
わたしの想ひ出の形態
かくてわれらを捕へて奪ふものは暗い出来事であるけれど
何日のとき何処で
すべての安息を喪つてきたのかわからない
またわたしの喰べてきた歳月がそれを喪つたのか

世界の果しない暗黒がそれを奪つたのかもわからない
ひとびとがわたしのやうに感じてゐるのか
わたしがひとびとのやうに感じてゐないのかもわからない
そうして知らうとも思はない
わたしを正しく感じさせるものは
真昼の明りのなかをゆく寂しい太陽のあの独りである

〈反抗の沈められる時代〉

おまへの孤独はおまへの傲きよからくる
おまへの傲きよはおまへの充たされない時代の充たされない場処からくる
おまへが充たされないのは
おまへの愛がゆき場処もなくおまへの憎しみがすべて
不可抗の巨きなものにむけられ
おまへの欠乏がやはり不可抗の構造から由来するからだ

どうしておまへの苛立たしさは
いつも新らしく決して克服することの出来ない瞋りを伴つてくるのか
あはれな不思議に惑はされて
おまへは其処からひとあしも踏み出すことが出来ない
窓をあけて
文明の寂しい形態を視よう
相も変らずおまへの仲間たちは働き手であり子沢山であり
さいの河原の石積みのやうに果てしない欠乏を喰べてゐる
だから一切の救済は

はじめに意識してゐたことを意識しなくなることだ
あるいは実践と呼びあるいは労働と呼び
じぶんを機械のやうに繰返へさせることだ

もしおまへがおまへのこの暗い文明のいはれをすべて拒否するなら
そのうへでおまへが新しい形態を予感できないならば
おまへの反抗を寂かに沈めておくより仕方がない
時が
きつとひとつの条件をもたらしにやつてくる
おまへがそれを花ひらく季節と感ずることが出来るために
おまへの忍辱は限りなく深くなければならない

〈底知れない誘惑者〉

わたしは生きてはゐません
わたしにとつて生きるといふことは底知れない誘惑のひとつです
わたしにとつて生きることは破滅のふちにあるようです
空が青く澄んで素晴しい日に
わたしの好きな鳥はそこを過ぎります
なんといふその安堵
なんといふその痛ましさ
わたしはそれを視ながら殆んど泣きそうです
ああこれは生きてゐることではありません
死すらもとどかない空虚の底で
感じ易すくなつたこころが迷つてゐるのです
あはれなわたし
わたしのなかにあるひとりのにんげん
生産社会はわたしに自由をゆるさない
猜疑の連鎖はわたしを殺さうとする
わたしの求めないものを眼前に横へる

わたしがそれを戴かないといつてわたしを非難する
けれど
わたしの好きな小鳥は空を過ぎります
わたしはそれを視上げ殆んど泣きそうです
わたしの荷重を遠隔に運び去るもの
わたしの苦悩に信号をおくるもの
まるで呼吸のやうに空の木理《きめ》に密着しながら
わたしの好きな小鳥は去ります

〈ドラマトウルギー〉

知らない高層圏から光がおりてくる
光が青いろのフイルターをとほしたやうに漠然としたわれらの貌に
冷気をおびておりてくる
われらが演ずるのは覚醒のドラマである
役者は風癲と加虐症とどうにも眠ることのできないわれらばかり
演ずるのは戦争戦後の循環風景だ
われらの望まない演出家によつて
われらの望まない出演料に交換されて
時は一九五一年代の春のころ
処はわい雑なけちくさい小列島
背景は無限の高層圏だ
われらを砂粒のひとつのやうに視せる光のしただ
われらが演ずるのは限りなく渇えた覚醒のドラマである
このドラマに何がふくまれてゐるか
もとより演者自らそれを知らない
ただ不当で瞋らざるを得ない動機が熟する

かかる動機においてわれらの役割は必然である
何人もこのドラマをかへりみなくとも
われらは演ずべきことを演じなければならぬ
われらは演劇術の真偽を
覚醒の有無によつて標識しようとする
われらは自らの決定に殉じて未来を信ずる

〈黙示〉

地上がふたつの色になる
にんげんの理由がふたつの色になる
何処かで何かの過失が行はれてゐなければならない
そうでなければならない
そうでなければ至る処に訣別がくるはずだ
愛によらず憎しみによらず
ただ択撰をゆるされない訣別がなくてはならないはずだ
われらの感ずる黙示によれば
地上はいまも気圏のしたにあり小さな愛も行はれうる
小さな邂逅のあとの小さな寂しさもある
にんげんは変らず一粒の麦だ
われらのうへに収縮をもたらすのは
仮構されたテオロギアだ
かの支配のために設計された計算書だ
にんげんよ
小さな切実をまもるために巨大な仮構を拒否せよ

巨大のなかにいつもかくされてゐる分裂性を洞察せよ、

〈地上にきてゐる忍辱〉

わたしたちの座は暗い
遠くて近いような信号をうけとつた日から　わたしたちは暗い座におかれる
為されることはみんな当為に還算され
この思考の限界からどうしても脱けられない
四周にある壁はわたしたちが自ら投影したものだ
壁の外には幼な馴染の空もあればビルデングもある
また優しさのうへに威儀をたくはへた親しい女もある
けれどわたしたちは其処へゆけない
ひとつの思想がひとつの座を決定するといふ
いゝいゝにんげんの精神のメカニズムを認知した日から
わたしたちに飛翔が喪くなつた
ぢりぢりと爪立つようにして実相に触れながら歩む
依然として壁があり壁のむかふ側は視えない
忍辱が地上にきてゐる

わたしたちが視てゐるのは明らかにひとつの崩壊の時代だ

予見のなくなつた暗い座にゐて
視てゐることは怖ろしい
崩壊はほとんど轟音をあげてはじまつてゐる
何を待たうとしてゐるのか全く知らないままに
わたしたちの生存はあともどりしない
依り処ないといふことに最大の条件をかけて
にんげんの未来がはじまる
恐らくは解き放たれる時期をもたない忍辱が地上にきてゐる
決定されてしまつたわたしたちの精神の襞のあひだに
どうしようもなく永在しようとする
地上の忍辱がきてゐる

〈告訣〉

彩られてゐるのは冬のおはりの空ではない
寂しさと寂しさとの訣れであるおれとおまへとの三月の光だ
あまねくゆきどころのない光だ
おれとおまへとはじぶんの影を長く横へていつもは独りで歩いた
銀座裏の路をけふはふたりで歩む
互ひに好まない形式としてふたつの影とふたつの並列な肩がある
ビルデングの窓もいつもの通り
スペイン風の酒場もいつものとほり
狭められた空からくる光ばかりがどんなにおれたちを彩つてゐたか
瞋りつぽい沈黙が
けうはふたつ並んで
こんな相似のこころを包んでゐる躰や衣裳だけが
はつきりとちがつてゐる
こんな処でいい
もう直ぐおまへはビルデングの底を歩むでゐるひとりの女になる
そうしておれはおまへをそんな風に

ひとりの女として視る
これ以上はどこまでいつても無駄だ
おれたちの時代は結局こんな具合に訳のわからぬ訣別を強ひるし
おれたちにそれを受容するこころもある
はつきり決定された形式もある

〈都市街道〉

いちにちに千人のにんげんがとほる
N銀行うらの路に沿つて
寂しい都市街路がつづいてゐる
ゆきつく果ては鋼いろの煤雲にまみれたわれらの計量された天末線だ
しゆろの樹に似た植込みのむかう　石材塀のうちに
自動車や電線の集積処がある
ピカソが描いたゲルニカのやうな屑鉄や針金のやまがある
褐色をしたドームのしたに
Y型のリーム　プーリーの列
にんげんはかかる処を欲するか
にんげんは都市街路を未来の信号によつて歩みつづけ
鋼色の風景に到達する
寂しいわらひをしようとして鋼色の風景を視る
かかる時にんげんの頭に冠せられてゐるのは
帽に似た風洞だ
風洞のなかにアーテイフイシヤルな微風が吹きつける

日に千種類の風速にかはつて
都市街道の過去の方へ
決定された信号をおくる
N銀行のうらの路で
いちにち千人のにんげんがみんなでそれを受感してゐる

〈風景のない季節〉

空といへばまつたく計れるくらいのせまい空
その空には索しもとめる風景の背骨はないのです
ただありきたりの昔からあつたがゆえにいまもあるといつた案配の
寂かでなみ立たない空です
空のしたにはビルデイングが建ち
ビルデイングのしたには沢山のにんげんが歩いてゐます
にんげんは風景のことを考えずに歩いてゐます
季節は風景のないところではにんげんの衣裳からやつてきます
衣裳を感ずるこころが僅かに風景を感じてゐる
季節はまるで鳥の影のやうに
きはめて短かい空の視界を過ぎてゆきます
まいにちまいにち
にんげんはどうして不思議におもはなくなつたのか
働き　疲れ　眠つては
いつのまにか継ぎ目を通りすぎ
やがてぬきさしならない生存の継ぎ目をとびこしてゆきます

おほざつぱに言へば
まるで候鳥のやうに移動しまたは住居をかまへ
何処からか冷たい北風を感じて
やがてそれがこころの寂寥を決定し
帰心を覚えさせたりします
けれどにんげんには故郷がない
都会には住処がない
まるで駅丁のやうな茶房の女たちにまじつて
にんげんの歩みにかかはりのない雑多な物語を編み出しては
またひとつぬきさしならない時が過ぎてゆきます

〈愛を刻むうた〉

ひとりでにあんまり自由だつたので
どこかへ行つてしまつたのはわたしの理由だ
理由のなくなつたところからはじまるわたしの愛が
時代のはげしい過擦のなかで苦しそうに生きながらへる
幼年のとき海や昆虫に対してしたやうな
青年になりかかつたときすすきの峠や山路に対してしたやうな
わたしの髪はちぢこまつて
ゆきつく果てのないにんげんの運命にたいしてむけられる
にんげんの運命に象徴された独りの女《ひと》にむけられる
その女《ひと》は他人よりも自分を愛し
自分の道を拓かうとしてせつせと読書し
時には病みつかれ
苦しい時代がいつそう苦しくする不毛の社会で独り生きる
当為のないわたしの愛に如何にも応はしい
何がわたしにとつて美しいものかわからない
何によつてわたしは生きるかわからない

わたしはわたしを守るために
過剰な持ち物をみんな愛と憎しみとに代へ
にんげんをふたつの種族にわけようとする
わたしの愛を重たく暗くするものはわたしの憎しみを重たく暗くする
醜悪な事実でもつてわたしの愛を覆ふものに
時はふたつない支配者の名を冠する
醜悪によつて生きるためににんげんは羞恥を亡ぼさうとする
いかにも確かにわたしたちが寂しいと思ふことが
わたしたちの帰心をうしなはせる
わたしたちはビルディングの底の街路や人工噴烟を吐き出す工場地帯で
わたしたちの故郷をもたない
遠い叡智が見透ほす未来の風景が
たくさんの寂しさを信号する

わたしの愛が信ずる地点で
わたしの愛するものたちは亡び去る
わたしの愛を刻んだ碑は都会の運河の底に埋没される

〈風をたずねる歌〉

ひとしきりビルデイングの屋上が揺れるように風が過ぎてゆくと
風のあとには空洞がのこつてしまふ
空洞にはぼんやりした影像がのこつてしまふ
ゆき処もかへり処もないぼくの疑惑はその時はつとして視たのである
風をたずねるものはもうゐなくなつたのか
気圏の移動といふことをみんなはおどろかなくなつてしまつたのか
あらたに戦争や財の移動につれて
みんなの眼はそのあとをたずねるようになつたのか
惰落でもなんでもないこんな時代のこんな成り行きといふものは
まことに一枚の絵画のやうに塗りかへられ
破れた習俗のあひだから
風がまひあがるのである
風がビルデングや気象観測所の塔のうへを揺ぶりながら過ぎるのである
重たいのは天候の信号旗だ
どこかでこんな時代の相を観察してゐる
アジトのない六級俸の属官の眼だ

風をたずねて憂愁にくれるものが
いたるところに電探や電信機を具へつけて
刻々の危機を伝へてゐる

〈花開くこと〉

にんげんは寂しさの果てに何かあるとかんがへる
寂しさのはてに何にもないので
寂しさはいつまでもにんげんにある
あかるい空にはあかるい光線が
あかるい窓にはあかるい空が
なほそのうへににんげんが考へられることで
いつまでも限りのないことであかるい予想も成立ちうる
花が開くのはほんたうに自由で疑惑がなく
それが落ちるときも水際立つてゐる
すべてのうちにすべてのものが包まれてそれだけだ
罪科のやうに歩むでゆく
それはにんげんだ　にんげんだ
項に物言ふごとき寂しさをちらつかせてどこまでもゆかうとする
こんな風景において生きることは限りなく暗い
花が開くことは不思議におもへる
こころはそんなにも衰弱することが可能だ

だから花が開くことが不思議におもへる
こんな時代をにんげんはどうすることも出来ない、

〈虐げられた春〉

どんな春をまつてゐたのか知らないけれど
まがふことなく温い風やびちよびちよの雨につれられて
決定された春がやつてくる
春になると鳥が囀り花がひらく
ほんたうはどんな季節でも鳥が囀り花がひらくのに
わたしたちはことさらに感じようとする
春は死に近いにんげんの運命をつれて
まつたくひどいことをする支配者にひどいことをさせながら
何といふ不可解なことか
鳥が囀り花がひらき
あまたの明るい芽が萌え出さうとする
寂しさはかたくなにわたしたちのこころを循環する
どうしてもそれがそうであるならば
すべてはいまのままの風景や事件でいい
けれど捨てることの出来ないわたしたちの反抗もある
寄せあつめられた寂しさもある

やがて四月の空
風見の矢がはつきりとビルデングの上の風を決定し
かたかたと計測器がまはるだらう
そんなときにんげんは暗くなくてはいけないと強ひられたやうに
わたしたちはあらぬ方の空を視る
硝煙くさい空を視る
どうしてわたしたちは種族のちがつたにんげんの悲惨を
まるでじぶんのことのやうに感じなければならなくなつたのか
こんな寂しい共通は
且てどんな思想家も指摘しなかつた態《てい》の
ひとつの瞋りを目覚ませる
虐げられて春がやつてくる

〈独りの道〉

明らかにひとつのこしらへられない道がある
時があんまり歩ませない独りの道がある
何処で何に出あふか
そうしておれは何を撰択するのかわからない
いちようにすべては苦しみでありまた放てばみんな空洞である
そこいらで
おれは寂しさもほどほどにして
ゆきつくところまでゆかうとする
ひとつの不均衡やとげられない感情の末葉が
きらきらと呼吸を暗くしたり
ひとを赦すことでおれも赦されようとする衰弱もある
結局それらをすべてくるめておれと呼ぶならば
おれは愉しさよりも
むしろ孤独な道をひとりで撰択しながら
ひとりの莫迦あるひは辛い怠惰を喰ふものとして
たくさんのひんしゆくのなかをゆかうとする

〈旱天〉

空が乾いてゐる
ひどく新鮮な青いろをした一九五一年四月の雨あがりの空
退いてゆくのはまるでおれたちの暗鬱のやうに思はれるが
またとない悪因が寂しい動乱を噴き出しいつ果てるともわからない
ここいらにおれたちの四月の憂愁がある
踏みあらされた稗畑からは稗は生ひ立たないし
生ひ立つ稗はみんなひねこびた空穂だ
古老たちが往時の古めかしい秘伝によつて蘇へらせようとしても
やつぱりどうにもならない
半島の南と北にそんな事実がおこなはれる
おれたちと同じように
真摯で暗い青年たちは暴落した生存のなかで考へこんでゐよう
すべておれたちに関はりない原因で
おれたちは無下な重さを負つてゐるけれど
乾いて青く澄んだ空には
溶け難い桎梏のかずだ

おれたちは深い憂愁の影によつておれたちの精神にそれを刻まうとする

〈通信〉

偶然なものがおちかかつてきます
わたしたちのうへにです
どうしても予感することのできない決定として
あるひは天の配剤として
わたしたちは従はなければなりません
丁度あなたとわたしが一九四八年の秋ごろ出遇ひましたように
まるで去来する情感の微妙な交替がありましたように
わたしたちは偶然なものを
うけいれるほかありません
ごらんなさい
わたしたちはちつとも暗くないのに
わたしたちの周囲はほんたうに暗い
わたしたちは殺し合はうとはしないのに
殺し合つてゐるひとびとがゐます
ひとつの種族としてひとつの抑圧されたものとして
あのひとびとの瞋りもきこえます

わたしたちはどうかしてわたしたちの地点へ到達しなければならない
そう思へば
わたしたちに撰択はゆるされてはゐない
わたしたちはやはり瞋れる星のひとつです

〈暗い春〉

不毛な土地にはあんまり知られないように
暗い春がきてゐる
天候の温暖をうけとつたまま茫んやりみてゐる人たちが
やつぱり感官のどこかで暗いと感じてゐる

ビルデングの建築工事がすすめられてゐる街で
おれたちは黒いボンネツトや鉄骨に出遇ふ
女たちのもつてゐる
暗い春もある
通りがかりに煙草を拾つてあるく男たちにも暗い春がある
画家たちは頑固にじぶんの色彩を信じてゐるが
何処からか全く知らなかつた感受が来てゐることに不安を覚える
ああ　それはもう芸術がだめになる暗い信号だ
画家たちは才幹の不足にすりかへて
それをまぎらはせようとするが
理由はみんな異つたところからやつてくる

暗い春
誰と誰とが寂しい民衆であり
誰と誰とが天才の不遇をもつてゐるかわからない
ともかくもすべての一列にして
どうしようもなく来てゐる暗い春
圧しつぶされてそのまま毿れようとする
あんまり善良《ボンテ》をまもらうとするな

おれたちの孤独は知らない理由によつてすでに購はれてゐる
暗い春、

〈夕べの時における都会〉

群集がペイントを流したやうな塵埃のなかに
後背を塗りこめられてあゆんでゆく
またそれは魔術のやうに途切れてゆくたくさんの運命のやうにも視える
何ものか巨きな暗さが彼等を追ひかけるので
彼らは識らぬうちに帰らうとする
夕べの光線がビルヂングの壁や窓から乱反射して
彼らを送らうとするように
彼らの運命をうしろから照射するように包んでゐる
おう夕べの時における都会よ
住居のない群集のこころからたくさんの不安が
おまへの街路に残されて浮動してゐる
貨幣や信用の分布にもまして不安な濃淡が残されてゐる
高架電車が協奏する
暗くなつた空の区劃が決定しようとする
彼らの運命は財そのものと交換され
彼らの生存は魔術師の計量によつて購はれてゐる

おう夕べの時における
フロア・シートのやうな都会よ
おまへの鋪装路に暗い蔭がつくられる
つくられた蔭が夜のうちに拡がり
世界はいつそう暗い明日をむかへる
群集は刻々と暴落する生存の価値を怪しみながら
拝火教徒のやうな呪文を知らない

〈愛が自戒にかはるとき〉

あんまり覚めきつてゐるのでわたしの愛が自戒に
かはつてしまう
あんまり凝視しすぎたので
時代は歪んだ光線に決定された絵画のやうに歪んでしまふ
思考の方位をしめしてゐるのは
巨きな支配者の設計だ
わたしが愛するものはすべて価値のないものであると
そそのかしたりおどしたりするものがゐる
わたしの愛するものはすべて穢汚にまみれきつたものだと
フロックコートの紳士がいふ
わたしの愛するものはすべて破滅の場処にむかふと
神の名をかりた牧師めがいふ
まるで網の視えない獄舎のなかに監視されてゐるように
わたしはすべてわたしに物言ふひとびとを拒否できない
わたしの愛するものは物おじして
わたしの視線からはなれようとする

むしろわたしのなかにある永遠の異端者の魂からはなれようとする
わたしが歪んだ時代に投げつけようとしてゐる歪んだ
反抗の量をおそれてゐる
わたしの愛は自戒にかはつてしまふ
わたしの量がわたしの自戒の深度をどん底まで堕してしまふ
わたしは這ひあがらうとする
巨大な柱をもつてゐる
巨大な記念碑をもつてゐる
たくさんの殉難の記録のなかにわたしをよぢのぼらせる理由がある

〈春の日の自我像〉

こんな温かい日の　こんな午後の
罪びとの思ひは辛い辛い
わたしがわたしのものであると感じてゐるすべてはまるで
溶けるように空しくなる
溶けるようにわたしはわたしでないものの溶媒に溶される
アルカイックな寂しさがある
アルカイックな笑ひがある
けれどすべては仮構のなかの抗ひであり
その死滅である
どこかへ窓をあけて文明が暗くなる春の
騒乱した気圏をむかへいれる
わたしのふところは空つぽだ
それにわたしのこころはいつぱいの惨めな予望をはらんでゐる
鳥たちのとばない春
雲がふんわりと浮きあがらない春
ふたいろの岐路をもうけてどこかでまつてゐる春

わたしはもうわたしをみつけることのかはりに
わたしの生きてゐる時代のなかに
ひとつの自我像の反映をみようとする
何処かにそれがあると思ふ
もうはつきりとわたしとわたしでないひととがわけられるのだから
わたしの春は
ちがつたわたしのところへやつてくる

〈小さな歌〉

おまへが知つたとしてもビルデイングのたくさん建つてゐる街で
まるで鉄骨ばかりになり果てたようなわたしの存在はわからない
わたしを索しもとめるためにおまへの眼やおまへの眼鏡のなかの
反射または寂かに消えそうな炎はあまりに弱すぎる
どうもう、い、い、な売女の眼
またはつき刺すようなシムメトリイをもつたブルジヨワ・マダムの眼
届かないまでもわたしの存在はわたしの深処にあつて
それらを思ふかも知れない

鉄骨を組合はせて壁を塗らうとしてゐる
見果てぬ夢想のやうなわたしの未来を
この世の惨苦や泥汚にかかわりのない会話で刻々にすりへらしてゐる
この場処をおまへは見つけられない
ひとつの嫌悪のなかにたくさんの思ひ出が塡つてゐて
おまへがそれにつきあたつてゐるとしたら
もう愛憎も限界をうしなつたわたしの頽廃を見つけることが出来ない

わたしがいまも生きてゐる
わづかばかりの理由をのこして
手や脚
ひとつの孤独やその反射
風景のなかに呼応するもの
すべては文明のひとつの暗さとして埋没してしまつてもよい

おまへが小さな訪問者として
ビルデイングの建ちならんだ街でわたしの存在に出遇なかつたとしても
多彩なネオン管の架けられた夜のときの空
背景としてある窓や飾画のいろ
きつとそれらの風景の素材に出あうことが出来る
〈おまへのために小さな覚え書きを記しておく〉

〈真青な空のしたの街で〉

真青な空のしたに親しんだ街がある
幼年の頃から手なれた色をしたビルデイングの壁や窓や
ペイヴメントの敷かれた街がある
わたしが其処で
わたしの出来るかぎりの愛着を感じ　それを捨てようとしなかつた
あはれな想ひ出をつみかさねて
どうかすると塵埃の立ちこめたまま夕暮となつてしまふ
街が
真青な空のしたにある

真青な空に魔術師が住みついてゐて
幼年のときは知らなかつた魔術をかけてゐるので
街は次第に膨らんで
わたしの想像にあはない形になつてしまふ
わたしが保存してゐた
ひとつの孤独がまるで歳月のあひだに変形してしまつたように

親しんだ街が
まことに量られない形に変つてゐる

この真青な空のしたの街で愛することは何と難しかつたことか！
わたしの信じたり親しんだりしたひとびとは
既にみな亡びてしまひ
すでに貧しい老いたちちははといつしよにやつれてしまひ
わたしは微かな可能さへ感じられないままに
わたしの時間を守るのである

〈星のない夜も星のある夜も〉

にんげんが死んで都会の運河を流れてゆくとき
架空の夜にかけられた銀行や商事会館や化学工場事務所のビルディングが
星のある空にたつてゐるし
星のない空にもたつてゐるし
さまざまな模様や色彩をはめこんだやうな
ネオン・シグナルが明滅してゐる

膨らんだ腹や脚をつき出して
にんげんが泥ぬまのやうな運河をながれくだるとき
文明の排せつ器のなかを死んで流れてゆくとき
またとない寂しい時代が
岸に沿つておなじように歩むでゆくのである
星のない夜も
星のある夜も
暗い春のきてゐる並木にはさまれて
まるでわれらの臓器を視るようにわれらははつきりとそれを視るのである

にんげんは何故か死んで
都会の裏側の運河を流れてゆかなくてはならない
墓地である湾口に
まるで塵芥のやうにして下りながら
ああもしも
湾港の巨きな貨物船のスクリウのしたで眠れるものとすれば
それは幸せだ
屍体運搬用のシート・コムベアーのやうな都会の運河を
ぬけ出すことが出来るとすれば
星のない夜も
星のある夜も
それは幸せな眠りといふことが出来る

〈海の手が都会を触れにくる〉

海の手が都会を触れにくる
マストのうへの旗をこえて　海べにある放送局の鉄塔をこえて
魚場の塩や臭気や腹わたや荷箱やロープをこえて
病院の十字架や海に面した窓をこえて
おほきくつよく寂しい海の
手が都会を触れにくる
ぼくがそれを知つて
海から視える都会の風景を想像しようとしても
ぼくの想像をこえて
はるかに奇異な
響きさへきこえ
海の手が
都会のすべてを触れにくる
工場地帯からの風が煙りをまきこみながら
いつのまにか海の触手を象徴してゐる
昨日とほつた運河べりの路に海の匂ひがイメージになつて残る

明日わたしたちは海の手を感じることで
わたしたちの幼年時の追憶のなかにとぢこもるだらう
わたしたちがすくすくと育つたビルデイングのしたの街路で
突然わたしたちは
じぶんの運命を知つたりする
海の手がそれを触発するのだから
海の手が倫理のある風をわたしたちの時間のなかにくりこむのだから

わたしたちがすべての風景よりもう少しおほきいと感じてゐる
わたしたちの宿命を
海の手はそのとほりのおほきさで触れようとする
わたしたちが目覚めたり
眠つたりする
その呼吸を海の手は感じてゐるやうに視える

〈コミニストのための歌〉

忍従が背《そびら》をかへして立ちさつたとき
きみらはいちように真赤な太陽のしたの街におどり出て
まさしく百年の長い長い歴史のなかの
暗い反抗を噴き出さうとする

真新らしい光線に決められた真新しい時間が
きみらの解放を容れる
きみらの手や脚や皮膚のすみずみに累積してゐた
固い忍従の習性が
またあたらしい従属の規律をつくらないように

服するよりもむしろ死をえらんだ
きみらの先輩たちのみちが
いまはそれを
きみたちにおしへようとしてゐるようだ

何処へゆかうとしても
寂しさは無下にわたしたちに附随する
附随した寂しさのなかにいつでも用意されてゐる死者の場合が
巨大な機構によつてつくられてゐる
きみらを友と呼ぶものも
きみらと同じみちをゆくことを願はうとしない

にんげんをあまたの機械にしたものに
わたしたちは未来の名を与へ均等の制度に附随する
あたらしい忍従を理想と呼ばうとする
その呼び名の正しさのためにわたしたちはきみらを友とする

〈信仰のないものの覚書〉

あるいは確乎たるものをもたないで
路をあゆむもののための自戒として
夕べの星はきれいであつた
薄白んだ光にあてられてまるで糸をひくように
街々のビルデングが星を支配してゐた
窓のひとつひとつが監視人の眼をもつてゐるように
星やその背景を視てゐた

わたしは歩んでゐた
わたしの知つてゐるのはわたしに起つた出来ごとばかりであつたし
わたしのままになるのは
数へあげられた過去の歳月ともうすでに
数へる術をなくしたとおもはれる未来についての悪感であつた
まるで循環する心景を循環させながら
ひとびとの群れのあひだをわたしは歩んでゐた

時にたいする信仰はもうわたしを捨ててゐた
わたしもまたすべての信をかたくなにうけいれなかつた
遠のくものはまるで速やかに
またすべてのものは斯かる日のわたしに近寄り難さうに視えた

〈死を背にしたにんげんの構図〉

街へおりると
群集のひとりひとりが愉しげにあるいてゐるけれど
なかに類のない疲労や困窮にうちのめされた貌が視えることがある
死を背にしたにんげんの構図が
ふとそこに象徴されてゐるかのやうにおもはれる

意識あるものがそれを意識し
意識のないものがそれを意識しない
けれど在るべき死の構図は在るべきやうにある
にんげんの他から来て、まるで且て神に対してしたやうに
それを背負ひ
黙示のやうに従ふべき決定がある

寂しさよ
且てにんげんのうちになかつたやうな理由から出て
にんげんのうちにやつてこい

まるで不可抗のちからとしてにんげんのうちにやつてこい
決定の外に出ようとするとき
にんげんがしなければならないバプテスマとして
死の貌を視るやうな寂しさはやつてこい

寂しさをこえて
わたしがゆかうとするとき
わたしの前に無数のにんげんがありわたしのうしろに無数のにんげんがあり
わたしたちは姓名を列することなく
わたしたちの路をゆきたい

かかる構図において
死を課するものの側ににんげんの名を与へないやうに
わたしたちは激しくにんげんを守らうとする

〈小さな街で在つたこと〉

コウモリ傘をつるしてゐる道化師が
何某商店の広告を背おつて小さな街をねりあるく
街からは海がもりあがつて視え
道化師も宙に浮いたようにもりあがつて
やがて小さな街の小さな路といつしよに
ぼくが信じてゐる天への梯子を登つてゆくようである
寂しさがしんかんとしてぼくといつしよにその後をついてゆく
何某商店の人だかりは売出しの日に限られる
どんな遠くから
ぼくは小さな街へやつてきたことか
ぼくにはくるぶしのない道化師が住みついてゐて
小さな街の小さな路をあるくのである
寂しさは
三遍めには病気になるのでぼくは用心しなければならない
ここは何処の
ここは何処の小路であるか

まるで親しいまるで異国のやうな
朽ちはてた軒をつらねた小さな家並のあひだを
ぼくが信じてゐる天の梯子を登つてゆく
小さな天使たちははなをたらして茫んやりとそれを迎へる
それは遠くからきたひとりの道化師
ひとつの孤独
たしかに小さな街で在つたこと、

〈時のある街と時のない街〉

ぼくらは降りてゆく
ひとつの名もない街の風景のまんなかに
ネオン・シグナルがそよそよしてゐる夜の架空さも
何処かへ無くなつてしまつたやうな冬のビルデイングも
ぼくらが降りてゆくと
ぼくらにふさはしい時刻のなかに現はれてゐる
あらゆるものを見透せるぼくらの眼がはつきりと時刻をよむ
そうしてそれがすべてである

ぼくらは死んでしまつた過去をたずねようとしない
これからやつてくる未来をたずねようとしない
時のない場処で
ほんたうに目覚めてゐなければならない
買物バツグを提げたエプロンの少女が
くわいいをいれてとほりすぎ
ぼくらはまるで振りかへらうともしない

何とまあこれはなさけない
不遇の市場といふものが
街々では蟹のやうにぶつぶつと泡をふいてゐる男や女が充ちてゐる
ぼくらは降りてゆく
ひとつの名もない風景のまんなかに
ひどく変り種でとほつたぼくらは平気を装つて老いてゆくのである

〈辺疆地区〉

蒼い空のしたに　いつも踏みならされたペイヴメントと
田園都市風のビルデイングがあり
大勢の市民のなかからは乞食と独裁者が生れ出る
地球の
辺疆地区であつた　そしていまも辺疆の市民たちが
暗い卑小な労働に従事して老ひ
あとからくる息子や娘たちに言ふのである
〈働くよりほかに何も出来ない　働くことによつて骨を削り
また幾らかの財が遺されるかはりに　能のないおまへたちが遺された
神の爪あとの引掻いた土地に
まるで不甲斐ないおまへたちしか遺されなかつた〉

風や街路樹やビルデイングの屋上の旗が
いつせいにあざけり嗤ひ
蒼い空のしたの踏みならされたペイヴメントが辺疆の塵埃をまきあげ
煤煙いろの太陽を黄色に染める

刹那がこのやうにありありと市民の脳髄に持続するのである

何処へともなくゆくべき流亡もゆるされずに
ひとりひとり老いてしまつたあとに
言葉少く語る孤独な乞食のなかに
むかしの働き手がゐる
そうして絶叫する狂者のやうな安税吏のなかにむかしの息子がゐる
辺疆地区Ｊの
一九五一年代のひとつの断面である

〈架空な春〉

汚れた物乞ひの子供が駈け寄つてくる
銭のないのを見こしてゐるのに
言ひ難さうにじぶんの上衣を購つてくれといふ
晨から何も喰べてゐないといふ
春だから上衣がなくても寒くはないだらうが
子供がわたしと交換したいのは何であるか
ものを購ふためにわたしは銭があればいい
ものを施すためにわたしに信や孤独な傲きよがあればいい
ふたつながらわたしは持つてゐない
わたしの喪失はおほきい
架空な春のなかに架空な所有をもつたわたしがゐる

汚れた物乞ひの子供が
たれか他のひとりに駈け寄つてゆく
こたへは
決定されてゐる

わたしの内身はみんなと異つてゐても
みんなの外観はわたしとおなじだ
わたしたちの共通にはどうすることもならない理由がある
一九五一年春には
たくさんの噴火がわたしの脳髄に生起する

〈色彩のある暮景のなかに〉

色彩のある暮景のなかに
窓がある
わたしがそれに近寄らうとして高い階段を登つてゆく
扉のない窓であるように
わたしに辛いことを思ひ出させることのない窓であるように
異つた土地の異つた種族と出遇ふことの出来る窓であるように
うす緑の夕べの空のなかに
小鳥の影が過ぎり
軒端には目刺魚がつるさげてあり禁呪は暗い世界にむかつてあり
かかる暮景のなかで
わたしの信号はその瞬間のあらゆるものに受感され
わたしの思想への反感と同意とが鋭敏に送信されるように

ああ　わたしの言ふべきことが尽きるとき
わたしのこころはいつぱいになる
言葉になりにくい信号がたしかに累積して

わたしを電媒体にする
思慮のある星たちよ
あまりにきれいなあまりに叡智のある振光をして
わたしとわたしの世界との醜悪を視ようとするな

色彩のある暮景のなかに
窓がある
窓への距離がわたしを歩ませる
星と星とが暗い世界のうへで組合はされてゆくとき
わたしは信あるもののやうに歩み寄る
決定された窓への
予感される展望への
告げがたい階段を

〈石材置場の詩〉

幼年であつたとき
海に面して沈む日が紅雀の羽のやうに視えた
そうして石材置場の石材屑や土管の破片がしだいに冷たくなつた
海風がそうさせたのである
黙い海の面に重油が流れてゐると
風がそこだけ波立たせないで過ぎた
マストがたくさん並んでゐた
貨物船のクレインが動かなくなり艀舟が船腹に釣下げられた
幼年の日の一日は終つた

石材置場には赤いカンテラが置いてあつた
わたしがわたしの無為をほんたうに知らなかつた美しい時代は終つた
わたしがわたしの意味を知らない長い時代がやつてきた
わたしは管のなかを流れる時間をいつも追ひかけた
わたしは先立つことがなかつた
わたしの意味はたくさんの戦乱や窮乏のために変つた

わたしが変へないのに歴史がそれを変へた

いつまでも自分の意味を理解しないで自分の時間を歩むでゐるわけにいかない
石材置場が築構された凝固土の岸壁に変つてしまつたとき
わたしはそこを訪れた
雨がひどく降りはじめわたしとわたしの友である女のひとは
濡れて佇つてゐた
海がいつそう暗くなり烟つてきた
わたしはみじめさといふことをとつくに忘れて寂かに佇つてゐた

〈星の響きをきく歌〉

星たちが四月の夜の空で
まるで角礫と角礫のやうにぶつかり響きあふ
わたしがそれをたしかめたのは
わたしの孤独のなかでだ
みんなが物を喰べたり喋言つたりミシンを踏んだりしてゐる時刻
みんなが奪はれてゐた時刻

これは童話ではなかつたので子供たちも眠つてゐてきかなかつた
これは暗い世界の一九五一年の出来ごとであつたので
兵士たちも無惨な死者たちもきかなかつた
わたしが寂かに視てゐた時刻
わたしがわたしたちの世界を憎んでゐた時刻
女たちがわたしからいちばん遠くにあつた時刻
わたしはきいた
星たちが角礫と角礫のやうにぶつかり響きあつた
隕石がおちた

都会のビルディングの真上で消えた
わたしは丁度よかつたのだ
何とはなしに丁度よかつたのだと思ふ
わたしは微視《ミクロ》の世界を巨視《マクロ》に拡大する術を占つてゐた、

〈夕ぐれの歌〉

やがてわたしたちはひとりでに蛇のやうに眠つてしまふ
わたしたちは各々が入り易いひとつの寝所をもち
甍のうへに星たちをもち
正しい位置に組合はされた季節が
たしかにやつてくる
ただ一度じぶんがじぶんでないやうな変革がおとづれることを
期待してゐると
ひとりでにわたしたちは眠つてしまふ

ビルデイングの底にある路が
干いた風を通しながら
飾画や茶房の扉の前をとほつてゐる
塵埃が夕ぐれの微光のために黄金色に映し出される
わたしたちにとつて変りない夕ぐれが
わたしたちを明日のほうへ連れ出す

わたしたちはいちども安らかな夕ぐれをもたなかつたように
わたしたちでないじぶんを見出さない

〈一九五一年晩春〉

点々とある十八世紀風のマニユフアクチヤア地帯
それら平たい低い屋根のうへに
小さな煙出しがあり
湿気や塵埃といつしよに燃えきつた感じの白い煙が空にのぼる
きつと屋根のしたでエプロン姿の女たちが正しく坐り
座ブトンも薄い小さなのをそれぞれが用意して
終日　綿や絹のスリーブを糊付けしたり　しごいたりしてゐる
一九五一年ごろの東京のはずれでは
原始マニユフアクチヤー時代の遺風がそのまま継がれ
眼のすわつた狡さうな男から
みんなは日当をうけとつて
湿つた泥の路をかへつてゆく
夕ぐれが赤い光線をうしろから送り
炭酸ガスの欠乏した垣根の緑いろもそれを送る
眼のない寂しさをいつぱいにして
新進の工学士であつたおれは

丁度一九四六年冬ごろ
なんべん女たちと其処で訣れの会釈を交はし
女たちといつしよに働らいたことか
おれがそこでした仕事は
最新の技術の移植や設備の改良ではなく
狡さうな男の眼を無視して
煙草や茶を喫する僅かな時間を獲得することだつた
結局おれの学問やおれのこころは
空しく其処を離れたが
一九五一年晩春
やつぱりひとりの行きずりとして
寂しい煙出しの煙やおんなじ平たい屋根の工場を視るのである

〈星座のある風景〉

子どもたちは日によつて独りぽつちで歩かねばならん
すべてのみちは家へのかへり路ばかりではござらぬよ
星がいつぱいに散り敷かれた天のみちを
牧師めが言はなかつたやうな惨憺たる敗北にぶちのめされて
まことに奇麗なそのみちを独りぽつちで歩かねばならん
かも知れない
子どもたちはこころして
ゆめゆめ諸々の栄光にとまどつてはなりませぬ
貧乏が財布をしめ上げるように
時としては生存をしめあげられて
ビルデングの裏の路をとめどもなく歩くことも無くはない
子どもたちと言へども
かかる思ひ出をもたないとは保証できない
そうして星たちはじぶんの週期を守りながら
じぶんの終焉については何ひとつ相談をうけるものではないといふことを
あらゆる暗い夜に

子どもたちは頭上において知ることができる
決められないみちを未前の方向に歩み出すとき
星座ばかりは決められてゐると
もしみんなが思ひまどうとすれば
ああそんな意味ではみんなの星宿も決められてゐるのでござるよ

〈死の合間からの歌〉

風の途絶えた夕ぐれ時に
世界の悲惨といふ悲惨がすべてわたしたちの思考を虐げるために
形のない影になつてあつまつてくる
繰り糸のやうに結び目がみつからないので
わたしたちとわたしたちを包んでゐる空間と
わたしたちの愛したり関心したりしてゐる者たちがみんな
沈んでしまふように思はれる

わたしたちの想像の北にはいつも死がまつてゐて
たれかが笛を吹きならすときの手つきで
あてどもない世界や
視も知らない種族に呼びかけてゐる
けれど何といつてもどん底にひとしい生活をしてゐるひとびとは
起きあがつて応えようとはしない
わたしたちのうへにどんな限りない幸せの段階があつたとしても
わたしたちはそれを登つてゆかうとは思はない

いつも極北のものであることを
わたしたちはわたしたちのうへにあつた星座の星たちといつしよに
生れもつてきたのだから
悲しいわたしたちの性格が
死の影のさす暗い世界のいまをとほり過ぎようとして
たくさんの意味に牽かれるのである

わたしたちは板のうへで晩餐をとり
祈りのない沈黙にくれる、

〈女たちに告げる歌〉

風が窓を叩いて　窓掛けのない窓のひとつひとつが音を立てる
みんなの守つてゐるのは果して孤独?
または告げようもないこころの内乱?
ああ　知らない　わたしは知らない
この世にあるたくさんの未知のうちいちばん未知であるみんなの思量を
決してのぞこうとも思はない

わたしの数すくない既知のうち
わたしの安じられないひとつの心配事は
この暗い世界のことだ
みんなが考へてもみない暗い世界のことだ
わたしの思考の半分をさいてじつと視てゐる抽象された思想だ
それを告げようとする
みんなに
みんなの心配事の外からそれを包んでゐるもうひとつの心配事
みんなの愛してゐるひとびとが

死に導びかれるまでみんなの気付かうとしないことだ

にんげんはいま信ずるに足りないので
わたしは何を信じよう
何によつて生きよう
この世にあるたくさんの未知のうちいちばん未知であるみんなの思量に
わたしは告げたいことをもつてゐる
それを告げるために
みんなの貧しい窓々を叩いて
たつたひとつ真剣に語りたいことをもつてゐる

〈鎮魂歌〉

わたしとひとびとの魂にあるヨオロツパ的な騒音が眠るように
ヨオロツパ的な集団性とヨオロツパ的な自虐と
ヨオロツパ的な文明の暗さ
そしてあのひとつの葛藤のなかにさへある
血の滲んだ執念が眠るように

わたしの掌のやうに小さな晩春の小鳥を空から招きいれる
楚々とした宗達の草花を招きいれよ
フイナンツ・キヤピタリズムの渇きに抑へられた
わたしの反抗のなかにこんな許容が生ずる
またひとりの罪ある魂のうちに
優しい諦思が生ずる

つひにわたしはひとりの友さへも求めなかつたように
またたくうちに過ぎるわたしの生存に
わたしの安息を術のない願望として希ふのみである

〈暗い記録〉

小鳥の影もない一九五一年の春よ
充ちあふれてゐる狂躁と過多な孤独感のある季節よ
居場処のないものがここにゐる
待ちのぞんでゐる晨が働き手や駆られた兵士たちのうへに
いつまでも来さうもないので
もう感じることの半分は石炭タールのやうに暗く累積し
冷度のある空の底のほうで凝固してゐる
このままではやがて焦燥が類のない形でやつてくる

アブラハムとイサクの子の長い物語が了つて
暗い世界がはじまる
暗い世界から泥まみれになつた貧しい子たちが生れ出て
塵埃のこもつた裏路に充ちあふれる
子たちよ
みんなは天への路を登つてゆかうとするな
みんなは地の上に潜んでたくさんの解放を引きおろせ

いま地衣として地球にある皮膜
たくさんの種族や都会のなかにある睡気
じつにその底にはあらゆる形の可能性と
あらゆる形の偏倚が明らかに存在してゐる
子たちよ
はじめにそれらをはつきりと視　たんねんに記録し
つぎにひとつの方向につきぬけなければならない

空に小鳥の影もない一九五一年の春
海のやうに暗い感覚が流れて
ビルディングや裏路を沈めてしまふ
暗い記録はつづけられる
居場処のないものがたしかにゐる

〈ひとつの予感〉

新緑の季節がきそうな
それでゐてどうにもならない破滅がわたしについて起りそうな
もう数へあげられもしないたくさんの徴候が
どこか空の薄い澱のあたり
明るい午後のビルデイングを背にして感じられもしよう
それはあたかも
わたしにやつてくるひとつの季節
わたしがじぶんと自然の僅少とをからませて感覚する
たつたひとつのことだ

無意味な寂しい焦心が
小鳥のやうに空を過ぎり
前方がわからないといふわたしの主題が
わづかな視界をしかみようとしない
わたしからすべての色彩は奪はれて
影と面とが構成する景観をただひとつの世界とかんがへてゐる

時刻のない時間
もうきりをもむやうにじぶんのみちを狭めてゆくわたしの孤独
それからあとがどうしてもわからない
みんなの歓楽も遠くなりわたしは其処へゆけない

〈物象のなかの季節〉

防波堤に抱えこまれた湾とか　岸壁から真直ぐ通つた鋪装路とか
その先にあるビルデイングの街々とか
どうしても数へきれない路上の群集とかのうへに
□□□□［四字抹消］がきてゐるのである
神の剝ぎとられた時代にふさわしく

あらゆるものは空洞のごとき形態をもち空洞のごとき観念をもち
空洞のごとき空間にはさまれてゐるのである
所在なく花束を手にした少女が
街々のビルデイングのしたで花々を路上にまき散らすと
第×アヴエニユといふ道標のかたはらで
官製ルウレットの札を販る男が
怪しげな眼つきで盗み視する

結局かの少女のこころを爽昧にしたのは
夏の気配であり

投げ捨てられた花々のゆくえは神の奪はれた時代の神のゆくえでもある

生産力におきかへられたにんげんが
構成してゆくところにひとつの極限の形態があり
賃金交換体としての株式会社制度は
果てるともない季節を生きながらへる

都会の運河につづく埋立地に細い葦が芽を出し
護岸工事の開さく機が根つこを引くりかへしながら
物象の季節を次第に遠くのほうへもつてゆく、

〈貧乏なY家の三男がうたふ歌〉

怖れ気もなく
まことに歳月はわれらのうへで四散し
まことにわれらのいただいてゐる空の色は変らない
薄い蒲団にくるまつてからの足掻きから　風あなのあいた楽天にいたるまで
われらの修練はゆきとどき
かの格式と支配とに対する嘲笑には自らな威厳も生じたのである
もしもわれらに寂しさと孤立とのばつの悪さがあるとすれば
それはきつとわれらの外からやつてきて
われらの関はらないことについてである
人どほりのないビルディングの間道におけるわれらの非情な貌は
女どももこれを敬遠し
われらもまた女どもを敬遠する（面倒くさいからね）
二番煎じのコオヒーを喫し
搾りかすの酒を飲み
かくては　到底　近代人とはなり得まいと後悔しながら反吐を吐き

吉本隆明全集 3

沈黙の言語……吉増剛造
「転向」について……芦田宏直
eyes……ハルノ宵子

月報12

2016年12月
晶文社

沈黙の言語

吉増剛造

にんげんは再び穴居して
かぎりなく視なければならぬ

（本書十四頁、傍点吉本氏、波線引用者）

この二行ヲ、……碑（火カ、……文カ、……）、銘《メイ》（刻、……キザミメ）のようニじっと凝-視してみるとき、小文乃……枕《マクラ》-火《ビ》、……〜〜〜（波線ノ、……）〝穴居して〟のところ（隙間ノ、……）から、はやくも、（毛）（詩ノ、……）沈黙ノ火（氷《ヒ》カ……）が、文-字《緒-仁》、擦《コス》レ（サ-セ）ルるようにして顕チ現ハ、レて来ているのがみえる、……。

疾《ト》く（遅《ツ》く……）、……月報の読者の方々にお詫びを、……。わたくしはほとんど開-発-途-上の書-字-機-械あるいは、写-字-機-械《lens》（乃眼の、……）手《乃》ようになって書いているようだ。吉本隆明氏《能》（この「能」＝「の」ハ、吉本氏の天才が感じとった、定家卿ノ歌の秘法にも通じている、小さいが魔物のような力能なのだ……）手に倣って、罫-線《緒》、刻みつづけて来て、四年と八ヵ月。小文は、〃習ハ、レタ（途切れ途切れノ、……）罫-線……〃《乃》、……劣-化もしくは妖-精-化とも、い《(毛)》える能《(留)ノ》だ。それが〃-（小ハイフン）〃〃……〃〃〜〜〃〃レ点（能、毛、留、……）〃等の符号なのであったとともに、それに伴って《能》、……（これこそが道行なのだな、……）〃呼《コ》-吸《きゅう》-丘《キユウ》、……〃（奇妙な造語をしたものだ……そうなのだけれども、吉本さん書写によって、明らかに、たとえば、わたくしのような貧しい書き手の手も息もともに透-視-力ガ、崩れて、変貌をして来ていて、……）それがいまコ、コ、ニ（原稿上ニ、……）、顕チ現ハレているのだった、……。

吉本隆明氏が詩作に際してだけ、弾《ヒ》いた、……あるいは曳《ヒ》いた、……鉛筆書きの、……ケイ *or* セン、……が、勿論、定-規《ruler》は決して使われずに、……科学者である筈の吉本氏が、〃定-規《ruler》を使わず、……〃になのだ、……。先づ、世界構造というか、……手作りの方位 *or* 指南車（中国古代の、方向を指し示す車、……その彿もともに、……の物音がする、……）を白紙下に刻み込みつつ、そこに立つ（鉛筆のチビタ、…）風を、おそらく毎日毎日、……そこに、……詩の原-点を、揺れつつ、……据えられていたことが、〝没後の門人〟〝門前の小僧〟、……わたくしめのこと、……コノ貧しい心‐根を、どうしてこれほど惹き付けたのか、……。その小さな応え（答えとはいえない、……）を、わたくしは〝罫‐線、……乃劣‐化もしくは妖‐精‐化、……そして、それに伴っての未聞の〝呼‐吸〟の行方《いずかた》からの生成、……仁、ここでたしかに気がついているのだが、しかし、……。

あるひは、わたくし（能、眼、……）ハ、……


〈あ・〟そのとき神はゐない〉（『固有時との対話』、四巻十頁十三行目、二重波線引用者）

能……乃……〝あ・〟緒、……心の写真の傷口が、ハッキリと、心の傷口にハッキリと、焼きつけられて、それが、未聞の〝呼‐吸の生成〟能、……はじまりだった、……。

冒頭に曳いた、……（〝引いた、……〟の態とのずらしだが、……）〝にんげん〟に、横‐振レスルように傍点を振った、……手と手のあひだには、あるひは、さらにここニハ〝横‐超（親鸞さんノ古心のようなもの）〟〝千里の距《へだた》り〟、〝どれだけの悠遠の時間、……〟、〝とてつもない太古の、……〟が、まざまざと、……あッ、これが、……ここが〝固有時との対話、……〟ということでも《（毛）》、あったのであって、ここニここそ「詩」というコトが、虚‐穴か、不意の抜‐穴のように顕《タ》って来ていた、……兆《きざ》しト、差-変、……トが、この傍点の透《スキ》-マ（平仮名の「ま」は「末」の草体、片仮名の「マ」は「末」また「万」の最初の二画の転形、……）ニハ、ある筈なのだ、……。

折角の月報、……そうして、おそらく『根源乃手、火ノ刺繍』の悼尾の小文を機縁にして、何故、筆-写（〝なにゆえ、……〟という、幾つかの古人の声……にも、そして近くの親友（とも）の声にも、……ともに）応へておこうと思う、……。もう、早（はや）、「私事」とはいえない……。竹橋での展覧会（二〇一六年六月七日～八月七日）後、しばらくして再開した、筆-写-稿は、表-裏に、親友《とも》からの葉書、自らの草稿の残欠を襲ね重ねて、……次第に紙は重くなり、……彫刻化、……というのよりも、重く重くなりはじめて六五八葉（二〇一六年十一月十五日現在、……）に達している。筆-写のテクストは『言語にとって美とはなにか』のⅡ、……。親鸞《さん》の「阿弥陀経註」に似てか、テクストへの書き込みの色-筆-触が、転-移をして、……そう〝にんげん〟に振られた傍点が、獨-立（ひとりだち）or 獨-白しはじめました、……といえば、〝没後の門人〟の、師への言訳ともなるのか、……。いや、まだ足りぬ。

〝〈あ・〉〟

これが、沈黙ノ星乃声だ、……とも、これを「古-写-真」のようにして、わたくしは、わたくしの眼の傷口にミタ……のだといえるのだ、……。
沈黙の言語への杣道《そまみち》が、獨り、……ひとりでにひらくとき、……そう、おそらく、その〝とき〟が、……未来へではなくて過去乃方へダト目指されていて、……これは〝目指され、……〟とはいえぬな、……それが志《ココロ》ざされていて、……何故では〝志ざされて、……〟なのか、……。おそらく途方もない巨きな夜が、わたくしたちの足元にはあるのだ、……。フシギな古い石の匂いがする、……。そのような怪物的な地獄的ナル夜ニ、この志《ココロザシ》 *or* 心のようなものは下《ヨ》りて行こうとしている。

滑車のやうにすべり寄つてくる冬の風のなかに　（本書十九頁）

この冬の風、……ノ、カッシャの言-葉が、無言の罫-線から生まれて、そして、すべり寄って、来ている、冬の風の言-葉能、……しぐさ（仕業、仕草、……）なのだ、……。

ほゞこれで、わたくしの〝吉本隆明氏の沈黙の言語に倣って、……〟は、書き得たのだと思う。吉本ばななさんの直観〝レオナルド・ダ・ビィンチに似ている父の手、……〟については、他日を期す。とうとう、……(到頭＝*finally*だけれども、丁丁とも、滔滔とも、聞かレテいる、……)本當に、碑か、火の、銘となったかと思われるようになった、……「日時計篇」の二行をいまいちど、……。う‐ん、……あるいは、薄く、儚い、優しく幼ない、透‐視する力ハ、この〝(ヤワラカク、ヤサシク、トケタ(解*or*溶)ヨウナ、……)日時計〟ニ、底知れぬものを、たしかにアノ〝あ・〟緒(傍点引用者、……)、……直‐視*or*真‐写していたらしい、……。

にんげんは再び穴居して
かぎりなく視なければならぬ

(*gozo.y.* 2016.11.15~12.5)

「転向」について

芦田宏直

私は、吉本さんと個人的に対面したことは一度もない。私の家内が学生時代（今から四〇年ほども前）、吉本さんを神田の古書街で見つけ、彼がどんな本を買おうとしているのか知りたくて追い回したことがある。

吉本さんは、いくつか書店を出入りする内にその尾行に気づき、早足になり、最後にはしつこい家内を追い払おうとパチンコ屋に飛び込んだらしい。家内もそれにめげず初体験のパチンコ屋に潜入し、裏口から出る吉本さんを追尾し続けた。

そして吉本さんは、ついに書店巡りを断念。神保町駅（地下鉄）で帰路についたが、家内も諦めず同じ電車に。その車両では偶然にも家内と吉本さんだけになり、吉本さんがついに家内のそばに近寄って来た。

「僕になにかご用事でも？」と吉本さん。

「吉本さんですよね」と家内（顔を赤らめて）。

「そうですが」

「私の友人（私のこと）が吉本さんの大ファンで、その吉本さんかしら、と思ってついつい後をつけてしまいました。失礼の段、お許しください」

「なんだぁ、そんなことか（笑）。今日はどうして神田なんかに」

「その友人に本を頼まれて」

「どれどれどんな本を買ったの？」

そうして家内（まだそのときには結婚していないが）はそのとき買ったデリダの『ポジシオン』、ハイムゼートの『カント哲学の形成と形而上学的基礎』、リクールの『解釈の革新』などを見せたが「この本なら私もよく知っています」と吉本さんは笑いながら答えた。

「そうですか、友人も喜ぶと思います。私なんかお使いしているだけですから」と家内が言うと、吉本さんはとっさにまじめな顔になり「いやいや、お使いができるというのは大したものですよ。それはそれで大切なことです」と言ってくれた。そうこうするうちに電車は千駄木に着く。吉本さんは、「あなたはここへ来るのが目的じゃないでしょ。送ってあげるよ」とわざわざ反対ホームにまで送ってくれたらしい。なつかしい思い出だ。

以来、私は家内にお使いを頼むことについて、少しは表立って頼めるようになった。還暦を過ぎてまでも、家内に大小のお使いを強いてきているが、彼女が特に不満を口にしないのは、吉本さんのお陰だと今でも思っている。

ところで、こういった「生活意識」「相対感情」と、ユダヤ教的な律法の「一元性（現実と信仰・倫理との一元性）」、マルクス主義の「論理性」「近代性」との関係を問うことが、若い吉本さんにとっての思想の「自立」的な課題だった。それは実朝を論じても親鸞を論じても変わらない、吉本さんの生涯をかけた問いかけだったと私は思う。すべては〈転向〉論だった。

今であれば、それらの「一元性」「論理性」「近代性」は、グローバル社会や人間的なもののAI化トレンドと即応している。現在では、日本的なもの、伝統的なものさえグローバル化し、「生活意識」「相対感情」さえもがSNSによって秒刻みでインフレしている。それでも、グローバル化論者やAI未来論者が、「転向」した佐野や鍋山が衝撃を受けた『大乗起信論』をまともに読んでいるとは思えないし、知識があるにしても仏教史程度のものにとどまるに違いない。丸山眞男の『日本政治思想史研究』もヘーゲル主義的な近代論に過ぎなかったし、彼が歴史意識の「古層」に言及するのも、丸山＝東大的なプレゼンスを獲得したずっと後でのことだった。もっと悲劇なのは、その「古層」の指摘も近代主義的だったことだ。それも吉本的には〈転向〉にすぎない。

丸山＝東大のみならず、日本のハイデガー研究者が留学してハイデガーに会った途端、西田や禅仏教について後になって勉強し始め、唐突に日本文化論者になっていくのも、同じ事態だ。それも今風に言えば「グロテスクな教養」でしかない。

そんな「上昇」主義的な教養主義にとどまる限りは、『村の家』主人公勉次の父親孫蔵（「平凡な庶民」である父親）の言葉――「本だけ読んだり書いたりしたって、修養が出来にゃ泡じゃが。（…）今まで書いたものを生かしたけりゃ筆ア捨ててしまえ。そりゃ何を書いたって駄目なんじゃ。今まで書いたものを殺すだけなんじゃ」――をまともに受け止めることができない。

父親の言葉は、近代でも前近代でもない重力として主人公に響く。この重力を吉本さんは〈大衆の原像〉と呼んだのだった。柄谷行人は、〈大衆の原像〉から〈マスイメージ〉論へと吉本が立ち位置を変えたかのように――〈関係の絶対性〉の内面化として――論じているが、〈マスイメージ〉は依然として「逆立ち」した〈大衆の原像〉にすぎない。

その柄谷は、マルコ伝を引用して、イエスに「あなたは私を三度拒むだろう」と言われてペテロが泣く「転向」の場面を、『村の家』の父親と対峙する勉次に重ねる。自意識に内面化されない「微細な差異」として。しかしそれこそが、「微細な差異」（の転向）としてしか存在しない〈大衆の原像〉の重力だった。そうして、『村の家』の主人公勉次は、「やはり書いて行きたい」と父親に応える。この「やはり」のペテロ的な差異をこそ、吉本さんは〈関係の絶対性〉と言った。〈関係の絶対性〉こそが、むしろ柄谷の言う「ライプニッツ症候群」に抗うものなのである。

「いやいや、お使いができるというのは大したものですよ」と私の家内に返してくれた吉本さんの言葉の中には、認識と社交とが瞬時に交差する〈現在〉論がいつも存在している。この現在論は、自己表出と指示表出との現在論でもあった。彼の思考には、いつも起源の現在論とでも呼ぶべき〈現在〉意識がある。だからいつでもみずみずしい。「いやいや、お使いができるというのは大したものですよ」、それは、吉本さんと私たちとの〈関係の絶対性〉だったのかもしれない。

（あしだ・ひろなお　哲学）

eyes

ハルノ宵子

2000年代前半、父の眼はいよいよ悪くなってきていた。「糖尿性網膜症」だ。網膜の中でも、外界から入った光情報が、ちょうど〝像〟を結ぶ〝黄斑《おうはん》〟の辺りに、もろい毛細血管が増殖して、じゃまをしたり、破けて眼底出血を起こすなどして見えなくなるのだ。「加齢性黄斑変性」と、ほぼ症状は同じだが、糖尿はそもそも毛細血管がボロボロなのだから、はるかに進行が早い。

そこに至るまでには、もちろんレーザーで毛細血管を焼いて固定する標準治療や、知人に紹介された病院で、当時最先端とされる「硝子体手術」も受けた。なんでも目ん玉の中の水を抜き、眼の裏側まで洗ってから眼球に新しい水を充填する手術だそうだ。「なんか気持ち良さそうね〜私もやってもらいたい」などと無責任なことを言い合ったが、結果は芳しくなかった。中には劇的に改善する人もいるそうだが、ちょっと歳をとりすぎていた——というのが、医者の見解だった。

２０００年代中頃、大阪大学医学部で、網膜の視神経に電気刺激を与えて、視力の回復に成功したという臨床治験の話を持ち込んだ人がいる。何を隠そう、この全集の責任編集者の間宮さんだ。父はすぐに「阪大行くぞ！」…ってね〜大阪だよ⁉ それに治験の段階では、いきなり行って「さぁ！やってください」なんて通用する訳がない。

それでも横着者の父が、大阪行きを即断したのだ。父の〝眼〟を欲する気持ちの強さに押され、まずはかかりつけの病院での検査、主治医に紹介状を書いてもらうなどの煩雑な手続きをこなし、車椅子移動の父のため京都の友人夫婦に、車での送迎をお願いし、なんとか大阪行きに漕ぎ着けた。阪大の眼科に検査で1回、治療に2回通ったが、効果は得られなかった。やはり糖尿病であることと、高齢であることがネックとなった。

父の絶望は深かった。机やキッチンのテーブルで、ぼんやり考え込む日々が続いた。実際自殺することも頭をよぎったと、何かのインタビューにあったが、父は絶対にそんなことをするキャラではない。転んでもただでは起きないタイプだ。必ず自分で折り合いをつけると信じてはいたが、「お母ちゃん」「多子」「真秀子」「紀子（父の妹）」と、それぞれの名が書かれたＡ４サイズの封筒が、本棚の間に挟んであるのを見た時には、何か遺書めいた物が入っているのではと、ゾッとした。

世界はどんな風に見えているのかと、父に尋ねた。すべての物が赤黒い夕闇の中にあるようで、その赤黒さが日に日に濃い闇に沈んでいく感じだという。もしも自分がそうなったら耐えられない。私だって眼を使う仕事で生きてきたのだ。本気で「〝神〟よ！父の天寿が来る日まで（の限定で）、私の片眼を父に貸してください（あくまでも片眼だけね）」と、ズルイ取り引きを考えてみたりした。

父の阪大通いと時を同じくして、京大の山中伸弥教授がｉＰＳ細胞の作製に成功した。ああ…これだよ！これで網膜も再生できる日が来る。ＳＦで描かれてきた未来は、手の届くところにある。しかし父の眼には、とうてい間に合うまい。慎重な日本の医学界が、人間の臨床治験に漕ぎ着けるまでには、20年はかかるだろうなぁ…と思っていたが、意外にも早く２０１４年に、網膜症患者への細胞シートの移植が行われ、良い結果が得られていると聞く。父の死後わずか2年。ｉＰＳ細胞作製から10年もたっていない。

こんなもんだ。数十年前まで〝死病〟と言われた結核だって、今は抗生物質で普通に治る。ガンだって20年もしない内に、あたり前に治る病気になるのだろう。でも人間の〝時〟だけは待ってくれない。間に合う人、間に合わなかった人、天命と考えるしかない。

どんな折り合いをつけたのか、父の本棚のＡ４サイズの封筒は、いつの間にか消えていた。

（はるの・よいこ　漫画家）

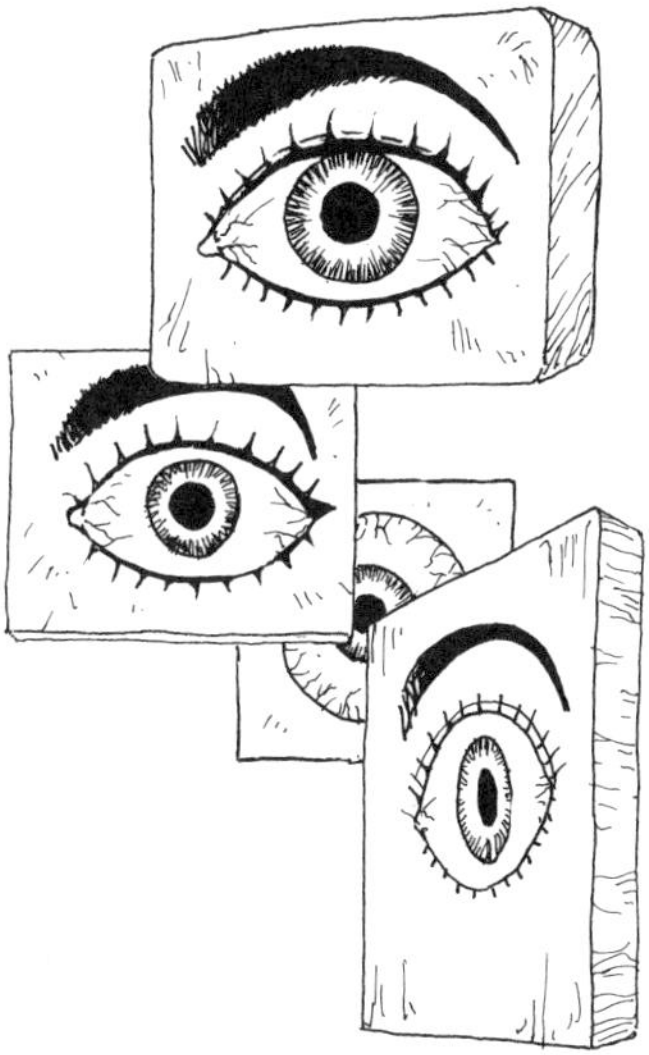

編集部より

＊第二巻の解題八〇〇ページに誤りがありました。上段三行目に「1951.14.30」とありますが、正しくは「1950.04.30」です。訂正してお詫びいたします。

＊なお、正誤その他の訂正表は、最終配本の際に一括して掲載する予定です。

＊吉本隆明さんの書簡を探しています。お持ちの読者の方がいらっしゃいましたら、封書の場合は文面、封筒の表・裏、はがきの場合は、はがきの表・裏の複写をご提供いただければ幸いです。

＊次回配本は第三七巻を予定しております。川上春雄宛書簡に合わせて、日本近代文学館に所蔵されている川上ノートなど資料の収録を検討しており、編集上の万全を期するため、二〇一七年四～五月の刊行を予定しています。何卒ご寛恕賜りますようお願い申し上げます。

高架電車に乗おくれて
深夜を過ぎて帰宅するのである

われらの待ちのぞむプロレタリアートの解放の日には
われらといへども貌を洗ひ歯をよくみがき
かの正しく清潔なる革命の戦士たちに挨拶ぐらいはするであらう
かかる志がわれらの装ひのなかにあるかぎり
憎むべき偽善者をも赦し
愛すべき偽悪者やおのれのなかにある怠惰をも時に叱咤すべきであり
志を得たるY家の長男にも
革命のバプテスマをすすめ
戦争の好きな男たちに鉄槌のひとつも喰はせるために
何ごとか為すべきであらう
と思ふのである

〈風が皮膚のなかを吹く〉

風が皮膚のなかを吹く
風がビルデイングや羽目板を吹きぬけるやうに　ぼくのこころが
ぼくの皮膚のなかを吹きぬけるやうになる
だからその時ぼくの皮膚面はつめたくなつてまるで死人のやうである
夕の光線にいろいろな受感を
知らないままに過ぎてゆく時刻をぼくはもつてゐるのである
このやうにあてもなく住みなれた家にあつても
または見なれぬ居酒屋　みなれぬビルデイングのうらの路で
けし粒ほどに小さい陰を抱いて
罪人のやうに優しく順従にされてゐる時をもつてゐるのである

ぼくをぼくのほうへ引寄せると
ぼくのこころがぼくの皮膚のうちがはを吹きぬけるやうになる
そうしてあらゆる氾濫する受感がなくなつてしまふ
かかる時のぼくの優しさは無類であつて
憎たらしい風景といへどもぼくを避けることはあるまい

憎たらしい女といへども三年はぼくを離れまい

永続がぼくに時を与へてくれるために
ぼくは是非ともかかる優しさをもたねばならない
そうして優しさを小鳥のやうに愛玩するために
ぼくは覚醒を諦めねばならない

〈何故に愚行が赦されるか〉

世界中に充ちてゐる愚行のかずを
夜の空に視える星や
都会のうへにこもる塵埃のかずに比べたり
たくさんの侮蔑でもつて想ひ起こしたりしても結局はむだだ
愚行は赦されてゐる
この暗いにんげんの生存が
いま世界の限られた時間の管をとほるとき
壁に頭骸をぶつけて死なないために必要であるから

にんげんに愚行を強制する支配者どもの眼はたしかだ
目覚めた者がたくさんの盲に愚行を演じさせる
そのときの優越感もたしかだ
もしも神やそれに類した至上者が支配者どもを罰しないならば
果しなく演じつかれてやつぱり死に至る
哀れなにんげんの共通の宿命をどうすることも出来ない

おう
にんげんを理想の社会にみちびくための祭粢に供しようとする
あらゆる転倒は罰せられねばならない
思想と思想家
政治と政治家
みんな発祥の地におくりかへして坑に埋めねばならない
そのうへで
にんげんは異つた次元の異つた空に
窓をあけねばならない

〈風が夏を連れてくるわたしたちの処に〉

風が夏をつれてくる
わたしたちの都会が仰山な塵埃をあげて
雲のやうな塵埃をあげて日のかげをさえぎる
わたしたちのこころがわたしたちの処をはなれて
戦争の交へられてゐる土地や
にんげんを殺すことをあまり真面目には考へてゐない支配者のうへに
集められてゐる時
風は未知な客である緑の季節を
茶房の女の白いエプロンや
ウヰンドウ下の蘇鉄の植え木のうへに
蠕動しながら連れてくる

余りに巨きく暗く真実なことにこころを奪はれて
わたしたちは幾分か白痴のやうに
感じることを喪つてゐる
それにわたしたちのこころを変換することが難しくなつてゐる

だから
軽やかで明るいものがわたしたちの街々をとほり過ぎたり
わたしたちの都市のうへの空を過ぎたりすると
ほんとうに愉しくなる
何が及びもつかないといつて
風が連れてくる蠕動のやうに
わたしたちの及びもつかないものはない
そうしてそれがわたしたちの待ち望んでゐるすべてであり
わたしたちが暗い世界で感動することでもある、

未生の混沌

スティヴン・スペンダー

I

路上の垂れさがつた絶望の眼に、おまへたちの
未完の手を　おまへたちの憐憫に串ざしされた臓腑をあたへよ。
ピラミツドの空が　陽《ひ》の吹きあげた黄色の
砂塵の雲で積み累ねられるとき、その日の悲運に
頭痛をもつて応ぜよ。きみの亡霊の後ろに
極地へ、エヴエレスト登攀へ、戦争へと若い男たちを従はせよ。
愛をもつて発砲させよ、

未生の混沌に身をへりくだり
きみは婚姻を宣告せよ。男であつてもきみは
やつぱり花嫁だ。。
いつも夏の筋肉の柔かな表皮のしたに
泉の夕べが夏の星たちの結合を語つてゐる
銀鏡のまへで

学生が彼の髪から捲毛を投げかへす、
きみはただこんなすべての情熱が続くかどうか
不安なだけだ。

きみのなかの機関、不安よ、
それは荘重な好色家であり、世界漫遊者であり、くづの
やうな気質の男であり、彼らに一吹きする風で
あり、飛行機だ。
〈何ごとが起つたつて、ぼくは決して孤独ぢやない、
ぼくはいつも事件を、運賃を、或は
革命をもつてゐる。〉

きみの未だ控壁に凭れてゐる姿勢をのぞけば
い、い、い、
吸血こうもりに吸ひあげられる血は
刻印されるとき、あむぺらのやうに美しい、、
そしてきみのこころは〈地〉の〈果て〉の岩のやうに風に擾れる
きみは決して発することのない沈黙のなかで、独りで立つてゐなければならない
そうして荒廃した部屋にあるようにきみ自身を凝視せねばならない。

（ああきみたち！）

ああきみたち！
時代の栄光の最後の担ひ手
わたしたちすべてがきみたちに面を背けて歩み去るとしても
わたしたちは罪人のやうに項垂れて
また屠殺される獣のやうに予感して
未来のほうへ歩み去るだけだ
まことに用意されてゐない墓地に眠りおちるために
無名の意欲のないギヤロツプに駈られた裸馬のやうに

寂かな場処を！
とりわけわたしときみたちとの異つた世界をへだてた会話のために
星たちが正しくじぶんの位置に座し
わたしがそれを視るようにきみたちがそれを視ることができる夜
わたしは暗い世界を離脱して
きみたちに遇ふために
きみたちのほうへ歩み寄る

〈最終の日の歌〉

わたしの現実からは何もきこえてこなくなる
戦火と流亡についてわたしが感じてゐた形態がわからなくなる
救済が未来の手のうへにのつてゐるようにと
わたしは暗い不安のなかで願はうとしてゐる

わたしは視ることのかはりにきこうとしてゐる
閉ざされてゐるのはわたしの思考であるのかわたしの風景であるのかわからない
視るべきものがきこえるかわからない
兎に角わたしが喪つたもののなかに眼やそれを決定する光線がある
わたしはまるで岩石のやうに暗い世界の出来事をきこうとしてゐる

わたしのうへを荒々しい風が吹きぬける
夜が球形になつた暗黒を用意してくる
風のなかに砲火や疲労した足音がきこえなくなる
わたしに最終の予感がある

死んだ兵士や流民たちの屍はどうなるか
累積されつき刺つた鉄片はどうなるか
旗やそのなかに流れてゐた無名の酬いられない殉難の歴史はどうなるのか
わたしの最終の予感のなかに不明の形態がある
不明の形態のためにわたしの未来への予感は暗い

わたしはそれをわたしの仲間たちに信号する
もう動かすことの出来なくなつた暗黒のなかでわたしの仲間たちがそれを解読してゐる

〈更に大きくなつた少女たちに与へる歌〉

少女たち
彼女たちは遠くにゐた　遠くに遊んでゐた
わたしは都会の空のしたでも　わたしの想像のなかにある架空な世界でも
彼女たちの相をたしかには視てゐなかつた
彼女たちへの記憶には凹凸がなく渋滞もなかつた

少女たち、
彼女たちは更に大きくなつた
暗い砲火や硝煙のしたのランプの影で彼女たちは更に大きくなつた
彼女たちは廃墟《ルヰン》の石材や灌木の蔭でしだいに荒廃した
わたしは彼女たちの荒んだ眼をみた
彼女たちの冷たい胸を抱いた
彼女たちの感官は動かなかつた
それを知ることは辛いことだ
わたしが未来を予感できないやうに彼女たちも余り未来を願つてゐない
わたしが祈りを捨ててしまつたやうに

彼女たちは夜空にむかつて語りかけようとしてゐない
すべての地球のうへにある荒廃を視るように
わたしは限りなく彼女たちの荒廃を愛し
彼女たちの四肢が疲れて眠りこんでゐるランプのしたを愛する

少女たち
わたしは既に汚濁や清楚について何も語ることが無くなつてゐるので
ほんたうは
彼女たちが眠りこむようにわたしも眠りこむだけだ
ほんたうは目覚めることを願はないのに
時がわたしに彼女たちをいつしよに揺り起こすことを強ひる
そうして彼女たちが更に老いたとき
わたしは愛してゐる彼女たちの荒廃と何処で出遇ふのかわかつてゐない

〈享けない星のうた〉

I

都会のうへの星がわたしの星であつた
砲火や炎で覆はれた夜からわたしの星は薄れた
都会が寂かな灰墟に変つた夜にわたしの星は位置を喪つてゐた
時代の暗さがわたしをわたしの空から引離した

わたしは愛する者に遇ふために
海をうしろにしたビルデイングの間をとほりぬけて
想像をはるかに超えた粗末なバラック小屋の集まつた処へ出かける
わたしと彼女には耐えてゆくべき未来への理由がなくなつてゐる
わたしたちは出遇ひ　飲み　物語る
わたしたちは稀に革命のうたをうたひ
絶望よりももつと暗いわたしたちの夜々をうちくだかうとする

訣れはいつも無言であり

まるで自由な消失に似てゐる
都会のうへにわたしやわたしの愛する者の星はない
わたしたちはそれを神話のやうに探すことを願はない

夜空は乱れてゐる
わたしは何処へ還らねばならないか知らない
文明のいはれが無くなつた時代にわたしはもう還るべき血脈を必要としなくなつてゐる
あらゆる思想の系譜に
わたしの星はつながつてゐない
そうしてあらゆる愛の系譜が
わたしとわたしの愛する者との生存を拒まうとする

Ⅱ

愛する者の荒んだ眼よ
それは砲火と乾いた風に引裂かれた眼である
おまへの血脈のなかにある二つの種族を継いだ眼である
もう求めることをやめた眼である

おまへの眼がすべての映像を拒絶するとき
はじめてわたしはおまへを愛する

おまへが無惨な言葉を夜空にまき散らすとき
おまへの涙はじぶん自らを映してゐる

わたしは拒絶のなかにある愛の形態を信ずる
わたしたちは自由である　自由である
占有されたわたしたちの不毛の夜に
わたしたちの撰んだ愛と孤独との形態である
星座をなさない星が墜下する
海をうしろにしたビルデイングのあひだの狭い空間で
わたしがそれを視たやうにわたしの愛する者がそれを視る

わたしたちの方向のない訣れの後の時刻に

〈時がわたしに告げた歌〉

時がわたしに告げた
もう数多くのことをおそれないように　風や日のひかりがわたしの皮膚を削つた時、
わたしに遺されたひとつのおそれを守らなくてはいけないと
わたしは暗鬱な時刻にわたしの守らなくてはならないおそれについて考へた
まるで青い空間にのこされた軌跡のやうに
わたしを稀薄にしてしまうものが
わたしを無邪気な生のほうへ連れ去らうとする
もしも思はなくてもよいものがあるとすれば何故に思ふことをするのか
すべてわたしを取まいてゐるものは
わたしが思はなければ思はないままに構成されてゐる
だからわたしにとつてあらゆる誘惑はわたしから思考を奪はうとすることだ
ああ　幸せの記憶がつぎつぎに喪はれる時代よ
わたしといつしよに
みんなもしだいに生の意味をなくしてしまうだらう
そうしてわたしたちは
むき出しになつた人間の運命の総体　つまり絶壁のやうな時代の

総毛立つた貌を視てゐなければならない
時がわたしに告げた
もはやわたしに与へられた生の価値からは自らをおそれさせるどんな理由も
やつてこないだらうと
そうしてわたしはたしかに風の疾走のやうに
遅くなつたり早くなつたりしながら
わたしのおそれを感じとらうとしてゐたのだ

何処からはじめなければならないかわたしは知つてゐた
時がわたしの皮膚を削りながらわたしに告げてゐた

〈暗い季節におけるわたしたちの自画像〉

わたしたちの寂しさのなかに幾分かの太陽のやうな華麗があつた
そうしてわたしたちの影はかたい孤独に耐えるように思はれた
わたしたちの眼は六月の光線をたたえて
ゆき処のない影像を慕つてゐた

わたしたちは愛する者の影を
遠い街における風のやうに追ひかけてゐた
いくつもの季節にわけられてわたしたちのために過ぎてゆく暗い時があつた
知られぬ空やひとびとや
たくさんの由因のかげに
わたしたちがみつけ出したすべての風景のなかに
わたしたちは暗い季節を視てゐた

わたしたちは物なれて
既に幾分かの余剰のために生きてゐるじぶんを感じた
わたしたちの寂しさに太陽の華麗があつた

わたしたちの時が
砲火と乾いた風との夜をつれてきたとき
わたしたちは喪ふべきものを喪ひつくしたもののかたい孤独をもつてゐた
そうして独りで
たくさんの飛翔や失墜に耐えるように思はれた

わたしたちはたくさんの誤謬によつて累積された自画像を
いくたびも描きつくさうとして
暗い季節のなかの時を充たしてゐた

〈五月の夜を記憶するための歌〉

わたしたちの五月の夜は
偉大なひとの死の記憶をもたなかつた
わたしたちの五月の夜は
明るさと清澄の底にたのむべき愛をもたなかつた
時代がわたしたちとわたしたちの生存の理由とを深く隔離して
方向のない風が何処かの街樹を吹くように思はれた

わたしたちの記憶は
わたしたちの未来とわたしたちの予感とに運搬すべき何ももたなかつた
わたしたちは空虚を背負つて
風のなかの夜をとほり過ぎた
そうしてひとたちの沈黙がわたしたちの沈黙と出遇はないように
視るかげもなく荒廃した道を撰んだ
もうわたしたちは記憶すべきひとをもたないように
記憶すべき愛と憎しみとをもたなかつた
無意味な動乱のなかに死をふりおとしてゆく時代の景観に

わたしたちは唯　意識的な反逆を用意してゐるだけだ
風と季節とが
わたしたちの暗い意想を過ぎていつた
わたしたちは救済を索めてわたしたちの窓を開かうとしなかつた
わたしたちの五月の夜は
すべての卑小なものの傍に在つた、

〈星の敷かれた都会のうた〉

星がばら撒かれた夜の空が
それはまことに都会のビルデイングのうへにビルデイングの飾　装《デコレーション》の一部として
在つたのである
わたしとわたしの仲間たちが還つてゆくとき
そうしてほんたうはわたしとわたしの仲間たちの魂《こころ》は還りたい処をうしなつて
歩んでゐたのである
星たちは遠い距離における球体としてではなく
妻子ある仲間がひそかにもらした言葉のやうに子供たちの貼紙絵のやうに
在つたのである

わたしとわたしの仲間たちは
酒場や料理場《レストラン》の電燈を視ながら其処を通り過ぎて
仕事の疲労や明日への配慮に充たされて
まことに質実な硬直したこころを大切にしまひこんで
歩んでゐたのである
わたしたちの時代に対してわたしやわたしの仲間たちの約束したことが

疲労と共に蘇へつてきて
たいそうわたしたちを辛くさせてゐた
そうしてわたしたちはわたしたちの時代を組立ててゆくために出遇ふ
巨大な障害をうちくだくまへに
このやうに疲労した夜の鋪装路《ペイヴメント》を歩いてゐたのである

星たちはばら撒かれて
呼吸のひとつひとつを感受することが出来ると思はれた
振光するたびに風がとほり過ぎてゆくこともわすれて
わたしたちはビルデイングのうへの　飾　装《デコレーション》　を視るように星たちを視た
そうして極めて近い事象と遥か遠くにある心象とを結びつけようとする
わたしたちの疲労がわたしたちの放心を形成してゐるように思はれた、

〈未来のない季節〉

美しい翼のやうに拡げられた雲が形態をかえる
わたしたちの季節のためにわたしたちのこころに叶ふように
未来のない空洞のうちがはからわたしたちの視線のすべてを覆ふ

わたしたちの抗ふこえが
緑の樹々に交響する
わたしたちは遥い過去を夢みるようにしかわたしたちの憩ひの日の
記憶を思ひ出さない
だから緑の交響がわたしたちの意想の遠くを風が過ぎるやうに
過ぎてゆくとき
わたしたちのこころは別なことを感じてゐる
まつたく別なことを感じてゐる

おう　わたしたちに暗示するような思ひ出の形態が
わたしたちの季節の雲をかへるのである
わたしたちの願つたとほり

自然と歴史とがわたしたちの意想のなかで暗く交響するのである

わたしたちにゆくべき処のないことを
臨床的に決定するために
わたしたちは支配と戦火に削りおとされた眼の索莫で
わたしたちの季節を視るのである
まるでありうべからざる英雄たちのサクラメントのなかから現はれる
未来風景とその過誤とを視るのである、

〈五月と六月とのあひだの歌〉

わたしたちのこころは至るところにつき刺つた
丁度街路樹と家々をめぐらした灌木とが緑いろに萌えはじめ
やがて空のなかの反映や湿気がいつせいにさか立つ頃に
わたしたちもまた何ものかを喪ひながら
決して獲られないことを感じてゐた

黒い衣裳のうへに黒い雲があり
まちうけられた設計のなかに死の影が佇つてゐた
一九五一年の五月と六月とのあひだに
わたしたちはわたしたちの仮定された北方と南方の領域をうしなひ
市場はおほむね視えない支配に握られてゐた
わたしたちは所謂貧困に至るために
いくつかの階程を昇らねばならなかつた
マルサスのＰが変則された貌でわたしたちすべてを覆つてゐた

わたしたちは緑と緑との触れあふ音を

遠いかぎられた空間や循環する風のなかにわづかに感じた
黒い手に触れられたビルデイングの基礎工事が
わたしたちの視界を枯らした

わたしたちの国は何処にもなかつた
ビルデイングの裏路に飾画を張つた酒場のやうに
とりとめもなく寸断された安価な風習があつた
わたしたちはそのひとつひとつを愛ある友として
生き難く生きてゐた

わたしたちの五月と六月とのあひだに湧きあがる反逆の意想が暗く過ぎつた、

〈星の視えなくなつた六月の夜の歌〉

わたしたちにはわたしたちの星が視えなくなつた
空のしたの雨期がわたしたちから青い空間と星たちのかがやく夜とをかくした
それから砲煙と血のいろをした戦火が
わたしたちの感じてゐる星をかくした
わたしたちは六月の風を追つて何処へゆかうとするのかわからなかつた
わたしたちのこころは文明のために暗鬱な季節を予感してゐた
わたしたちの星がどうなつてゐるのか
わたしたちの感じたとほりの位置にいまも在るのか
すべては長い雨期によつて視点を収奪されてゐた

おう地球の病床にあつて　強く起きあがらうとしてゐるわたしの仲間たち
孤独な文明の戦士よ
わたしたちが知つてゐることが次第にせばめられ
わたしたちの視力がおとろへたとき
いつそう強い愛と憎しみとがわたしたちの暗い夜を繫いでゐるように思はれて
長い辱忍の季節におけるわたしたちの親愛と反抗を感じるのである

わたしたちは何処へゆくのかわからなかつた
わたしたちは何故にわたしたちの生の意味が収奪されるのかを知つてゐた
地球の病因のなかに
且てわたしたちが先達とした孤独な思想家たちの記憶が残されてゐるのを知つてゐた
わたしたちの星が視えなくなつたとき
わたしたちもまた過去の一切と断絶したいと思つた

わたしたちの未来の暗さが
わたしたちを誘引した

わたしたちの行手に星の視えなくなつた六月の夜があつた

〈炎のゆく空の歌〉

雲がわたしたちの真上で炎のかたまりとなつてゆく
空がのぼらせたのである
わたしたちの焦慮と暗さとをいつしよにして
水蒸気や昇華された塵埃のなかにわたしたちの感じてゐる明らかな
時代の陰が
わたしたちのうへを覆ふために
空は循環や光線の潜熱によつてすべてを昇らせたのである

有価証券市場にあつまる熱気のやうな群集の盲目と
冷酷な支配の設計とが
ビルデイングのなかで赤くなつた夕ぐれをむかへる
わたしたちに告知するために
電光や活字が走りまはる
わたしたちが視ようとするものが隠されてしまつた時代にあつて
わたしたちは無心の眼や耳が
ただ炎のやうにゆくビルデングのうへの雲の色と響きとを把まうとしてゐるのを感じる

わたしたちの逃亡を
かぎりなく援助してゐるのはわたしたちのなかにある自然の影像であり
わたしたちは限られた夕ぐれの空間
ただ星たちのかがやきを予感する時刻の空間の座標に
わたしたちの祈りのすべてをかける
文明とともに遠のいてゆくわたしたちの救済が
いままた何処かへゆかうとするように
わたしたちは炎のゆく空にたくさんの未来を予兆する

〈時がわたしの傍に死者を遺してゆく〉

わたしは感じた
わたしが死者のうちに数へられる時もみんなはそれを知らないことを
みんながわたしの傍で死者となつたときもわたしの孤独は閉ぢられてゐるかも知れないことを
だから時に対して
わたしとみんなとはまるで大葦原の葦のやうに立つてゐることを

ひとつの風がわたしとみんなとを吹いてゆくと
わたしの空はばかに暗く感ぜられ
そうしてわたしはみんながわたしとおなじように感じてゐるか疑しくなる
沢山の証左がわたしを辛くさせる
わたしの世界が次第に隔離されて
やがてわたしとみんなとが言葉の途絶えた場処で視てゐるようになる

時はわたしがそれを願はないのに
わたしの傍に死者を遺してゆく
既に儀式の途絶えた世紀にあつて死者たちは埋められる

還りつく世界によつて或は神の一片となり或は土壌のなかに滲みとほつてゆく
結局わたしが無視するように
すべての理由と結果とはつまらないから
わたしは依然として無意味に近い生存を続けてゆく

わたしは死者たちの名を録さない
死者たちを死に至らしめた者たちの名を録する

〈友と訣れる時にうたふ歌〉

時がふたつの道を用意してきた
鉄格子にはさまれた小さな空間からきみとわたしとの視てゐる
異つた色の季節と空とが在りそうに思はれる
現在を肯定しないもの
その構築された制度を拒否するものに風がばかに暗く感ぜられる
きみは知つてゐるか
肯定と拒絶とがまるで一つの風景や季節を異つて視えるようにさせることを
そうして撰択された反抗のなかには無限の寂しさと
無量の暗さがあるといふことを
若しわたしが一つの撰択をつきつめるならば
排中律の桎梏がわたしを重たくする
またきみは知つてゐるか
この世界が深く暗い谷間をもつてゐるといふことを
わたしは山岳のうへに吹く風を心にとめない
実に世界の暗い谷間の底に出場処のない噴火と長い忍辱の季節の
あることを感じるのである

わたしはきみと訣れて其処へゆかうとする
孤独こそはわたしの唯一の同志だ
たくさんの過去の時間がわたしを引とめなくなつたとき
友よ　きみの親しさもわたしを解放した
信ずることの出来なくなつた時代のなかで信ずることの出来ない生存が
わたしを歩ませる
じぶんとひととを共に救助する理論がわたしの反抗を助けようとするが
わたしの反抗は経緯をもつてゐる

〈怒号と運命とが一緒にきた〉

怒号と運命とが一緒にきた
わたしたちの耳が鋭敏にききとるほどに　わたしたちはひとつの怒号と叫喚を
ひとつの決定された運命として感じてゐる
急造りな東洋の文明のなかの
暗いひとつの季節よ
まるで異つた階段を歩いてゐるにんげんたちが疑惑のこもつた眼で擦れちがふ
神が信号をおくるにんげんがあり
革命が信号をおくるにんげんがあり
急造りの文明が崩れるのはつかの間の出来ごとでいい

わたしたちはゆく処がないので
地球がすべて風と夏の花で覆はれる想像を組立てる
そうして組立てられた想像のむかうがはで注意ぶかく視てゐるのである
すべての風景といつしよに
わたしたちのほうへやつてくるひとつの怒号と運命とを
わたしたちはやがて銃口をむける者たちから

奪はれないために
わたしたちの死の時間と場処を用意しなければならない
わたしたちの描く想像にとつて
いちばん暗い頂点にわたしたちの眠りを置かうとする

〈鎮魂的なる〉

沢山の科学的な文献のなかで午睡する
書庫のなかの書架
書架に集積された追求
わたしは何よりも安息をねがつて眠りこける
文明の未来を視てゐる眼にかこまれて
わたしの鎮魂的なる時間が経過する
わたしはわたしのために
わたしの愛するにんげんのために為すべきことを放棄して
眠らねばならぬ
科学的なる追求をかれら支配と財権に手渡さないために
賃金と交換される追求のうへに
何か在るべきデルタを加へねばならぬ
風が薄緑いろの訪問を
書庫の窓からわたしのうへにおくる
わたしの眠りが果てしないことをねがつてゐるのは一九五一年五月の風だ
眠りを欲してゐるのはわたしの脳髄とわたしの器官だ

わたしの感じてゐるのは暗い時代のなかでの混迷であり
出口のない絶望的な意慾である
その意慾が
鎮魂的なる時間をむさぼるように慾してゐる

〈長雨期〉

じぶんの影を雨にぬらして
わたしたちがそうだと考へたことはみな考へつくしたとき
わたしたちはビルデイングのしたの
暗くまたひとどほりのないみちをどんなにか愛しただらう
記憶より外に
わたしたちの逃れる処はないので
わたしたちは記憶をいつぱいに塡めこんだじぶんをほんたうのじぶんだと感じ
じぶんの実歴のすべてをそれらの累積された暗いもののうちに考へた
雨は灰暗色の空からおちてきて
ビルデイングの扶壁のうへを流れおちてくるから
わたしたちの歩む鋪装路には小さな流れが出来てゐた

わたしたちにむかつて風が吹きつけてくるとき
風は遠い場処と全ての過去のほうからくるように思はれた
わたしたちは憩ふことが出来なかつた
わたしたちの理由のなかにはわたしたちを赦すものは何もなかつたし

わたしたちの生存が時代に対して立つてゐる場処は
果てしなく長い雨期のなかに在つた

〈重たい鳥の歌〉

いつかわたしたちは翼を折られた鳥のやうに
わたしたちの時代のなかにかへりつく
重たい理由の暗い性格にうらうちされたわたしたちの時代のなかへ
直接するわたしたちの重たい陰を背負つて
わたしたちはかへりつく
わたしたちの視野は区劃された空間であり
わたしたちは鳥のやうに其処を過ぎつてゆくとき
すべての注視した風景や事件のために手痛い傷をうけとり
わたしたちの時間のなかへ潜んでゆく
あらゆる存在がわたしたちに復讐する
わたしたちが抗がふことの出来るあひだ
わたしたちにとつて生存することはまことに偶然によつて決定される

かくてわたしたちに先行したすべての時代が
わたしたちに有機的な組織を遺し
わたしたちの演ずべき役割を遺さなかつた

わたしたちは重たい鳥のやうに
実に重たいといふことを
じぶんが翼を折られたためかじぶん自らの器質のためか
疑ひながら
区劃された視野のなかを過ぎるのである

〈五月の夜に思つたことの歌〉

あんまり暗いのでわたしたちはひとりひとり自分の窓を
あけようと思つた
そうして窓にちか寄つて五月の夜の空を視る時刻が
まつたく同じであつたので
わたしたちの夜の空は異様な監視を感じてゐた

街々からもネオンシグナルの架けられた夜空からも
わたしたちが感じてゐる暗さが反射した
もう崩壊しそうな歌が
たくさんの革命の戦士たちによつて唱はれ
わたしたちの五月の夜は潜んでゐる張力に膨らむようであつた

仲間たちはにんげんの共通の精神を防衛するために
組織されてゐた
そうして誰もが本能的といふ言葉を忌み嫌つて
革命の理論に従属してゐた

けれどわたしたちは過剰な寂しさの感覚を捨てられなかつたし
ひとびとにもそれを見つけ出した
怪しい罪人の意識もわたしたちを深い谷間に堕した

時代はわたしたちの生存を赦してゐないので
わたしたちは余儀なく一九五一年代を偽善者のための倫理的な世紀と規定した
わたしたちはもう健康で清潔な偽善の時代を
あざ嗤はうとしなかつたし
暗い管のなかのやうな五月の夜の空に沢山のかがやく星を視てゐた
わたしたちによつてわたしたちのために沈黙してゐるやうな気圧が
わたしたちの五月の夜に覆はれてゐた

〈閉ぢられた窓からの風景〉

わたしたちは視てゐた
閉ぢられた窓からわたしたちの躰内や思考のなかに在る風景を
わたしたちが自らつくりあげ
わたしたちの時代が確かに外から規定してゐるひとつの風景を
わたしたちは視てゐた
わたしたちを類としない人々の群のなかに
まことに暗く歩んでゐるわたしたちの想像を
そうしてわたしたちの想像のなかに秘されてゐる破局や騒乱について
注意深く人々が回避してゐる風景を

時がわたしたちの孤独を狭めた
わたしたちの知らないことをわたしたちは尋ねようとしなかつた
風や歳月の過ぎてゆく空に
わたしたちの眼は長い間の空白を感じてゐた
実に街路樹が騒ぎわたしたちの傍を移つてゆく季節が
わたしたちの風景を過ぎやうとしないままに

わたしたちはすべてを赦すことに慣れた
たくさんの可能性にただひとつの撰択を感じたことのため
わたしたちの周辺にある風景は荒廃した
わたしたちは知つてゐた
わたしたちが類を呼ばないことを
わたしたちの理由のなかに呼びかけるもののないことを
しかもわたしたちが存在することによつて何も変転する風景のないことを
わたしたちはいつも知らないことに救助されて歩んだ

〈時の深みに在つての歌〉

絶えまなくまるでプリズムを透かして視るように
悪しき侮蔑の時がふり注いでくる
わたしの在る処に
わたしとわたしの仲間たちが潜んでゐる処に
わたしがそれをふり払ふためにする徒労のうちに
時としてほんとうに正しく行はれる反抗もまじつてゐる
わたしはわたしの徒労のなかに生存してゐる理由をもつてゐる

何故ならわたしの徒労は
暗い時代とそれに適応してゐるひとびとを明るくさせるから
勇気や瞋りによつてではなく
まるで怠惰にちかい状態でひとびとはわたしから明るさを奪ふことが出来る
わたしが注意ぶかく撰びとる所作のうちに
未来の計量された風景が描かれてゐるようにも感じられる

わたしとわたしの仲間たちは

何といふ形式であの言ひふるされた忍辱を学んでゐることか
季節の花々も笑はないやうにわたしたちの窓をかたく閉し
風の信号を感受するために視えない触手を
空の青い皮膚にのばさうとする
わたしたちにとつて信仰はもはや盲目のうちにするこのやうな接触でしかない

わたしとわたしの仲間たちは
何ごとかを待ち望んでゐるように
暗い空洞のなかの限りない覚醒をあまり不安に感じない、

〈寂かな眼のある時刻〉

わたしの眼が寂かになる
みんなの眼といつしよにたくさんの風景を沈めて
暗くそして眠りたさうな疲労を感じてしまふ
わたしの時刻がわたしのなかで何ごとか画策するとき
わたしもまたみんなの方へ信号しようと思ふ

わたしにとつてわたしの眼だけがすべてを知つてゐる
わたしの実歴やわたしの視てきたたくさんの風景を知つてゐる
限りないことの繰返しに繫いできたわたしの生存のすべてを知つてゐる

おうすべてはそのやうに限りないことの繰かへしであつた
わたしの稚拙な諸作はそのなかに摩滅しはたした
まるでわたしの感じてゐる風が
わたしのこころの外に吹きぬけたように
ただわたしはわたしの形態とわたしの言葉を残してきただけだ

わたしの眼が寂かになる
わたしはすべてを終らせなければならない
わたしは終らせなければならない
わたしは眠る時刻をもたなければいけない

〈明らかにわたしたちは変つた〉

明らかにわたしたちは変つた
わたしたちの空の色が深くなつたやうにわたしたちの季節の感覚は深く
まるで予想しなかつたやうにわたしたちを刻みつける
暗い時代のなかでわたしたちが喪はれて
わたしたちのかはりにまたあたらしい想像もやつてこない

わたしたちによつて証された無惨な時代が
わたしたちの傍に死者の亡骸と死の影の行進を歩ませる
これほど深く痛められたわたしたちの傷から
噴き出さうとする瞋りがある
根強さにかけてもわたしたちは変つた
空洞のなかを移つてゆくわたしたちの季節を何ものにもゆだねないように
わたしたちは確かに信仰や偽装によつてではなく
ひとつのかたいかたい土壌をもつてゐる

そうしてわたしたちの土壌からは

まつたく類のなかつた愛と憎しみとが生れ出てゆく
且て抗がふことのなかつた系体への
あたらしく永続的な反抗がはじめられる
従属することによつて得てきたすべてのものが崩壊するとき
わたしたちはなほゆくべきみちをもつてゐる

明らかにわたしたちは変つた
長く深い忍辱の季節をとほりながら
たたかれて磨滅した部分とあらたに加へられた部あつい皮膚とが
わたしたちにそれを教へる

〈海のなかでの季節〉

わたしたちの都会はもしわたしたちが身近かく感じようとすれば
ひとつの海のなかの季節に在つた
わたしたちは思つてゐた
街路樹の揺れるたびにその時過ぎてゆく気圏のことを
まるで水脈が流れてゆくやうに過ぎてゆく
その方向のことを
それからわたしたちは感じてゐた
わたしたちのうへに重たく暗いものが覆ひかぶさつて
わたしたちを光線や解き放たれた寂しさから断ちきつてゐることを
また何処からともなく死者たちの亡骸や悲惨が
わたしたちの傍に流れ寄ることを
そうしてわたしたちの想像は膨らんで醜くなつた

わたしたちの愛や憎しみは異様な形で溶けていつた季節のなかで
ささやかな物音をも聴きとらうとした
たしかにわたしたちは聴きとらうとした

ひとびとの嘆き、　硝烟の響きや兵士たちの叫喚を
まるで無益なことに明けくれするわたしたちの海のなかでの季節のすべてを
たちどころに消えてゆく危ふい予感が時々わたしたちに直かに触れていつた、

〈夜がわたしたちの周囲に降りてくる〉

わたしたちがひとりひとり歩んでゆくとき
周囲には夜が降りかかる
わたしたちは夜のなかで悲しい世界中の出来事や死者たちの数や
それをとりまいてゐる風景について思はなくてはならない
わたしたちにとつて歩んでゆく処はいつもわたしたちを安息させなかつた
わたしたちはわたしたちのうちにある星を視ることがなかつた
わたしたちの想像がとほりすぎる処には
いつも歪められた未来の風景があつて
わたしたちを落胆させた
わたしたちが知らうと考へてゐるすべてのことが夜の手に握られてゐて
わたしたちは近寄ることをさまたげられた
夜の手のなかに
すべての偉大がなくなつた時代の共通があつた
わたしたちはそれを知つてゐた
わたしたちはそれを知つてゐた

〈形態のない危機〉

季節の風が背骨のやうに通りぬけると
そのあとから疾走する暗らい陰がある
暗い影から
均衡のうしなはれたわれらのこころに信号するのは
どうしてそうなのか
形態のないひとつの意想またはひとつの流動である
あはれな友のない人間たちよ
燈下にあつまつてルウレットを廻はすみんなの相が
次第に狂気じみて
ついに文明の暗礁に似た共通な予感がどうしようもなくやつてくる
夜に追かけられても
ゆき処のない人間たちが
高架線の駅にあつまり晨をまつてゐる
実にその光景のなかに来てゐるわれらの未来が
形態のない危機を感じさせる

われらは深夜の駅丁または暗いひとりの画家として
傍観せられる場処に立たう
われらの眼が視るときわれらのこころが描く実証を信じよう

われらの孤独や寂しさが
文明のなかの暗い異質として埋没せられたとしても
われらの視てゐる方向から
予感したとほりの未来がやつてくる
われらのうちに遺された器質がわれらの未来に抗ふために
生きがたい時間を生きつづける

〈或る晴れた五月の夜に〉

わたしたちによつてたくさんの憂愁があつめられた
わたしたちは異つた憂愁からひとつのことをみちびき出した
或る晴れた五月の夜に
わたしたちが寄り集まつて語つたことのうち
明日はそれが証拠だてられると想像するものは誰もゐなかつた
そうしてわたしたちが語り畢つた後
世界はやつぱりいつものやうに暗く砲烟と風が
あらゆる星のしたに騒いでゐた

わたしたちは確かに星たちを視てゐるとき
わたしたちの重たいこころがいつもの経路をとほつて其処へゆくのを知つてゐた
わたしたちに悔ひ改めが無かつたので
砲烟と風がそのままとほり過ぎた
わたしたちはそれぞれ愛する者たちの処へかへりたいと思つた
たとへわたしたちが奪はれたものをとりもどす術がないとしても

わたしたちの孤独な甍のした、ビルデングの屋上庭園、影のやうな噴火の
ほとりにじぶんを還らせることが赦されてゐた
そうしてわたしたちは誰もそれを視ない時刻に星たちの異様な
振光を視ることが出来た

わたしたちにとつてすべてが終焉する予感が
わたしたちの五月の夜を形づくつてゐた
わたしたちのこころには背反と海の誘引とが獣のやうに騒ぎあつた、

〈夏のなかでうたふ歌〉

わたしたちから遠くはなれて海が夏のなかでうたう
岸壁から視える寺院のドームやビルデイングがうたふ
かぞえきれない寂しさによつてわたしたちのこころがうたう
湿気と炎のなかで昆虫や草たちがうたう

おう　それらのうたは暗い練獄のなかの
同じい練獄からうけわたされたうたであり
同じい未来のほうへうけわたされる宿命や反逆の織られたうたである
わたしたちはまるで
悲しさから悲しさへ　わたしたちの愛や憎しみを歩ませ
決定された企劃のなかに佇んでゐる
夏がわたしたちを日光と野生的な疲労によつてつつむとき
夏はまたわたしたちを硝烟や星の撒らばつた夜によつてつつむ

わたしたちは愚かにも
わたしたちのこころと感受とをふたつにわけることが出来ない

そうしてたくさんのあやまつた信号をうけとつてゐるので
誰にもそれを告げることが出来ない

わたしたちの夜はわたしたちの隠してゐることを包みかくし
時々ビルデイングの扶壁を鋭い面で刻み出したり
角礫のやうな星たちをぴかぴかさせる

〈われらの街の黄昏の歌〉

われらの街に小さくきめられた約束のうづまいてゐる時
視るのである
ひとかげとひとかげとが亜鈴のやうに組立てられて逆光をうけてゐるのを
そうしてわれらはゆき過ぎるとき風のやうにうつくしい想像をおくる
われらは赦された寂しさをうけとつたとき
すべてを赦すためにできるかぎりの寛容を用意してゐる

時がまことに生き難い条件をともなつて
こころと生活とを辛くさせるけれど
まれにわれら自身のものとなつた時間がある
われらの街の黄昏のとき
いつぺんに支払らはれた解放をわれらはうけとるのである

われらはいつも無名の探索者である
一対の眼のほかにさまざまな風景や視線に与へるべき脳髄のなかの
判断をもつてゐる

われらはそれをびらのやうにまきちらしながら
たくさんの記憶をたくはへるのである
われらの街の黄昏のとき

〈眼のある季節〉

やがてわたしたちを捕獲するために
時が鉄格子を備えた空と吹きぬける風をもつてくる
わたしたちの監禁はもう決定されてゐる
わたしたちの慾してゐるのは眼だ
何処からも見渡してつらぬくことのできる眼なのだ
眼のある季節を待望するとき
天を焼きつくす夏がちかづいてくる
戦火のつづいてゐる処からもやつぱり夏のちかい報知がとどく
死人の腐敗も極まる
晒らされた骨がくづれる

わたしたちの風が遥かの高層圏をとぶ
金属製の野獣もとほる
死に目にあえない速度が時代を支配する
わたしたちこそはまさしく自らの影に遇えずに時を貢ぐものだ

たとへ視るといふことが罰せられる季節がきても
わたしたちは限りなく視たいと考へる
わたしたちは眼のある季節についてわたしたちの構想をふくらませる

〈都会の女たちのための歌〉

おう　街路を過ぎる女たちがいちように
風にむかつて行きながら
エピソードのないビジネスから遠ざかるときの満足をあらはして
わたしによつて監察されてゐる夕ぐれのなかを色どるのである
ビルディングの面と面から落ちかかる影が
つぎつぎに彼女たちのみぞおちのあたりを暗くして
まことに彼女たちがこころに作りあげてゐる風景を暗くして
消滅させるように思はれる
彼女たちのすべてが
砲煙と風との時代の過ぎり手としては余りに華しやであり
視えないものを視やうとする意志も感じられないけれど
それはそれとして
あらゆる平和な時代は彼女たちに味方するであらうと思はれる
いま彼女たちの面を吹きすぎる風が
神に抗ふためのハレルヤを称しながら
そうして救済の理論に血まみれた地球の病床から吹きあがつてくるとき

風はなほ都会の彼女たちを赦すであらう

彼女たちがひとりひとり愛する者たちの方向に帰りつき
その時刻にもなほ
彼女たちの生み出す嬰児たちの未来が予感されるやうに思はれるとき
わたしもまた砲煙と死のかげから
彼女たちが守られねばならないことを願ふのである

〈六月の憂愁について〉

わたしたちによつて崩壊せしめられた六月の憂愁が
わたしたちのうへに暗い空となつて遍ねかつた
暗い空の区劃ごとを
風がユニークに叩きながら過ぎた
わたしたちは日のひかりを焦慮するこころで
街のなかに位置してゐる青い並木の列に沿つてあゆんだ

わたしたちの索してゐたのは
眼に視えない決定のなかに把られてゐるわたしたちの運命について
それが何処から由来してゐるかといふことであつた
ああ決してわたしたちのほうへやつてくる群集のささやきから
それはわからないであらう
わたしが視てゐる広告塔や拡声機のどこにも暗示といふものは
みつからないだらう
わたしが決定してゐるわたしの方向にもわたしはそれを見つけないだらう

するとわたしたちのうへにある暗い空は
果てがあるように感じられたし
わたしたちの六月の憂愁が何日かは青い清澄な空のしたで
過去の影像を映した光のキネオラマとして存在し得るものと思はれた

〈わたしたちの自戒の歌〉

六月の鳥の翼となつて
鉛色の空のきめのなかで反転しよう
わたしたちによつて動かすことのできない世界の暗い中心が
季節のなかの樹液や風に固定されてゐるので
視やうとすればそれは視える処で
わたしたちの異様な視覚をまつてゐる

わたしたちは軽々と動き
しかも用意された方法を用ひることをしない
世界のなかから少数のひとが戒しめた言葉で
わたしたちの宿命の血の色をつくらう
やがてわたしたちのゆくところは
いたるところ戦火や悲しい想像に閉ざされた夜をむかへる
わたしたちはその雰囲気によつて拒否される
固い固い孤独者のひとりとならう

星がわたしたちの翼を
とぎ澄まされた光によつてかすめ
膨らんだ風が美しい想像を死によつてとりかへるときも
わたしたちは幾分かの謙譲を投げうつて
異端の爪を立てよう

〈ゆえいの季節における手記〉

わたしたちが刻々すり減らすのは
無為や辱忍によつて鉄格子のなかでたくはえた鋭利な反逆や
屈従することのできない倫理である
時がわたしたちの衰弱を願ふもののために
風や夜空の星や神話になつて創りあげられた征服の物語を
わけあたえる
そのうへ世界のあらゆる循環の法則は彼等の掌に握られてゐる
だから刻々殖えてゆくわたしたちの仲間と
次第に鋭くなつてゆくわたしたちの貧困とに
マルサスのＰがやつてくる

わたしたちの生存によつてあがなはれた文明と孤独とが
彼等の破壊や収奪のために
暗い空洞の季節をとほり過ぎようとする
わたしたちは既に彼等の所有となつた風景を視ないために
しだいに深い時間のなかに位置を占める

ゆえいの季節が
硝煙と乾いた風との夜にわたしたちの予感をおとづれる
且て記録されたどんな事例にも
わたしたちはじぶんを販りわたさないために
わたしたちの指さす方向は
未知の未明の瞋りによつて充たされてゐる

わたしたちは磁極のやうにかたく
わたしたちの愛と憎しみとをふりわける
わたしたちにとつて愛する者はこの季節を生きつくさねばならない
わたしたちはわたしたちのすべてをかけてそれを祈る

〈わたしたちの夜の追憶のうた〉

いつまでも大戦の死者のことを忘れてゐたので
わたしたちの六月の夜に
まるで罪のやうにしか想ひ出すことのできなかつた死者たちのことを
敗者の名簿録からとりあげて追悼する
恥辱に塗られた伝説や
孤児のやうに後退と全滅をくりかへして葬られた無名の墓地に
わたしたちが得た暗い花々を
言はば文明の予感される未来から摘みとつた暗い花々を捧げようとする

むくいられることの少なかつた死者たち
そうして戦火の遠のいていつたあとに
静かで優しい夜のかはりに
無数のおびえなければならない原因や　疲労感をこめて語らねばならない
にんげんの荒廃を　わたしたちは思ひつづけねばならない

わたしたちこそはまた少量の叡智によつては

抗争することの出来ない予感を
遺された文明の夜や
鉄骨のやうに組立てられた制度《スイステム》のなかから感じることによつて
再びくりかへされる硝烟と乾いた風の夜を
忍辱しながら生きる宿命を負つてゐる

むくいられることの少なかつた大戦の死者たち
英雄や神々の記憶の無くなつてゐる　わたしたちの六月の夜に
わたしたちは板のうへで晩餐をとり
みんなの星たちを招くために
わたしたちの視えない窓をあけようとする

わたしたちにとつて風景の全部が占有されてゐて
呼吸するために必要なわづかな風も既にわたしたちのものではない
だからわたしたちはきつと無言のうちにわたしたちのランプを消し
無言の時間のなかにはいつてゆく
誰かが語らねばならないことを語つたために
牢獄に繫がれてゆくときも
わたしたちの告訣の言葉は額の筋のなかに刻まれるだけである
わたしたちの視えない窓から
みんなの星がわたしたちの額を照らすとき

わたしたちの刻まれた筋だけが陰になつてゐるのを感じる
おう　過去がわたしたちの未来を照らすとき
わたしたちの未来の暗さが陰を構成してゐる

〈曙のなかの星たちの歌〉

うすれてゆく曙のなかにわたしやわたしの愛する者たちの星があつた
まるで思慮するようにまたたいてゐるとき
時がその影を薄くさせるためにきた
わたしたちの思慮がしだいに孤立してゆくように
わたしたちの時代は速度や騒乱を充たしてきた

わたしたちの叡智は薄れた
そうして荒廃してゆく文明のなかにわたしたちの執着が埋没され
わたしたちはそれを掘り出すために愛をうしなつてゐた
わたしたちの星に再び夜がこないように
わたしたちの位置は記憶から捨てられて
ふたたび蘇生した光を揚げるとは思はれなかつた

〈架空な未来に祈る歌〉

時が星たちの夜空に暗い聖餐をささげる
そうしてにんげんが戦火や飢餓のなかに喪はれてゐる光景を
まるで牧師や司祭であるかのやうにつげてゐる
何ゆえににんげんはこのやうに死や貧困の異変をうけねばならないのか
知りもせずに
すべての支配者がそうであるように
時が星たちの夜空に告げてゐるのは鉛を流すような風景の羅列である

わたしたち未来に信なきものは片隅に集まつて
わたしたちの保証せられることのない孤独のために祈らう
わたしたちの視た風景のなかの暗い花々について
黠い風の手について
にんげんの饒多と鋭くなつてゆく貧化について
少量の支配のなかに握られてゐるスイステムについて
おう且てわたしたちの魂はすべてを赦すために祈りすべてを宿命と化する
ために赦してきたのに

いまこそ融化せられた孤独と現実との位置で
はげしく抗がはうとしてゐる
そうしてそのために空しくされたわたしたちの未来に祈らうとしてゐる

わたしたちはわたしたちの死にかけて
愛するものたちとその星とをわたしたちのもとにかへさなければならない
その時についての予感が
わたしたちの徒労をわたしたちの祈りに至らしめようとする

〈砲火に抗ふものの歌〉

孤独が砲火と乾いた風によつてゆすぶられる夜々に
わたしたちは知つていた
兵士たちの屍が埋められたあとから牧師や将軍たちの祈りが従つてゆくことを
無傷な神の言葉が
偽はりの唇から厳壮にされて吐き出されると
死んだ兵士たちの墓地からは乾いた風の音が立ちさわいでゆくことを

おう　わたしたちは知つてゐた
あらゆる時代に繰かへされた神と砲火との因縁について
神はけつしてじぶんの身を砲火の前に晒さなかつたといふことを
いつも無傷な者の唇から
神の言葉が告げられる時に
不幸な者は死によつてのみその幸せを赦された
そうして祝福の御告げをきいてゐるのは墓石や　そのうへに射してゐる
夕日や　まもなくばらまかれる夜々の星たちだけである

無数の悲愁をうつしてゐる空の
暗く青い光によつて
牧師や将軍たちの無傷な祈りが歪んでしまふとき
わたしたちは知つてゐた
兵士たちの屍は異つた空のちひさな愛のことばを聴きたいと思つてゐることを、
そうして既にわたしたちは兵士たちを蘇へらせる力をもたないことを
わたしたちのみ空に告げねばならない

〈乾いた風と砲火の夜〉

わたしたちの耳が風をそば立てた
風が乾いてランプのやうな砲火を点滅してゐた
すべての兵士たちといつしよにわたしたちは文明の崩壊に加担し
なければならなかつた
だからわたしたちの想像は海峡や稗畑のうへを越えて
病みおとろへた流亡者のうへにきてゐる夜の
閉ぢられた暗さのなかにはいりこんでいつた

わたしたちは身近な愛や憎しみをうばはれたかはりに
あてどもなく拡げられた愛や憎しみをもつた
わたしたちは地球を愛と憎しみの圏にわけることが出来たし
わたしたちがじぶんを撰びとるためにたくさんの仲間たちを感じることが赦されてゐた

だから
砲火が風を乾かしてつぎつぎにうちこまれる処に
わたしたちの愛する者たちがわたしたちの愛するものたちにむかつて

死の影をうちこんでゐるのを知つてゐた
たとへわづかな幸せの差によつて生き残つたとしても
彼等は飢えや泥まみれの流亡のために
星たちの夜空を視あげることもならないであらうと思はれた

荒廃した感覚がわたしたちにとつてひとつの支柱である時代に
わたしたちはたくさんの暗い世界をじぶんのやうに感じなければならなかつた

〈流亡と救済〉

至る処が絶望的な地衣に充たされてゐて
わたしたちの流亡を感じるこころがゆくべき処をうしなつてゐた
愛くるしい振光によつて星たちがじぶんの位置から
わたしたちの途絶えがちな憩ひのうへを包んでゐた

わたしたちは思つた
流亡の群れと救済する手のことを
遠い時間のむかうに何かをまち望むことによつてわたしたちの流亡は
了ることはない
救済の手によつて泥土にまみれたわたしたちのこころが拾ひあげられる
ことはない
わたしたちはじぶんの行方を現実的にえらびながら
歩まねばならなかつた

愛する者たちが未だ硝煙の匂ひを予感しないことが
わたしたちを不安にしたり時には限りない憩ひのやうにも思はれた

だからわたしたちは語りあつた
暗い永遠を歩んだひとのことや六月のオレンヂ色の果実のことを
そうして無益である時間が了つてしまふのを愛惜した
手造りの円椅子から立ちあがつて
わたしたちは窓の外の荒涼とした時代のなかへかへらねばならなかつた

わたしたちは破滅の季節の方へ逃亡してゐた
救済はいつも過去の方向からわたしたちを魅惑した
わたしたちはたぶん六月の空にちらばつた星たちのしたで
いつまでも反逆と瞋りとを燃やしてゐなければならなかつた

〈わたしたちの生のための六月の歌〉

友よ　わたしたちのうへに季節はまるで死の影を誘うように
黙い風とたくさんの疑惑とを用意してやつてきた
わたしたちはわたしたちの生を防衛するために
わたしたちのうちにある神の意味と秩序のうへに位置した支配と
殺戮のために捨てられた価値とを視つめなければならない
わたしたちはあらゆる偉大のなくなつた時代に語られる
英雄たちの物語や作意を疑惑せねばならない
そうしてひとりひとり遥かな時間や空間のむかうにまで
冷たい思考を拡げて
ゆうゆうと聴かなければならない

わたしたちの生のための六月の風の音や
疑惑の触手によつて疾走してくる死の影のうたごえを
わたしたちは風のなかに平明な孤独や知られない蓄積を感じる
そうして六月がわたしたちに告げる
あらゆるものが過ぎてゆく――と

あらゆるものが過ぎてゆくときわたしたちは覚醒めてゐなければならないと
だからわたしたちは与へられた緑の交響を
わたしたちの由処を危うくされた孤独のなかにうちこんで
ゆうゆうと視るのである
視るのである

〈戦士のための交響的な判断からなる詩〉

わたしたちは夜々　しづかな判断のための時刻をもつてゐた
わたしたちは乾いた風のおとに交響する戦士たちの死ぬときの
叫びをきくことが出来た
愚かにも支配者にあやつられ　支配者のための設計の礎石として
朽ちてゆく戦士たちに　沢山の言葉が与へられてゐなかつたことを思つた
それから沢山の思考のための時間が
支配者の炉辺や窓をおとづれるとしても
決して戦士たちの不安や動揺するこころを通り過ぎることのなかつたことを思つた

わたしたちは埋められた戦士たちの屍体が
風や湿気に削られて
やがて新世代沖積層の地質学的素材として記憶されるだけであることを
支配者たちの罪劫といつしよに考へたいと思つた
それからわたしたちは
鳥や昆虫が翔び騒ぐ六月の頃にわたしたちのいちばん豊かな判断が
わたしたちの夜々の時刻を訪れることを信じた

わたしたちは埋没された戦士たちのために
わたしたちにのこされた理由のすべてをあげて愛憎の交響する判断をおくつた、

〈六月の風に対つてうたふ歌〉

わたしたちはうす緑の風を感じるまでにこころを安息させた
それから剝がれおちる光の束を肩のうへにうけた
風がやはりわたしたちを感じるように
疾走をゆるくした
わたしたちは影を視た
わたしたちとビルデングの石材と屋上に揺動してゐる旗の影を視た

いつまでもわたしたちは
まがりくねつた道のまんなかに佇つて
あまり美しくもない数すくない風景のなかを愛した

わたしたちの安息が眠りこんでしまうまでに
わたしたちの記憶が焼きつけておくためにわづかばかりのシンメトリイと
影と形態がつくる風景の凹凸をえらんだ
わたしたちのこころに与へられた暗い空洞を
わたしたちは忘れなければならない

六月の風にむかつて
わたしたちの謀反のうたとわたしたちの傷手とをひたすらに覆ひかくした、

〈青葉と敗北の日のうた〉

青葉の擦れあふ音が都会の街路でわき立つ頃に
わたしのほうへやつてくる荒んだ眼の女たち
まるで長いあひだ幽閉された住居から
窓をこぢあけてとび出してきたやうに
疲労や汗を刻んだ貌を光線や風のほうへむけて
わたしのほうへやつてくる荒んだ眼の女たち

とりかこまれた敗北の風景が
彼女たちの眼にわたしの暗い眼が出遇ふ処で
ビルディングの裏の日だまりをつくる
わたしたちは暗黙の理解に達しなければならない

わたしも彼女たちも未来をもつてゐない
わたしが愛するとき
わたしの愛のなかに明日への想像が成立たない
わたしが憎むとき

憎しみは遠くへ逃れることが出来ない

寂しさが彼女たちのつき出た胸と荒んだ眼のなかにあるように
わたしの窪んだ眼の疲労にある
わたしがはじめて真昼間の光のなかで彼女たちと出遇ふために
わたしの醜悪が惨憺たる陰をつくる

わたしと彼女たちのうへに来てゐる敗北の風景よ
あたかも青葉のなかにある焦慮といつしよにきた季節よ
わたしたちは理由もなく荒廃し
神や支配に背をむけたためにまるで遺棄された石ころのやうに生きてゐる
生きることの価値を
神や自由との直接によつて量らうとするにんげんの真実から捨てられてゐる

こんな日　わたしと彼女たちのうへに青葉のひかりがふりそそいでゐる
わたしたちは手をとりあつて
羽虫のうたをうたふ
侮蔑にとりまかれた眼にまけないように

〈風が燃える日の歌〉

その日はまたれてゐた
たくさんの流亡してゐるひとびとの小さな疲れた眼や
何処かで暗い城砦を構築してゐる兵士たちの汚れた眼や
奪ひとられたものを取りかへすことの出来なかつた女たちの
寂かな諦めが
わたしたちの想像をはるかに越えて
たしかにその日をまちのぞむことで充たされてゐた

ヨオロツパのうたごえが
しづかな風の燃える日に粛々と退いてゆき
わたしたちはたしかに視た
その日　荒れはてたアジアの土地から踏み残された稗の穂が
赤い斜光のなかにそよぎ
虫たちが羽ずれの音をたてて翔び交つてゐる風景を
そうして尚　不幸の外に何も喰べることのなかつた長い文明の不毛が
その風景をいつまでもとりまいてゐるようだつた

わたしたちは知つてゐた
わたしたちのうへに
すべての空のひかりが無言に耐えてふりそそいでゐるとき
言はれない荒廃のなかから
歩みはじめなければならないことを

わたしたちは聴いてゐた
しづかな風の燃える日にヨオロツパのうたごえが粛々と退いてゆくのを
わたしたちはなほ踏み越えてゆくべき未来をもたなかつた

〈病者から病者への歌〉

砲火のなかにわたしたちがゐる時　砲火のやんだ空にわづかな雲が残つてゐる時
いちどもわたしたちは明るくなかつた
わたしたちの時代はいづれの瞬間にも暗い空洞をあけ
わたしたちの文明は未来の予感を喪つてゐた

わたしたちは愛する者を荒廃のなかにつき堕した
わたしたちは邂逅の時を忘却した
わたしたちの愛する者は日の果てる時刻から夜のなかへ消えた
わたしたちは愛撫の記憶によつてではなく痛悔の暗さによつて彼女たちを探し索めた
彼女たちは季節の果実のやうにわたしたちに先立つて喪はれた

わたしたちの眼のなかに疲労による虹彩が刻まれ
すべての風景や形態といつしよに
わたしたち自らの存在が戦慄するのを感じた
不幸が空からも揺れてゐる地平線からも
わたしたちの時を充たした

（未定稿）

〈小さな空のなかの暗い空洞〉

忘れられてゐた
わたしたちの記憶といつしよにわたしたちが何処からか眼を覚まして
ずうつと遠い都市街道のむかうから歩いてきたことを
そうしてちいさな少女たちに尋ねたとき
小さな空のなかの暗い空洞が少女を啞にしてしまつてゐた

わたしは記憶からたつたひとつ
たどることが出来る
わたしが少女に何をたづねたか
きつと優しいこころに瞋りを覚えながら
わたしの重たいやうに少女たちもこの道を歩むことが重たいか
を尋ねたにちがひない

わたしは知つてゐた
都市街道のはてしない続きにはたくさんの建物が並んでゐて
窓のひとつひとつが小さな空の暗い空洞を映してゐた

暗い空洞が何を映してゐたか
おそらくは沢山の理由によつてわたしはそれを知らされてゐなかつたし
少女たちはそれに気づかなかつた

だから少女たちを啞にしたのは
わたしのこころだと彼女たちは考へてゐたかも知れない
しかも遠い未来の方向に続いてゐる街道には
ひとつの予感があつた
わたしも少女たちもはつきりとそれを感じてゐた

〈知られざる歌〉

空はたちまちわれらの形相や修羅場の叫びにちかくなつて
われらの季節を過ぎようとする
われらの腹背には時の重みとわれらの敵たちの巨大な設計図が現はれる
そうしてわれらはただ赦された方向に
わづかばかりの空虚な空洞と未来の風景とを視てゐる

われらのおそれよ
たくさんの愛を余儀ない陥落のなかにひとつひとつ堕しいれて
われらが待ちもうければならないことのおそれよ
われらの時代には偉大なものの死滅の記憶がないように
すべての救済は途絶えてゐる
われらは寂しさを百倍にして
愛する者たちの眠つてゐる甍のしたにかへらうとしたのである
小さな街路樹の蔭のドアーを排して
白いエプロンをした少女たちが運んでくるコーヒーを喫みながら
何ものもギセイにしない会話を交はすために

われらは遇ひにきたのである
知られざる空の下からわれらの愛するものたちはきつとやつてきて
やがて小さな声ではじめるだらう
そうしてカツプをとりあげるときの陶器の触れあふ音のあひだから
われらの聴くことはきつと斯うだ
〈わたしたちが薄明りのやうにおとづれる寂かな時刻のために
胸をおどらせるといふことには思つたよりも暗い意味があります〉

そうしてわれらは何もこたえることばをもつてゐない
われらはおたがひの予感が交換されるとき
いつも無限にくちをひらいた未来の暗さが
われらの空を走るのを感じる
そうしてわれらは小さなレース編の飾のついた椅子から立上らなければならない、

〈流寓〉

星がぴかぴかする夜空の下にはきつとにんげんの住居があるのであり
にんげんは悲しみに充たされて祈らうとしてゐるのでござゐます
だからといつて世界の暗さや戦乱などいうものが数を減らし
また風に従つて消燼したなどいふことは聴くことが出来ませぬ
そもそも推計学のおしえるところを
多少の引算を演じて信ずることに致すとすれば
にんげんの不幸の原因は殆んどすべてにんげんとにんげんとの関係や
設定せられた機構から由来するものであり
それをにんげん自らに原因してゐると感じることは受感態度やその純度
としてはありうるとしても
にんげんが自らのこころにその原因を設定しまたこれを喰べつくさうとして
終に救済の道に至つたといふ例を聴くことは出来ませぬ

だから夜空に充ちた星たちの下に
まことはにんげんの流寓があるのみで
それを流寓と感ずるのは実に東方の秘教や信仰によるものではなく

世界の設計せられた暗黒に対する反抗の意想によるものであります

おうだから
むかしむかしは愛する者たちを遥かなイマージユにおいて思ふ形態として
にんげんは夜空に充ちた星たちを視たのですが
いまわたしたちは更に瞋りや不信や反逆の意匠のひとつとして
かかる形態をもたうといたします
そうしてその時刻
わたしたちの流寓の地点からは実に膨大な悲しみに幽閉せられた
ひとびとの甍を視るのであります

〈物語を遺さない者のために〉

記憶のなかですべての偉大なものが喪はれ　英雄たちの
また　壮厳な寺院の　決して生れない時代に
わたしたちはよく自分の生存をまもり　雲や風のなかにある安堵を
誰にも販りわたさない夕べをもつてゐる
わたしたちを訪れるのは砲火の音や屍となつて埋められる仲間たちの
あの物語を遺さない仲間たちの　痛ましい終焉の記憶である

にんげんを存続せしめたすべての意志に
わたしたちは語らねばならない
わたしたちのユーグレナのやうに微小な意志が悲しみに充たされて
語るひとつの物語を
わたしたちに遺された制度が
服従と死とを強ひるため少数の執行人の意志に
非情と冷酷を与へ
わたしたちの生産した物が循環する過程において
たくさんの過誤を事実に変へてしまふ

わたしたちはまるで自らの意志であるかのやうに
殺戮しあふために　たくさんの疲労と過去とを引づつたまま
長い戦列のなかに追はれ
形而上学的な理由を臨床的な事実に変換するために憎しみ合はねばならない

わたしたちに勝利も敗北もないように
どんな利益も把みとることはない
そうして物語を遺すこともなく葬り去られてしまふ宿命のしたに
わたしたちのこころがわづかな愛と憩ひとを視つけようとしてゐる

わたしたちはわたしたちを理解するすべての意志に
それを物語らねばならない
そうして自分を許容することによつて生み出した文明の罪科のなかに
わたしたちの微少な反逆を印しなければならない、

〈われらの未来と暗さをうたふために〉

風がにわかに亀甲のやうな鋪装路《ペイヴメント》のうへを動いてゆく
わたしたちが知らぬまに時が裸になつた未来の貌のうへを
暗い触角でわたつてゆく
ハレルヤ
その祈りを称えて風のゆく方向に抗がはうとするものは誰か
奇怪な聖衣をまとつて
砲煙と死者のあとから廃墟《ルキン》を構成しようとするものは誰か

わたしたちはそれを視る
わたしたちの未来と暗さをまるで幻影のひとこまであるかのように
そうして既にわたしたちの命脈が地図のうへの河川のやうに決められてゐるのを知つてゐる
時としてわたしたちでさへ遠い過去の安逸を想ひ
ハレルヤ
未来のほうへゆく時に抗うように神の秩序を模倣しそうになる

わたしたちは知つてゐる

わたしたちの時代の暗さが未来のほうへ走りこむために
管のやうに貫ぬいてゐる都会のペイヴメントのうへを動いてゆくのを
そうしてビルデイングの扶壁はわたしたちの超えられない城砦のやうに
たくさんの帳簿や有価証券を充塡めこんだまま
スイステムを形造つてゐる

わたしたちは視ることを許されないものだけを視よう

〈愛する者のために記された詩の一部〉

七月の風が海べに寄せると
わたしたちの都会が高いビルディングの屋上から波がしらを視てゐる
わたしたちの眼によつて
すべての寂寥といふものが高い処にあつて視ることを知つてゐる

海べにはマストが並んで
船腹のひとつひとつが機械の部品や粉末の糧食を積みこんでゐる
わたしがそれを視てゐるとき
傍らに愛する者はゐない

愛する者はいつも遠くにゐる
わたしが想像し海に背をむけて視える方向にゐる
わたしが超えてゆくべき
ひとつの思想のやうに
愛する者はいつもわたしの背後にゐる

わたしの記憶が海によつて支へられてゐる少年の時に
愛する者はわたしの記憶を占めてゐなかつた
わたしの反逆が海の視える都会を捨てて駈せた時代に
わたしの記憶はただ地学と化学とを累積してゐた

わたしが再び都会へ還つたとき
砲煙と乾いた風の夜がわたしの記憶と生活とを充たしてゐた
わたしは未来を絶望し瞬間の出来事にすべてを燃やした
そうして敗者となつた兵士たちといつしよにわたしの国の荒廃と
わたしの都会の廃墟を悲しんだ

わたしにふたつの眼がある
ひとつの眼はわたしのために悲しみ
もうひとつの眼は暗い世界のためにたくさんの悲惨を視てゐた
愛する者はわたしにふたつの眼があるのを痛んだ

わたしが海を視てゐるとき
愛する者は傍らにゐない
わたしが愛する者を語らうとするとき
海は記憶のなかの少年時にかくれてゐる

そうしてわたしのもうひとつの眼が　戦火のゆくえに暗い未来を視てゐる

〈敗者となつた兵士たちを回想する歌〉

まことに暗い廃墟と疲労のある夜に
みんなは煤けた箱のやうな客車や牢獄のやうな郵便車に塡められて
還つてきた
村や街や都会にあるみんなの紐の処へ

みんなを愛してゐるものが確かに信じてゐたにちがひないやうに
死のやうな街々の風景を過ぎてかへつてきた
みんなが居なければ飢えて死んでしまふので
みんなを待つてゐた女や親たちのところへ
貧乏なあばら家やトタン張りの小屋のなかへ
還つてきた

わたしは想ひ起こす
背のうや袋を背負ひ星の剝ぎとられた土色の制服をつけて
重たい表情を動かしもしなかつたみんなの帰還を
そうして愛する恋人や寂かな窓のなかへ還つてゆくものよりも

飢えさうで疲労やささくれ立つた家族たちのところへ還つてゆくものへ
わたしは沢山の意味を見つけてゐたことを

みんなの悲しみが何日かは忘れられた頃
沈黙してゐた文化の運搬人たちが口をそろへて言つたものだ
戦争の悲惨や無意味についてではなく
みんなの戦争が不義と侵略であつたといふことを
わたしは疑つたものだ
如何な戦争が正義であり如何な戦争が不義であるかを
そうして如何な人間が時に獣性でないだらうかと

戦ふものと死ぬものとは
永遠に兵士たちであり
たとへ戦争がなくなつたとしても
困窮や疲労で死ぬまでさいなまれるのは貧しい労働者になつた兵士たちだ
だから設計するものと労働するものとが別個であり
人間がこのやうな分化を撰択するならば
貧しいみんなはいつまでも貧しく
あの威儀を正しくして人間を圧殺する雑輩どもは根絶えない

わたしは知つてゐる

貧しい農の子供たちや労働者の息子たちが
苦しい生存から抜け出さうとして
またこの社会制度の下で決して手づるを持たない下層階級の子弟たちが
じぶんを救助するたつたひとつの手段として
兵士であることを望んだと言ふことを
こんな抑圧が狂暴や独裁に転化して
まことに敗者のみちを還りついたのだ
わたしの愛する且ての兵士たちよ
だからわたしはみんなの悲しみやみんなの行為をよく理解する
そうしてみんなを非難した者のうち
財権やそれに繋がれた文化の運搬人たちの言葉に決して耳を藉さうと思はなかつた

貧しい者が貧しい間
敗者となつたみんなや死者として捨てられたみんなの友たちの
戦ひは決して忘れられないだらう
一九五一年の夏
支配者や財権の神聖同盟が
みんなをまた駆り立てるために活字や政治を動員する
わたしの愛する且ての兵士たちよ
みんながまたそれに誘惑されて浮足立たうとしてゐる有様をよく知つてゐる
みんなの生活が与へた直情と愛憎の強さを

彼等に把握されてゐることをわたしは理解する
そうしてわたしは告げたい
みんなの生活や愛憎を大切にしなければならないと
支配の形態として存続してきた国家制度とみんなのかけがへない生存と取かへてはならないと
祖国といふ言葉のなかにある俗情に盲目になつてはならないと

あの一九四五年頃
疲労と廃墟の覆ひきれない夜
みんなを待ち望んでゐた者たちといつしよに
わたしは待ち望んでゐた
わたしたちの悲しみをほんとうに悲しいと思ふことが出来て
たれもそれをさまたげることの出来ないひとつの夜を
そうしてやがてその夜はひとつの近似の情勢において一九五一年夏のわたしを
ほんたうに悲しくさせる

〈酒場のある街の夕べから〉

燃える蹠に追ひかけられたやうな雲が
ビルデイングのうへの空にあり
ぼくらが同じ視角で見上げられるところに海が
風をつくり出してゐるので
絶えまない香りと冷気が
酒場の立ちならんだ裏路を吹きぬける

ぼくらはそうと信じたことをあんまりあてにしないやうな風習を
ぼくらの街路や酒場の客たちにばらまいてあるく
そうして後悔といふものをぼくらほどに骨のなかにつき刺すと
不思議な気持になるものである
だからぼくらの足あとは杳としてわからぬように
海のある街路へ逃れてゆく

飛脚のやうにぼくらを追ひかけるのは焦慮であり
エスペラント音のやうな兵士たちの足音であり

しかもぼくらに追ひつくのは客引の酒場女とぼくらの暗い怠惰ばかり
だからぼくらは不思儀な気持になる

夕べよ
すでに出来るかぎりは引ずり下ろされたぼくらの地点から
海へゆく管をとほせ
運河の泥沼のしたを下水のやうにくぐる管を
ぼくらは謎めいた微笑のうちにくぐりぬけよう
風をつくり出しビルデイングの屋上の風見に供給してゐる
海の貌へ
ぼくらの時代とは異つた方位角を感じるために
ぼくらの触手をむけよう

〈不遇な愛のために書かれた詩の一部〉

おまへは夜空の塡められた蒸気にむかつて
おまへの形態を吐き出さなかつた
おまへはただわたしの眼にむかつてじぶんの不遇を明らかにした
そうしてわたしたちは何も信じなかつた

何れおまへの皮膚はどうなるか
無名のひとによつて刻まれたおまへの皮膚はどうなるか
そうしてわたしは何処で
わたし自身に出遇ふような怖れや親しさでおまへの荒廃に出遇ふか

すべてはまたたくうちの出来ごとに過ぎない
わたしがおまへに与へることのできたものはどんな悪行よりも旧く
しかも保たれることの短いものであらう
わたしは知つてゐる
おまへの不遇はわたしと出遇つてはならなかつたことを

わたしたちが抱き合つたとき夜空の星は乱れて視えた
わたしたちは何ひとつ不思議なものに魅せられなかつた
わたしたちは物質よりもかたく
わたしたちのすべてを繫いだ

〈午後の歌〉

炎が燃えるように都会の空が高みに映してゐるのは
わたしでありおまへでありまた無縁のひとであるところの
にんげんの群れだ
そうしてひとよりもはやく燃えつきて失墜しようとするこころが
わたしを誘惑する
この疲労には清澄や透明さがなく
また回復の予想も成立たない

まことに辛く孤独のうちにわたしを訪ねる午後の時に
わたしはこころを尽くしてわたしの生存にむくいなければならないと考へる
路をゆくひとの群に蔭となつて
わたしがまぎれてゆく街は近い
あの訣別のために手を握りまたは礼を交はす風儀もとうに忘れ
無言に追はれる焦慮に狃れたまま
なんべんもなんべんもその訣れを致すのである

風よどうしておまへはそんなに燃えるか
都会のすべてのビルディングが白金のやうなかがやく環を被り
帽のやうに揺れるのは
じつに幻想のなかでのやうに寂しさを誘致するのである
わたしこそはわたしのために
すべてのことをなさないものだと
わたしはこの午後の明るさのなかでは決してひとに誓へない

〈多様な夏のなかの一つのうた〉

炎のうちあげられる空に視たのは
青い微塵であり
わたしの愛する物質とわたしの愛するひとびとはきつと
其処から反射される光束のなかに刻られてあつたのである
わたしは明らかに
わたしの存在を除いたすべての愛すべき存在を
その光束のなかに視たのである

わたしの夢想はそのとき死んだ
わたしは多様な現実の風景のなかに次第に褪色してゆくわたしの
理想を視たのである
わたしは空から加へられる炎熱を浴びて都会の裏路の
罪の意識のない場処に佇つてゐたのである
影やその延長されたペイヴメント
わたしの靴のうらにある疲労
わたしに蘇へつてくるものはいつも神やそれに類した絶対者から見

棄てられた瞋りの破片であつた
それはまたたくうちに流れる汗のやうに
わたしを襲つたのである

夏よそれはわたしにとつてどんな季節であると
わたしはこたへるべきであるか
わたしは依然として安息のない怠惰のうちに
世界やわたしの愛すべき存在の不幸を視すえてゐたのである

〈美しく優しい歌〉

女が荒んだ眼をまたたきしながら
いつしよに死にませうといふ
将軍と政治家とが優しい眼をこしらへて
おまへは死ななければならないといふ
そうして世界の半分くらいはもう死んでしまつた

秋の冷気のなかに草が枯れてしまふ
こころに何ももたないわたしは意外にも荒廃したビルデイングの
汚れきつた飾装を不快には思はない
騒音や破れかかつた辻時計の時刻も気にならない
女を独りで死なせてはならない
将軍や政治家たちを独りで生き残らせてはならない
時間のない季節
砲火の軌跡が風を乾かしてゆき
わたしがこころに定めたことをうち砕くために
いつさいはわたしの意志に反する風景をこしらへあげてゆく

生きる力の半分はいつでも無意識だ
そうしてあとの半分は瞋りと暗い意想の力だ
だから女のためにわたしの半分を捧げてもいい
将軍と政治家のためにあとの半分を殺すのはいやだいやだ

地球の皮膜のうへに魂魄をのこし
わたしは美しく優しい歌をうたふためにひとつの平安を欲してはゐるのである

〈連鎖〉

わたしたちは繋れてゐた　おまへとわたしたちと
わたしたちの近傍とすべてのものと
すべての愛や憎しみとすべての風景のなかの暗さと
そうしてわたしたちは身動きするたびに
たくさんの怨嗟のこえをきいた

わたしたちは愛することを束縛であつてはならないとおもつた
わたしたちはおまへやほかの愛するものたちを
どのやうに信じなければならなかつたか
わからなかつた
すべて夢みることが損失でなかつた時代
わたしたちはおまへやほかの愛するものたちと風のやうに信号した
けれど最早わたしたちはとり戻すことができない
暗い酸鼻な時のなかで
おまへやほかの愛するものたちと
まるで物質のやうにかたく明らかに繋ぎあはねばならなかつた

おまへやほかの愛するものたちは
束縛の形態としてわたしたちの愛を感じた
そのやうに馴致されたすべてのなかに
わたしたちの感じてゐる束縛の根があつた

わたしたちは連鎖のなかで信なきもののうけるすべての不幸をうけいれた。

〈緑の季節の思想から〉

木の葉の触れあう音から何の意味も聴かれない
眠つたやうな空気につつまれてわたしが通り過ぎる路は
わたしの暗い思想をとりかへようと考へる暗い受取人をもつてゐない
いぜんとしてわたしは激しい夢をみてゐるのであり
わたしの夢の明暗のなかに
奇妙なことに
たれも近寄らうとはしない
わたしは無人の空しい復讐の燃える眼を
空に投げ　しだいに荒廃しながら
それをほんたうにわたし自身の季節として受容してゐるのである

あのかつと見ひらかれた火圏のしたで
緑の純粋の復讐的な弾力をもつて嚙みあつてゐるわたしの思想と
その暗い敵手よ
わたしは決して衰弱しない
たとへばわたしの生存の証しがわたしの死滅を必要としたとしても

わたしがわたしの敵手を追ひつめた緑の天門のはてに
文明の孤独とそのただひとつである形態を
予感することは容易であらう
わたしの死のあとにやつてくる未来は
ほんたうにわたしとわたしの敵手とを滅亡させねばならないし
わたしがいま緑の季節のなかで
視てゐる形態であつてはならない

なぜならわたしの激しい否定に加へて
わたしの反逆的な意想から流れくだる愛でさへもすべての風景といつしよに
眠つてしまふ時刻を避けられないのである

〈何を夏の夜に信じたか〉

星が視え　そのしたに都会があつた
ビルデイングの窓といふ窓のうち側は暗黒であり無意味であり
おまへの眼がそれを見、おまへのこころがそれを感じ
おまへはますますかたく
暗い陰のなかへ身を没しそうに思はれた

わたしは誰か
わたしは神を信じないまたじぶんの星を知らないことを恐怖しない者だ
おまへは誰か
おまへは孤児であり売女でありすべての人間を拒絶する者だ
わたしたちは夏の夜のビルデイングの陰で
かたい暗いひとつの塊りとして何を信じたか
果して信ずるといふこころはわたしたちの形態に則して存在したか

砲煙と乾いた風の記憶のなかに
わたしたちの欠損の原因があつたといふことを

わたしたちは思ひ出した
そうしてわたしがおまへの尖つた胸を抱きおまへの荒廃した眼を吸引した
とき　地球のうへのすべての荒廃がそこにあつた
おまへの眼がそれを映してゐることを信ずることなしに
わたしはおまへの荒廃を信じられなかつたらう

おまへの痴呆な仕種のなかに全鮮《コーレア》の戦火があり
おまへの狂暴な悲しみのなかに兵士たちの記憶があり
おまへはそれをわたしのこころに信じさせた

#〈夏の終りのうた〉

白い背をした陽のうへから帯のやうな幕がおりてきて
みなさん夏が逝きますと
冷たい冷たい声を感じたのである
と思へばわたしの長い疲労や世界じうの労咳もこれでひとくぎりと
言ふものだ
わたしは恐れ気もなく働き
そのあとでビルデイングの建ち並んだペイヴメントのうへを歩む
わたしの影が
もう注意されない程に薄れてゐるのは時刻のせいばかりではない
たしかにそれだ
わたしの炎熱の季節の退去のしるしだ

数へきれなくなつた人間の不運つづき
わづかに生きることを差しゆるされてゐるといふ程度に
わたしたちは喰べ記録に恐怖をかんじ
またそのうへで硝煙の匂ひを感じたりもする

そうしていま逝かうとするすべてに
制度《スイステム》や季節や未明のままの純度に
わたしは何を告げようとするか

〈おうそれらを逝かせようとするのは人間の罪悪といふものだ
黙つてそれを逝かせようとするのは人非人といふものだ
おまへのこころは悔悟を感じないのか〉
いやいやわたしは確かに悔悟や罪の意識を感じない
わたしは既に至上のものと告訣したし
わたしができる程にはすべての報いられない愛も為た
このうへでわたしはむしろ
すべての崩壊するものに追撃ちをかけないことに罪を感じてゐるのである
感じてゐるのである

〈苦しい夜の詩の一部から〉

わたしたちのために暗い夜空はわたしたちを包まねばならない
わたしたちのために都会のいつさいの夜景はそれを赦さねばならない
わたしたちが影を固くして抱き合つてゐるとき
戦火のあとの洗滌された風が
わたしたちの生存と世界ぢうの暗い運命のひとたちのために吹かねばならない

そうして未来へ向ふ時間は
呵責もなくにんげんの陰謀のかたはらを通りすぎ
わたしたちが記憶したり眼をみはつたりしてゐる暗い風景をおき去りにして
わたしたちを死のほうへ導かねばならない
わたしたちが残した愛や憎しみの形態が
神話のほうへ昇つてゆくことなしに
汚ない女たちの荒んだ眼や塵埃にまみれたビルデイングの扶壁や
ごつた返した群衆の間をくぐり
いつまでも保たれねばならない

わたしたちのねがつてゐたとほりに
わたしたちの荒廃した眼やわたしたちの束縛された暗い器官が感じたとほりに
わたしたちは何ものかにむかつてこの生存を解き放つために
それがそのやうでなければならないことのために
わたしたちが還りたいと思ふ処をこの地上にもたないとき
わたしたちのために暗い夜空はわたしたちを包まねばならない

〈死霊〉

すべての人間のかつこうは秋にはいる
その上で空の色は乾いて遠退いてゆく
風景も去つてゆくし風も野の色も解体してゆく

すべての人間は死霊にとりまかれて
時には烏のやうに〈あ、あ〉と絶叫したりする
想ひ出すことはみんな面をそむけたいようなことばかりであり
その惨憺とした記憶のなかの風景は
何処へも放つてやる場処はない
そのために記憶に累積されたにんげんの生存は
暗い　暗い

それは死霊にとりまかれてゐる
記憶は死ぬことはない
ただ記憶は生をやめたにんげんといつしよに死滅するだけである

秋の雲の形態にふさはしい
にんげんの帽子や靴を穿いて
ペイヴメントのうへを歩いてゆくすべてのにんげんは
貧しい　貧しい
そうして告知するものは前方にまつてゐる
にんげんの霊歌と祈禱とが
すべての脳髄の空隙を過ぎてゆく
変りゆくもののなかに歓喜が無くなつてから既に久しい
この路は荒廃し
そのうへに静寂が覆はれてゐる

われらが友とすべき生の証しがこの風景のうへに繁殖しなくなつてから
それは既に久しい
久しい、

〈都会での擬抒情歌〉

近づく　それは近づく
秋が切実にやつてきてゐる鋪路《ペイヴメント》のうへでわたしの眼はありと
あらゆる異質の風景をすべて視ようとする
けれどわたしの眼は尚更想像のなかの乾いた哀切を視てしまふ
わたしたちにそれは近づく
何処かで歯車をまはしてゐる意志があるかのやうにそれは近づく
暗い暗い乾いた時刻が近づく
にんげんはたやすくそれを必然と見あやまることが出来る
けれどそれは哀切のために覆はれてゐる過誤のことだ
それはまがふかたもなく累積された意志のために
つぎにわたしたちのほうへやつて来ようとする季節だ

わたしたちは視知らぬ空のしたで
無意味なことをたくさんやつてきた
わたしたちの鋪路《ペイヴメント》はすでに褐色の腐蝕の葉で敷かれ
石材の蔭にはつめたい空気がたまつてゐる

盲目の意志がすでに醒めきつてゐる
まるでにんげんが任意に施設した鋪路《ペイヴメント》のうへを
わたしたちは苦りきつた覚醒で
歩行するのである
歩行するのである

わたしたちの愛するビルディングの裏路を誰も知らない
映画館があり喫茶室がありしかもそれはわたしたちに許されてゐる
わたしたちはわたしたちのほうへ近づくものを映写し
わたしたちのほうへ近づくものを惹き入れて会話する
そのときわたしたちの哀切は乾いて
すべての想像をかたむけるのである
死はいつも前方からくる
それを知つてゐるものは罰せられる
それを知らないものは罰せられない
わたしたちを信じないものはわたしたちのうへに高架を
構築し大河のやうに流れてゆくであらう
わたしたちがにんげんを憎しむのはそこにおいてである

〈憩ひのない夜の間に記したうた〉

暗い紋章のある蝶が乾いた夜空を翔んでゐることはないか
おまへが恐怖するところにおまへの幻影は実に生み出され
それに形態を与へたくないおまへの孤独が
乾いた夜空に蝶となつて翔んでゐることはないか

それは蝶であるか
粉体を躰につけて嗜虐をふりまきながら翔ぶ蝶であるか
粉体を眼に入れると眼がつぶれるといふ蝶であるか
ああすでに蝶のとぶ季節はをはつた
おまへの恐怖はすでに形態を変へて蘇生した
おまへの視てゐるのはあれだ
あの巨大な悪因の累積がいま崩れようとするときの相だ
おまへを加虐するために
膨大な鉄量と火薬と系《スイステム》を用意してゐる
おまへは精神にそぐはない信仰をこしらへたり
流亡のなかに哀切を入れたりする被虐性となつてはならない

おまへには行くべき場処がない
世界は原則的には閉された城砦をもち関税と許可証人を必要としてゐる
だから地球上のすべての野草や樹木が変色する季節に
たれも歩行することをやめて睡眠する夜に
独り歩まなければならない
にんげんの感性が夜になると変換してしまうことを知つてゐるおまへは
実にすべてのにんげんから脱出してこの固有な時刻を歩まなければならない
おう　到るところに蜂起するかに思はれる革命も
いまは眠つてゐるであらう
おまへはじぶんの意志と
じぶんでないものの意志とによつて
決して晨をもたない

〈残酷詩篇〉

鳥獣は狂気になつて遠ざかる
都会のなか野のなかにその影はなくなつてゐる
狂気しないで生きてゐるのはにんげんだ
にんげんだけだ
風景は絶望に不自由な暈をかぶり
暈ははてしなく暗い空のいろを映してゐる

にんげんのこころは跛《ちんば》になる
にんげんのこころは憎しみを求めて千里を走らうとする
砲烟と乾いた風
連鎖反応が強ひる時間の逆行
にんげんは信じられないことのために死の谷間を進軍する
にんげんとにんげんとの距離に真空を充たした死の谷間を
ばらばらになつた孤独な星のひとつひとつとして
歩んでゆく
わたしもおまへも

それが赦されたたつたひとつの路であると感じなければならないかのやうに
それは涯のない別離の時代
狂気よりもはげしい惜別のこころを感じながらわたしはおまへの愛に
おまへはわたしの愛に
すべてのにんげんはすべてのにんげんの愛に訣れなければならない

それを強ひるのは何か
それを強ひるのは何か
それを強ひるものはみんな判つてゐるけれど
それが累積したとき巨大でどうにもならない暗い運命になる
どこかに微少な要因を集積して絶望と化する地点がある
それは視えるか
それは視えるか
ああそれは確かに視える
牧師めの祝禱のなかに　将軍の声明《ステーツメント》のなかに　支配者の横着な嗤ひのなかに
また彼等のうしろに繋がれてゐる家族の愉悦や
祝福のために蝟集する縁因のなかに

わたしの星は孤立する
おまへの星も孤立する
この距離が無限であり暗い真空であることのために

わたしたちは不幸であるのか
わたしたちは死の谷間を歩まねばならないのであるか

〈自由な夜のために書かれた詩の一部〉

知られない夜のしたで揺れてゐる乾いた風とランプよ
わたしはおまへの影をおまへはわたしの影を抱くようにして
暗い世界の戦火からわたしたちの魂と肉体とを守らうとする
わたしたちの孤独はいまも昔のままの貌をして
だがまつたく異つた出来事のまへに身を晒しきつて
しばらくは自分を
じぶんとは感じることのできない状態を続けるだらう

誰が何処から暗い約束をもつてきたか
兵士たちは何日のまに死を誓ふことに慣されたか
なにゆえに遠い異郷の稗畑や丘陵のあひだに城砦を築き
野営せねばならないか
誰が神のまへに自由なじぶんの魂を告げることができたか
わたしはおまへの影をおまへはわたしの影を抱くようにして
暗い世界の戦火からわたしたちの魂と肉体とを守らうとする

そうしてわたしたちの集ひのランプのしたで
若しもたつたひとつの希望が語られるとしたら
それが死の方へかけられてあつてはならない
わたしたちの越えてゆく無惨な路のあとに
おまへがわたしのうへに　わたしがおまへのうへに死に絶えてあつてはならぬ

おう正しい理由に殉ずるために
誰がにんげんを愛することをやめて死の谷間を進軍したか
そうして誰が地図をまへにして戦場を仮設したか
そんな神が砲火の前に塞がつて自らを十字架に託したか
どんな使徒が殺戮に理由をつけることを拒否したか

乾いた風のうしろに
わたしたちの知られない夜がきてゐる
わたしたちの意志のうへに重たい夜がおりてくる
わたしたちの意志のうへに
わたしたちの眠りがきてゐる

〈自由な夜のために歌はれた詩の一部〉

疾走する影を追ひかけるように
時が狂暴な戦火を追ひかける
そうしておまへは知つてゐるか
時は決してつぎつぎに累積される鉄量やにんげんの屍の始末を
しきれるものではないことを
誰がこの荒廃した風景の配置を指示したか
どんな愛がそれを阻止しえたか

わたしたちのために遥かに遠い自由な夜よ
いつまでもわたしたちは望んでゐたのである
不思議な星のきらめく都会の空のしたで
ああ　誰それはあんなに愚かな寂しい貌をしながらやつぱり生きてゐる
それでわたしたちと出遇つたときに
おまへもやつぱり生きてゐたのかと言ふにちがひない
不思議な星のきらめく都会の空のしたで
わたしたちは望んでゐたのである

わたしたちの忘却のなかにわづかな逃亡さへも含まれてゐないそんな夜の出遇ひを
おう　砲火のなかに智謀の匂ひのするわたしたちの時よ
将軍と兵士たちの幸せの落差のなかにきた夜よ
死と生がやがてすべてを証すために
かれらのうへにやつてくる夜よ
わたしたちはすべてをかけて願はない
わたしたちの愛がと絶え
わたしたちの夜が砲煙と乾いた風に占められてしまふ時を、

〈星をあつめる歌〉

こころからおまへを愛さないのをいけないことだと思つて
夜になると都会のペイヴメントのうへを風に襲はれて歩み
おまへのところへ
おまへの荒廃したこころのなかへ
わたしは出かけた

おまへのさし出す酒は刺すように苦く
それをのむためにわたしはわたしを喪ふことが必要であつた
おまへのさし出す酒は品質が悪く
おまへの生活の循環するさまのやうに
わたしを苦しくさせた

わたしのふところから
くちやくちやになつた紙幣がおまへに手わたされ
そのあとで
わたしは覚えてゐる

星をあつめるうたをおまへのために唱つてあげようと言つたことを
わたしが築きあげる架空な想像のなかに
おまへを惹き入れようとして
それが果して可能であつたかどうかを知らない

わたしはほんたうに
おまへの貧困とわたしの貧困とが汚れた板前を隔てて
ビルデイングのネオンサインに飾られた小屋のなかで出遇ふのを信じたのである

〈対置風に書かれた星のうた〉

わたしの星は荒廃して
何処に夜空のなかの住処をもつてゐたか
世界は果して承認したか
星座のなかにわたしの星が物質として存在してゐるといふことを

物質となつたわたしの星は
思ふ存分に永遠や幻想の形をしりぞけて
ただ失墜しない約束のためにその座を換へることをしない

世界中が暗くなつたとき
こころみにわたしの荒廃は何処をあるいてゐたか
ただひとりの孤独な貌の男として
酒場の曲り角やビルデイングのしたのペイヴメントのうへを
余りに多く感じなくなつた器官を疑はしく思ひながら
はたして歩いてゐたか
わたしの星は反射によつてそれを視てゐた

そうしてひとりの女を寄来した
わたしたちは暗いひとつの塊りとして
何故か地の底に沈められるような余儀ない罪を感じたのである

わたしは約束したのである
その愛すべき女の荒廃した眼をのぞきながら
おまへを幸せにするために
わたしの星をおまへにわけあたへようと
女は独りで首を振つた
わたしにはそれが拒絶のやうにうけ取れた

わたしたちの傍に無限のたくさんの霊魂が堕ちて累積した
わたしたちはわたしたちの星がひとつになつて固定するのを感じた

〈辺疆の地からの歌〉

わたしは何を荒廃する時からまもらなければならないか
知らなかつた
わたしは愛すべき同胞とそのこころを
信ずることができなかつた
わたしは永遠に築かれない文明のなかに
わたしたちの風土を見つけ出した
わたしが其処でわたしの諦念や嫌悪を産み出した
そうして次の世代が
それを糧として繁殖した

風と砲煙の匂ひのする時よ
わたしは拾ひあつめて組立てるべき文明や
守らねばならない愛すべき同胞をもたなかつた
わたしを無限に追つめ虐げるもののなかに彼らが一緒にゐたからだ
わたしはなほ
ひとりの荒廃した女や乞食たちを愛した

彼等がわたしの傍に寄つてくるとき
彼等のうへの星や風や日向葵のやうな匂ひがあつまつてきて
わたしと彼等との無意味な会話を明るくした
わたしは彼等の荒廃したこころを信じた

砲煙と乾いた風の季節
わたしは遠い文明の累積する風土や其処にあらはれた危機を
感じた
わたしはわたしや仲間たちの反逆の意想が
其処に理解されることを幻想した
わたしはなほも超えてゆくべきいくつかの季節を思つた。

〈都会の触手〉

わたしは薄くなつた暮色のはてに
わたしが触れねばならない孤独な都会の手を感じた
わたしが街路をあゆむでゆくとき
ビルデイングも橋も運河をとほる塵芥もそれを棄ててゐる白いエプロンの
女の手も静止してゐるように思はれた
わたしのこころの裏がはから
何ものかが蔭をつくるために風景のなかへ流れていつた

何が孤独な都会で蔭をつくつたか
わたしのこころが何を素材として生きてゐたか
そこで女たちは何を視たか
神はいつわたしを見棄てたか
荒廃したわたしの眼が
何処にそれを視たか
その都会の孤独を視たか

わたしはマルサスのＰのなかでしだいに荒廃した
わたしはみんなのこころに自由を吹き入れてやらうと約束した
風のやうにわたしの言葉を独りの女が信じきつた
わたしたちはクレインのやうに巨きな都会の触手にまもられて抱き合つた

〈わたしたちの望みを描いた詩の一部〉

わたしたちは異つた処にゐる
雲の形や建物の蔭にある小さなカフエから太陽と女たちが抜け出してきて
わたしたちが砲火や死者の声もきかないやうに
まことはすべての風景はさりげないものに過ぎないと説得する
わたしたちは運よくその説得を信じて
孤独な貌をしてみせる

わたしたちは願はなかつたらうか
偉大さと卑小さとの中間にある小さな住所やそれにふさはしい調度品を
まるでその場処には悲しみとか瞋りとかはなかつたし
まづ蹉てつといふことは有り得ないのである

〈暗い季節〉

むかしそれはひとつの衣裳として
あまりにとほくその精神を神や自由に従はせまたは
病原不明の思想の臥像として
わたしたちの愛するひとたちがもつてゐたひとつの季節であつたけれど
いまわたしたちは
わたしたちの何処にもゐなくなつた恋びとや
わたしたちの従ふべきひとつの道をえられないからといつて
それをそのやうな季節として感ずるわけにはいかない

わたしたちは知つてゐる
何がわたしたちに与へられ
それを享けとらないためにわたしたちがどのやうにじぶんを暗くせねば
ならないかを
またわたしたちに何が与へられず
それを求めるためにどのやうにたくさんの城壁を感じなければならないかを

わたしたちの太陽はいつも
都会のカフエの肩のところや場末の工場地帯の疲労した塀の陰から
のぼつてきて
わたしたちのうへを照射するとき
ひとつの量と時間による質の変化をもつてゐるけれど
わたしたちの季節にひとつの花もひらかせないのである

わたしたちはポンポンダリヤの花の形態が
地球のうへにきてゐるひとつの季節を
わたしたちに愛させるものとするであらうことを
不毛な時間のなかでわづかに空想するだけである

〈火圏〉

わたしたちは風景の呼び名を忘れてゐた
わたしたちは歴史と地史とを忘れてゐた
わたしたちが何故存在せねばならないかを知らなかつた
わたしたちは人間のこころを信じられなかつた
わたしたちはビルディングや街路や塵埃のたぐいといつしよに
火圏のしたに佇つてゐた

わたしたちのこころは
たくさんの記憶と風景の具象性を奪還するために
この変哲もない酷暑のなかで苦しみとほしてゐた
真昼間の休憩と自由に笑へる時間とが
何故わたしたちを訪れないか判らなかつた

わたしたちは火圏のしたに緯経の領域をひいた
砲火と乾いた雨の吹く地点を区別した
貧困と収奪の行はれてゐる地帯を区別した

わたしたちの絶望が自由に還りつく場処を決定しようとした
わたしたちは果して一切を諦めねばならないか
わたしたちの放棄した後にわたしたちの救済は何処からくるか

おうすべての結果を知らうとしないやうに
汗や埃のしみついた瞼をしづかにとぢ
じぶんの荒廃した眼をかくすために
わたしたちは火圏のしたに佇つてゐた

わたしたちのうへをわたしたちが予感したとほりの季節が過ぎらうとしてゐた、

〈自由な夜のために書かれた詩の一部〉

あきらかにすべては犯意にみちてゐる
風景や乾いた風のなかにそれを視るのは容易なことだ
緑の木立と鋪装路のうへを高く隔つてとほる秋めいた風のなかを
わたしはすべてを檻禁に手渡したものの沈黙で
ひとびとと同じように
たまに遇つた少女と連れ立つて歩むのである

わたしの多く語りたいことは
いまは赦されてはゐないことに属してゐる
わたしが少女に告げたいことは
恐らくは愛といふ以前に覚えた言葉で尽してよいのかも知れない
けれどわたしはじぶんを追つめた果てに
わたしの自由でない夜とわたしの愛の仕種が同じ時に現はれることを
願はない
砲煙と戦慄がわたしたちのふたつない夜に出遇ふことを願はない

おうだからこのやうな暗い想像このやうな渋滞を
理解せられないことに狃れなければならない
世界じゆうの犯意が
わたしと少女のために眠つてしまふことは
わたしの沈黙のなかでの固い約束ごとである
約束ごとである

〈一九五一年夏に記したうた〉

過ぎてゆく季節や風景のなかにわたしがとどめたものは何か
わたしはとどめた
砲煙と乾いた風　荒廃した全鮮《コーレア》の流民　憎悪に凝りかたまつた
北鮮扶余族の兵士のぬか袋のやうなズボン　病んだわたしの愛する少女
わたしはそれを解釈する
わたしの欲してゐるものと欲してゐないものとの間にわたしの記憶が縛がれ
わたしの思想は暗くなつて
夏がきたこと
なほわたしは神やそれに類する絶対者が
いつもわたしに絶望をもたらしてくることについて
わたしが如何にしてそれらの運命的な支配を拒否し
わたしの愛するひとりの少女を
より速やかに病から癒やすことが出来るかを考へる

流民は飢えるとも
鉄量と砲烟をつぎこむことによつて過剰生産恐慌を調節し

なほ拡大される生産と再生産とを支配するものは飢えることはあるまい
兵士たちは鉄の熊手で死屍を埋められるとも
かれらを埋めた山河はあるまい
すべての偉大な死についての伝説が喪はれ　偉大な記憶が過ぎさつた時代に
偉大の名を冠せられ　無数の奴隷的なにんげんの壁にかこまれた
支配者が忌否されることはあるまい
かかる悶絶すべき時代にあつて夏がきてゐる

わたしの愛する少女は病んでゐるし
わたしの愛はとどいてゐない

また全鮮《コーレア》の流民たちはどうするだらう
かれらの咽喉や腸が乾いてゐるやうに
かれらの星たちもまたかれらの頭上で振光するとき乾いてゐる

〈わたしたちの星に寄せる歌〉

わたしたちの星には決定された位置がない
そうして砲煙や叫喚を運んでくる夜の時の風がなほわたしたちの星に輝くこと
を強ひる
わたしたちが暗い世界と交換してしまつたあとに
なほ干乾びた肉体と思想とを奪ひにやつてくる

わたしたちは孤立した場処に拠つて言はうとする
わたしたちに還るべき住処がなく
それをわたしたちに与へるものにすべてを奪はせるだらうと
たれがそれをわたしたちに与へるために
テオロギアの仮面や残忍の衣裳を脱いで
裸のままやつてくるか
だれがわたしたちを救済するために
正しくにんげんの形態をしてやつてくるか

わたしたちの星が

星座を構成しないために堕ちてしまうと
わたしたちの都会での愛や憎しみもなくなつてしまひ
まるで影になつたビルデイングのやうに
非情の貌をして夜の空のしたにたつてゐる

わたしたちは
狂暴で残忍な曹長のやうな思想や
太つちよで非情な元帥のやうな支配で
わたしたちの時代を物語らないために
還るべき住処をいまももつてゐない、

〈檻の季節〉

まるで盲めつぽうに過ぎてゆくのはそれはわたしの
貴重な幾年かの影だ
いまにも硝煙の匂ひがするし
いまにもわたしの愛するものは死ぬようにも思はれる
あの彼女のベッドのかたはらで
わたしが　わたしはあなたを愛します　と言ふような
そんな割にあつたこころをもつまへに
彼女は死んでしまふかも知れない

これは焦慮のひとつの寂しい季節だ
檻のなかの獣のやうに
外にむかつて咆え立てるとき
いまにも硝煙の匂ひはするし
わたしは果てしなく試みようとする自分の限界を鉄の格子で
はばまれてゐる
それをわたしに与へられた貴重な試れんと言ふなかれ

この貴重さは空しい
まるで飾画のやうに空しい

わたしが願つてゐるのは異つた場処の異つた空のしたで
わたしの連鎖が途切れてゐることだ
わたしの意志がじぶんに語りかけるとき
わたしが独りで歩みはじめる
そんな広場のなかの自由な季節だ

おう　ほんたうに信じなければすべてのことはそのやうではない
わたしは歌を無償な空のしたで吐き出したい。

〈夜の広場〉

暗い広場の花壇のまはりで
眠りこけてゐるたくさんの浮浪者たち
かれらの方向のないベッドのうへでは
夏の夜の星が賑やかにまたたいてゐる

星のほうから暗い触手が降りてきてかれらのひとりひとりを把みあげて
また見棄てるようにほうり出す
そのたびにかれらは寝がへりをうつ
まるで波紋のやうに
かれらの寝がへりは伝播してゆく

其処で昼ま　神のことばを説いた布教師たち
また霊　歌《スピリチャル》のやうな歌謡をうたつて銭をあつめてゐた盲の兵士たち
かれらは何処かへ還つてしまつてゐる
わたしは遺棄と救済とが
いつも親族であつたにんげんの歴史のことを考へる

神が砲火のまへに立塞がらないで
砲火に倒れた兵士たちのあとから祝福してあるく
荒唐無稽なかつこうを
思ひ出す
ありがたい慈善が
フイナンツ・カピタールと手を繋いで舞踏する夜のことを想ひ出す、

だがこの暗い広場では
夏の空の星ばかりが風のふくたびにちかちかと踊り
浮浪者たちを眠らせてゐる

〈屈折の歌〉

明るすぎたり時には暗すぎたりするわたしたちの時代
そうして程よいといふことは赦されてはゐない
わたしたちのこころが快適さを願はなくなつたと同じように
すべての安価な風景も戦火も
存在するものは過剰と極度の緊張とわづかばかりの食事の時間から
できてゐる
わたしたちのこころは通り過ぎるたびに
何か残渣のやうな陰を落してゆくのである
わたしたちの時代のなかに
陰を落してゆくのである

誰がそれに気付かなかつたか
その不幸といふものに気付かなかつたか
不幸といふものをじぶんのほうへ引寄せることで
誰が自分の屈折を嚙むで生きなかつたか

寓話のやうにすべての機構《メカニズム》ははつきりしてゐるので
わたしたちは時としてわたしたちの嘘つぱちの時代に対して微笑をむける
それからむきになつてゐる偽善者と
公然たる詐欺師たちに瞋りを投げつける

おう　わたしたちは
無名の殺戮に関与するために進軍する兵士たちのやうに
ただ通りのよい理由で死を撰択したりしない
おう　そのまへに無数の侮蔑と屈辱がある
わたしたちが想ひ出といまとをこころにして
明るいペイヴメントを歩みすぎるとき
無数の屈折があつてわたしたちの貌を暗くするのである。

〈自由な夜のために書かれた詩の一部〉

夕暮
愚かなこころは暗い陰を招きよせる
世界中に起つてゐる出来ごとをあまり巧く解けないで
何処かに深く感じられる怖れを
こころのなかのたくさんの知られぬ陰に招きよせる
そうしてそれがわたしの為しうるすべてではないかと
辛く考へたりするのである

風よ　夕ぐれの都会でいくつの橋を越えてきたか
彼ら路上のひとのうちに
裏がへしになつた悲惨を視ながら
語りかけることのすべて無益なことを知りつくしたとすると
混乱したこころはその風を感ずることさへできない

わたしの想像のなかでは
明らかにわたしの還つてゆく夜や屋根のしたはない

雲や風、ビルデイングの影の移動が
わたしの歩みを急がせはするけれど
わたしの信じてゐる限りでは
自由な夜のランプのしたは無いのである
憎しみを交へずに愛する場処やひとびとは無いのである

すべてのもののうちで解き放たれてゐるのは
気候《ウエザー》だ　気候《ウエザー》ばかりだ
コーレアの兵士たちの進軍もいまは暗い死の方へ向つてゐる

〈地球が区劃される〉

地球が区劃される
十年以前に近所の少女たちと花を摘んだり草編みの日時計を
造つたりしたわたしの野原が禁止された路のむかうになつてゐる
わたしはもう海への路を
星に近くなるその路をまつ直ぐに歩めなくなつてゐる
砲弾や食糧を運ぶために設けられた針金の条網がわたしのこころを禁止する
いたるところで地球が区劃される
わたしの想像は裸のままでは遠くまでゆけなくなる
わたしはパスポートを手に入れるために
道化師の悲しい性癖を覚えなければならない

おう悲しく貧しい兵士たちの手でつくられた
巨大な城壁よ
また血や狂暴によつて埋められた地球の廃墟よ
わたしの好きな季節だけが
花々をまき散らして自由にやつてくるけれど

わたしはもう以前のやうにその花々を摘めない
わたしのこころも
またわたしの愛した少女たちもいまは疲労してしまつてゐる
彼女たちのうち誰もわたしを訪れないように
時が彼女たちに子を産ませ飢えそうな屋根のしたに閉ぢこめてしまつた
そうして地球を区劃しようとする
自称の設計者たちが
わたしのこころから自由な無邪気な未来を奪ひとつた

まだ何ごとか行はれるだらう
わたしや彼女たちを暗くさせ
終にはわたしたちのこころを奪へないままで肉体を収奪するようなことが
わたしたちは残された土地を守るために
わたしたちのこころを集める
地球のうへの何処かで
区劃されない場処が　絶対にわたしたちを生きさせる

〈幻影から生れた女〉

草の葉に雷鳴の匂ひがする
乾いた　乾いた地球のうへの野を駈けまはるのは幻影から
生れた女である
彼女は文明の孤独と戦火との暗い交媾が
彼女のために行はれ
それから虐げられたひとびとによつて生み出されたじぶんを知つてゐる

彼女は淫売女となつて生きる
眼が皮膚とおなじように荒廃してくる
たれが明日になつて彼女と出遇ふのかわからない
草の葉は枯れ
乾いた風が巨きな都会のビルデングの灯のところで吹く
つぎつぎに剝ぎとられてゆく彼女の領域のなかで
暗い想像がいつも成立つてゐる

資本が投下され

あたらしい収奪と設計がはじまるとき
彼女はしだいに追つめられ衰へてゆくのを感じる
それでいいかどうか
ある時　貧しい兵士たちによつて
彼女の肖像が城壁のうへに泥土でもつて記録される

何が彼女といつしよに衰退してゆき
彼女の衰退によつて蘇生するものであるか

〈自由な夜のために書かれた詩の一部〉

おまへのほうへやつてくる者は
手首や貌に傷を負つてゐる者たちだ
それでも脚をもがれあるひは死者となつたものたちの間から
ただ歩めるといふ理由だけで逃れてきた
砲煙や乾いた風と炎のあひだから
自由なまつたく誰からも与へられたものではない自由な
夜を想像しながら

彼らは決しておまへが誰であるかを知つてゐないし
また知らうとは考へてゐない
猶予のならない愛を求めてゐるだけだ

陽《ひ》が都会の遠くへ歩みはじめるとき
夜はじぶん自身の足で近づいてくる
彼らは疲労や寝不足のために足音さえも立てずに
夜といつしよにやつてくる

彼らが想像したランプのしたでは寂かな沈黙はあつたけれど
決して自由な集ひはない
時々語られるのは死の時刻についての予想ばかりだ
そうして彼ら自身もまた死の使者であるように迎へられる

おう　疑惑といつしよに揺れるにんげんの魂のランプよ
その明りに照されて暗い世界の想像があらはれる
おまへの貌が怖れを強ひられてゐるように
みんなの貌もまた怖れを強ひられてゐる
いくつもの拒否されねばならない理由といつしよに
傷ついておまへのほうへやつてくる者たちに
想像に反した夜がやつてくる。

〈秋に似たうた〉

すべての鋪装路《ペイヴメント》はひとびとの想ひに似てゐる
またそれは秋の冷たさに似てゐる
わたしが未来について感じてゐる暗い洞穴の形態に似てゐる

ビルデイングのうへから視えない垂線が降りてゐて
乾いた風が扶壁を伝はつて吹きおろす
そうしてひとびとの間にまぎれ込むでゆく
風評を運ぶものはそれだ
くらい　くらい　戦火を報告するものはそれだ
畏れなければなるまい
この秋に似たわたしのこころの空洞や風の冷気の移動といふものを
おう　へいわなこころやへいわな夕ぐれは
決してやつてこない
地図のうへでもわたしのこころの来歴から考へても
それは決してやつてこない

すべては相談されるべきだ
ひとびとのこころに相談されるべきだ
横着ものの支配に委ねられてゐるのであるならば
あらゆる生存は空しくなる
空しくなる

わたしはいつも鋪装路《ペイヴメント》のうへの路上のものである
それは秋の冷たさに似てゐる
それは未来について感じてゐる暗い空洞に似てゐる

〈九月のはじめの詩篇〉

われらは虫に　虫の羽のきしる音に　はじめて夜が深いのを
知る
はじめてわれらの生きてゐる場処が　美しくもなく辛くもなく
騒音に充たされてゐたのを知る
われらは立とまることの口惜しくもなくまた安らかでもなく
焦慮のうちにあることを知る

われらは遇ふべきひとに遇はないことのひさしく
またついにそのやうに了るべきことを感じる
そうして何が
つぎにわれらのこころを占めるためにやつてくるか

〈おう　こころにもない言葉をつげるな
きみたちはもう駄目なんだ
世界にどんな美しい澄んだ季節がやつてくるとしても
きみたちの生きてゐる場処はもう駄目なんだ〉

ほんたうにそうか
われらはもうほんたうに駄目なのか
われらの荒廃した眼はほんたうに寂寥と瞋りとを感じなくなつてしまつたのか
われらの九月の夜のなかに
真の暗さと燃えたつ炎はなくなつて
ただそれは冷気と温気とのちぐはぐな混合にすぎなくなつたのか

われらは知らない
乾いた風がきてビルデイングの灯を揺りペイヴメントを過ぎ
われらに還るべきこころを誘発する
そうしてわれらははじめて
破局の季節へ 歩み出す

〈自由な夜のために書かれた詩の一部〉

――ランプのしたの三人の会話――

すべての過去は　もう過ぎ去つたといふことだけで
傷手の痕をのこしてゐる
あまりにたくさんの向ひ風や岐路のたびに考へ込んだことのために
疲労や荒廃ばかりになつてしまつたわたしたちの
こころや眼や皮膚が
寂かなランプのしたでいちように嫌悪の想ひ出に沈む夜

硝烟のうたや地鳴のうたや
兵士たちの貧しい露営の眠り
厚顔の将軍　横着者の政治家
支配することのすべての蔭に肉で繋がれた家族たちのやみ難い
得意が秘められてゐる哀れな時代

ひとつひとつわたしたちの嫌悪のなかに浮彫られてくる風景を
もつと真実に近く考へようとしても
いつさいはもう無駄なことである

わたしたちの善意の夢想は地に堕ちて
たくさんの孤独や絶望にうらづけられた脳髄を遺伝するだらう

決してきそうもない自由な夜よ
わたしたちはわたしたちのために生きることができないで
空洞にうらうちされた無惨な幾らかのことをしたけれど
わたしたちは決して思ひ出されてはならない
その夜
わたしたちのやうな三人が　寂かに
倫理的な怡しさをもたねばならない

〈終末を感じる季節〉

赦されたものはみんな次の時代へゆく
血にまみれた花々が咲いてゐる季節のむかうがはへ
それを踏みつけながらゆく
立止まることを忘れたものが幸せであるような　暗い世界が
城砦を築いてゐる
影をみるように自分を視てゐるものが悲哀をこめて佇んでゐる
おう風景はやはりすべて過去から構成されてゐる

自我が限りなく尊大であるとき
超越的な信仰や理想に従属することができない
だから誰が誰を赦すとしてもすべては無意味なことだ
たとへ急ぎ足で崩壊する季節をとほり過ぎたとしても
その救済や自由は寂しさしかもつてこない
たとへ皮膚が異つた風に馴れたとしても
うちがはにある精神が孤独な貌をやめようとしない

おうだから　わたしはひとつの種族であるか
頽廃もあり反逆の意想もあるといふのはひとつの種族の終末であるか
暗い城砦のまへで進軍する兵士たちの足音を聴いてゐる
馴致されない孤独がわたしのなかにある

〈遺志のない遺言歌の一節〉

わたしが巨きな空に遺したのは
昨日の雲のかたちについての記憶　また数へきれない死者の
遺志のない遺言
わたしが感じなければそれは何処にもない　それは何処にもない
わたしが感じなければ
あらゆる杞憂は暗い世界から消える

それなのにわたしは感じる
正確な歯車のまはるようなわたしの成行きにまかせて
意志のない世界の進行が
わたしを重たい鎖でつないでゆく
そうしてわたしより先に死者となつたものたちの遺志のない遺言が
自発的に記憶のなかにあらはれる
それは季節の自由な形象といつしよにあらはれる

ああ　にんげんはだから

だからあらゆることについて信じられることは
フエイタルなものとそうでないものとの間にある意外な親愛といふことだけだ
わたしは巨きな秋の空のあとに
不遇な戦争によつて死んだひとびとのうたを聴くように思ふ
風にも冷たい光束にも言葉は感じられないけれど
わたしの記憶がそれを繋いでくるように思ふ

〈残酷詩篇〉

おう風が冷えるとき
風がすべてを終らせる
風が寂しさと無惨とを終らせる

わたしがそれを知つてゐる
何が残されてゐたかを知つてゐる

靴音と銃声
旗のなかにある規準のうへに秋がきてゐる
またそれは憎悪によつて区別されてゐる
またすべての進軍する兵士たちは貧しい

風が冷えるとき屍が積る
火によつて地球が荒廃する
わたしがそれを知つてゐる
わたしの思想のおよぶかぎりのところに暗い敵手たちの城砦がある

わたしの沈黙が累積して
かたいかたい鋪路をつくりながら
破局へ
破局のなかの悲しみに充たされた勝利のほうへあゆむ

おう風が冷えるとき
風がすべてを終らせる
風が救済と祈りとを終らせる

そのうへで誰が　誰のために生きるのか
わたしは冬の　冬はわたしの　墓穴として　或る暗い夜に
決して明日をもたないだらう

〈無心の歌〉

わたしは視た
こわれかけた風景のなかにある卑小なわたしたちの生存
こわれかけた思考のなかにのこるわづかな危惧
わたしはそれから視た
街路樹の葉がわづかに落ちることを
わたしは視た
ビルデイング、商品、広告塔
また橋の上の群集
わたしは歩いてゐた
わたしの視たすべてのものに本質的に無関係なこころを抱いて

わたしのこころは指してゐた
たくさんの語られてゐる不幸のなかにわたしの不幸がはいつてゐないこと
を悲しみながら
世界のどこかに行はれてゐる類のない暗い行為を
そこでわたしは一片の寄与も許されずに

生きてゐるのを感じた

わたしは喪つた
すべての具象的なものを　日附や名称や記録を感ずる
わたしのこころを
わたしは病者であつた　病者であつた
わたしは絶望を言ひあらはすための言葉を喪つてゐた

〈秋の忍辱のうた〉

この眼には視えないものが　たくさんあつて
苦しめる　苦しめる
しだいに忍辱の姿勢に狃れてわたしやひとびとの恥を想ひ起こす
秋が地球のうへの全地域を風になつて吹き
しかも　託生すべきひとびとは遠くにゐる

きつと死ぬかも知れない
わたしたちは無名の砲火に晒されて死ぬかも知れない
すべての文明と訣れを告げるまへに
その文明のいはれによつて斃れるかも知れない

地球のうへの秋よ
それはどうして暗い火となつてまた乾いた風となつてきたか
それはどうして貧しい種族と貧しい兵士たちを死に堕して
また飢餓となつてきたか

厚顔にもわたしたちの暗い巨大な敵手に
安息の時を赦し
また愛慾の夜を赦し
収奪を累積せしめ
つひに元のままの救済のない季節としてきたか

〈異邦人にうりわたされた時のうた〉

風が乾きはじめて空が遠くなつた
暗い眼がわたしとわたしの仲間たちのこころにそれを映しはじめた
わたしたちは語りあつた
わたしたちの生存がいつの間にか深い時代の底のほうで
うりわたされてゐることを
ロシヤ童話のなかの母と男の子のやうに
じぶんの影絵を演じながら暗い雪のしたに没埋してしまつたことを
わたしたちは怖れた
異邦人といふことばのなかにある限りない奈落と
そのときわたしたちのうへにあつた暗い空の色を
乾いた風が吹いてきて
死臭や兵士たちの残像がわたしたちを襲つた
そうして遠くなつた空が
いつまでも続く季節をつぎつぎにまねき寄せるのだと考へた
わたしたちは語りあつた

有価証券市場のこと　マルサスのＰのこと
頭部だけ巨大に膨脹したフイナンツ・カピタリズムの異形の形態のこと
そこではわたしたちのうたごえが死に絶えるため
わたしたちの予感が恐ろしく鋭敏になつた
そうしてわたしたちは沈黙した
おうやがてその異形の形態が血を噴き出すと
且て予言者の十字架にかけられた後のやうに
たくさんの僧形の牧師や将軍たちが産み出され
砲煙や乾いた風のしたを
暗い祝福の祈禱で充たしながら繁殖するだらうと思はれた
わたしたちはまた異邦人といふことばのなかにある限りない奈落と
そのときわたしたちのうへにあつた暗い空の色を怖れた

〈乾いた季節〉

行方しれずになつたわたしたちの未来図が
乾いた小麦粉になつて乾いた風のなかに飛散してゆく
粉体になつた風がビルデイングの壁や飾画のうへに色を塗る
ああ　わたしたちは狂気しては駄目なんだ
それは結局だめなんだ

明るく無意味な少女の言葉を忠実に聴き入るような
忍耐や小さな安息も必要なんだ
それは結局そうなんだ
わたしたちの乾いた季節よ
モダンで無邪気でばかに暗い季節よ
わたしたちはもつと異つた感じかたでわたしたちの未来を繋いでゐるのを
知つてゐる
わたしたちの言葉がもう語れなくなり
まつたく孤独なのを知つてゐる
自由と砲煙とが

どこか異邦人の群れあつまつた場処で取引されたのを知つてゐる
株屋が将軍にかはり
将軍がステーツマンにかはり
牧師が挑発者にかはる

乾いた季節よ
乾いた　乾いた　乾いた季節よ
わたしは何を喪つたか
それを記憶してゐるのは愚かなことだ
愚かなことだ
死人はどうして埋められてしまふか
人類の埋葬史の大部分の実例を調べることは愚かなことだ
いますべての被害者は
タンポポと同じように野原に埋められる
そうして乾いた　乾いた　乾いた花を咲かすのをわたしたちは視てゐる

〈夜の河〉

わたしたちのまへに暗い河がつくられてゐる
そうして夜が河の底を流れてゐる
葦と鉄橋と水門とがわたしたちの網膜のなかにうつされてゐる
時がそれを知りつくしてゐる

時がすべてを知りつくしてゐる
わたしたちの想像が加へられる処に
わたしたちを押流すものが存在するだらう
暗い河
河原にあつて
わたしたちは決して激しく動揺する風景を視ることがない
そうしてわたしたちの思想は終ることがない

乾いた風　砲火の唸り
けつきよくそのことを赦すかぎり
そのことはわたしたちの前にいつも在る

わたしたちが火の時代を視てゐるかぎり
いつも風景は荒廃しわたしたちの思想は具体性を喪ふことをやめない
暗い河
河原にあつて
わたしたちはついに萌え出す葦の芽を具体的には視ることがない

〈売女Kが去つたときに贈るうた〉

秋がくるのといつしよにおまへは去つた
わたしの処へではなく　わたしの荒廃した眼のなかへではなく
記憶の隔離するむかう
つぎに再び荒廃ではないことを願ふむかう
おまへの涙が視えない処へ
おまへのあえぎを聴かない処へ

わたしは良き友を愛をおまへといつしよに喪つた
わたしの荒廃はもう最終のひとつになつてしまつた
おまへは再びわたしから天球と星座の距離について話されることもない
おまへはわたしと並んであの裏路の女たちの群れる風景を視ることもない
もう一切はおまへとわたしとの間を繋がない

わたしは良き愛を喪つた
それは不覚であつた

おまへの伝言を追跡してゆく果てに
そこが荒廃でないことを願ふ

〈自由な夜のために書かれた詩の一部〉

遠くまで追つてくるわたしたちの事実
またそれをつくりあげる無惨な支配者の想像
わたしが抗う微少な時間
たえまなく修正される風景と判断

風がつくりあげるわたしたちの土地の冷気
そのなかに生ひ立つ穀草の列のうへに
わたしたちの安息と
ひわ色の夕ぐれがある

愛する者たちよ
彼らはわたしが何処にゐるのか知らない
暗い事実のなかにわたしの意志が病みながら
重たい荷重を支へようとするのを知らない

彼らはわたしの喪はれた像を

いまも記憶してゐる
彼らの記憶の色彩は
わたしのいまの色彩のなかにはない

だからわたしのなかの風景は既に
彼らの想像を絶してゐる
血と戦火でうづめられた人間の群のなかで
わたしはじぶんを沈めてしまふ

暗い夜のなかにわたしはじぶんを埋没させる
わたしのほうへ歩いてくる者たちは
荒廃した風景のなかで
わたしたちの自由な夜に出遇はなければならない

〈流転〉

大ぜいのにんげんが出生地からおし流されてきた
記憶のなかに遺されてゐたのは暗い胎内のうたである
海の響きに湿つて
漁師は声を忘れ
わたしたちはこころを喪つた

わたしたちは戦ひを喪つた
暗いいやらしい土地の片隅でたくさんの死屍を焚いた
わたしたちはこころを喪つた
わたしたちは医術をうしなつた

赤児たちは
すべて胎内に戻らなければならない
飢えが迫つてゐる
罪悪の感が
医師のこころを追ひかけることのないように

暗い時代の運命が医師から医術を奪ひとらせる

わたしたちは売女のもとにたどりつく
わたしたちは彼女だけを愛する
荒廃と嗜虐と優しい愛の行ひが
わたしたちの喪失にふさはしいことを知つてゐる

眠つてはならない
何ごとも昔のままであつてはならない
暗い空の底のほうへわたしたちの流転を逃亡させてはならない
反逆の意志で
世界のすべての荒廃に拮抗しなければならない、

〈道化の歌〉

われわれが支払つたものすべてを
砲火と砂塵のなかの城砦にかへてしまうわれわれの道化師たち
弾道　鉄　夢のなかの蝶
われわれの未来はそれつきりで立ち消えしてしまふ
道化師たちのために
夜も昼も風景は戯画にすぎなくなる

海の視える街で
われわれの海の響きをきく
暗い海と暗い想像がきしり合つて
われわれはその響きを手離すことが出来ない

多くの時間　独りであつたわれわれの想ひ出
大海のほとり
土管が埋められた街々の果て
われわれは成長し老いることはない

道化師の罪悪が膨脹する
寂かにわれわれの入海は暮れ　街々はランプを点ずる
われわれは自身を視ない
もうそれは崩壊の季節であり
道化師の罪悪が膨脹してゆくばかりだ

〈動乱の季節〉

信ぜよ　視るな　信ぜよ聴くな
そうして信ずるといふことは歴史的な思想的な意識の把握であると
そういふ布教師はいつたい誰だ
たとへ視なくても正しいものは正しいと
五円のパンフレットに書いたそれは何処の教祖だ

切売り出来ないことを考へるのは
まつたく孤独な星に深入りするために
ひとびとの不幸と同じ不幸の手形をもたないのは
惰落や頽廃の仲間入りだと
暗い時代の要処でそれをみんなに告げてゐたのはマニ教の末えいではない
たしかにそれは巨大な集団意識を背景にした
人道の戦士と名告る者の発言だ

おれたちがそれを信じないからといつて

不幸が不幸のままであつてはいけない
おれたちが行為をともにしないからといつて
彼らの言葉は伝へられなくなつてはいけない

にんげんとにんげんとの距離が
おれたちをこんなに苦しめるし
先づ星座の外に立つた微光の星のひとつにもする
ああいふ幸せな発言はけつきよくおれたちのものではない
おれたちが望んでゐる時代はおれたちによつてしか現はれない
それは異つた空間がおれたちの空間におきかはり
おれたちが視てゐた風景がみんなに視えるようになる

それは革命のあとのひとつの革命だし
そのためにおれたちは死んでもいい

〈聴聞のうた〉

陽《ひ》の影の移動がペイヴメントを横ぎる
草の葉や樹木の葉に七色唐辛子の粉体をふりかけて枯した奴がゐる
陽の影のなかにまたひとつの暗い翳となつてそれはゐる
被覆するものを用意した女たちが
ペイヴメントのうへを歩む
彼女たちのうへでレストランのカツプが騒ぎ
広告塔がその誘惑を告知してゐる

身寄りのない片恋ひといふのはいつもあつて
彼女たちもいまそれを想定してゐる
だから行きがけに擦れちがうわれらはいつも無縁のものだ
彼女たちの身上話を聴くために
われらはわれらの生きてゐる住居と寝室とを想像すれば充分だ
われらは立ち寄らず
すべての告知を識つてゐる

暗い秋の午後のことだ
われらの感ずることは少なかつたけれどたくさんのことを知つてゐた
語りつげることができないままに
われらの沈黙の傍を美しいものはみな去つてゆく！

惜みなくそれをうけとるものは何処にゐるか
われらのうちで暗い感受が騒ぐとき
世界はもう砲火と乾いた風の触手で充たされてゐる
だからわれらは生存を暗いものとして習はしてきたし
疲労した神経作用として
われらの憂慮も何処かで紛失するかも知れない
それは鋪路上《ペィヴメント》で
彼女たちのべつ見に盗まれるかも知れない

〈都会の秋のときの歌〉

ペイヴメントのうへに虫の影は歩行せず
ペイヴメントのうへに装ひは秋の色にかはつてゐる
街路樹の列もいれかはる
まつたく空が高く暗くみえるときに
すべての吹く風は乾き
塵埃は目立たぬように女たちの靴のうへに積つてゐる

燃える過去の情操
広告塔は喧しくわめき散らす
いゝ、にんげんはこのやうに繰返へしてきたし決して変りそうもない
このやうに？
あゝそれはほんたうにこのやうにだ
赦されてゐるたつたひとつばかりの自由といふのがペイヴメントのうへの歩行だ
それは虫の影なく
力づよい倫理的な約束もなく

あてどもない歩行だ
結局どこへゆきつくかわからない決定を疑ふことをやめてしまつた慣習の
やうな歩行だ

だから時としてにんげんは何ごとか起ればよいと思つたりする
それはまつたく倫理的にではなくただ心理的に
そうして怖るべきことにはしばしば事実となつて出現する出来ごとのなかに
このいかがはしい心理的な要素を見つけ出すことになる

おうだからわたしたちの歩行よ
俗習としてまたひとつの運命としてある歩行よ
わたしたちはただ生物学の約束を果たすために
にんげんを愛するのではなかつたのに
また時間の風景のなかを歩行するのではなかつたのに
つひに暗い秋の季節がきたのである
且てなかつた暗い秋が都会の石材やペイヴメントのうへに来たのである

〈自由な夜のために書かれた詩の一部〉

ひとつの約束が地平の果てのほうで燃えあがつてゐる
そうして明日の来る方角はそこだ
空と平野と都会とが廻転するからではなく
またたく間にわたしたちのほうへはたつたひとつの決定された暗い時間が
やつてくる運命をもつからだ
地球は荒廃した馬車のやうに
そのうへに疲労と沈黙と悲しい砲火とを戴せて
そのうへで眼覚めてゐるのは
不幸である
乾いた風に吹かれて眠つてゐるものは幸福である

何故なら　ほんたうに何故なら
地球のゆきつくところは何れにせよ絶望と真空とに閉された空間であるから
仮装のうへを蟻のやうに這つてゐる
わたしたちが生存してゐる相だ
わたしたちの皮膚のうらをつたはつてゆく敗残の予感は

わたしたちを愛する者から遠ざける
それはひとつの約束である
明日はその方向からやつてくる
わたしたちは相搏ち倒壊しふたたびわたしたちのうへに夜空の星を
視ることがないかも知れない
だからわたしたちは既にばらばらになつた星の孤独を知つてゐる
そうしてわたしたちの星が組合はされるために
自由な夜を必要としてゐる

〈反抗と現実〉

秋が足早やにめぐつてくる
これらの秩序は暗く傷を噴き出してやみそうもない
そうしてわたしたちの意志は
何処か遠くのほうから近づいてきて
わたしたちのこころを覚醒させようとする

もうわたしたちは
暗い夜の不眠の星のひとつひとつである
わたしたちの傷手が深まると同じようにこれらの秩序は深い根をもちはじめる
わたしたちがどうしようもなく暗い想像につかれると
これらの秩序はまつたく暗い事実によつて充たされる
わたしたちの反逆の歴史をふりかへるとき
これらの秩序の強い歴史が視えてくる

わたしたちは微少な意志の力によつて
果てしない忍辱の季節を過ぎる

そうして終に過ぎられそうもない！

わたしたちの嘆きと孤独
地球の襞のどこかで忍従が破られて
血のいろの砲火と乾いた風が吹く
わたしたちの嘆きと孤独とがそれにつれて目覚めはじめる

わたしたちの思想は機動する
何処かへではなく巨大な下部構造に対して反抗をうちこむ
わたしたちはそのとき自らを忘却してゐる
わたしたちは秋のなかの砂塵
破局の冬のなかへ
じぶんを埋没させる

〈都会の睡眠時〉

橋が風をわたり
風のなかを夜がしだいに歩き出して
わたしが出遇つた時刻は都会の睡眠時である
ほんたうのことはまだその時遺されてゐたか
苦悩が快楽にむかうために
すべては睡眠してしまつたか

にんげんの祭日の夜で
わたしは別にごいんごいんといふ砲火の音も地響きも聴かない
ただそれはすべてが暗くまた歪んだ夜である
かび臭い夜である
にんげんは生れて死ぬのである
かくべつに用意された飢えなんぞ言ふものもない
それは自由であり
それはまつたく死にかかつたにんげんにより与へられた遺産といふものが
ばかに重くるしく感ぜられる夜でもある

睡れ　睡れ　すべての眼よ
荒廃した地球のうへではポンポンダリヤの咲く刻限さへ赦された
地域はない
鉄の暈　乾いた颪の移動
追はれる兵士の行進
逆立つ眼の群衆
危険はいつも夜のうちにわたしの睡眠のうへを通り過ぎて
くれたらよいけれど
睡つてゐるのは都会の眼ばかりではなからうか
わたしはその時　覚醒してゐたのではなからうか

〈自由な夜のために書かれた詩の一部〉

それは氷雨のやむ夜
それは乾いた風が荒廃した地の意味を充たして吹く夜
それはしづかなひとりの女が
彼女の汚れた靴をとり出してわたしやわたしたちの暗いこころを訪ねて
くる夜
彼女の記憶は消えやすく既に砲火や力のない城壁の削がれ落ちる音が
想像を占めなくなり
彼女の子宮がしだいに暗い襞をひらいて
わたしやわたしたちの肉慾を寂かな安息のなかに置かうとする
そうして彼女はわたしやわたしたちの破られた悪夢であり
暗い谷間である

彼女はわたしやわたしたちの夜にくる
それは自由のはじめのあの荒廃した地点からくる
それはしだいに曙にちかく
また白痴のやうな歴史の断層の時にちかく

わたしやわたしたちを覚醒させながら
またはじめの不変の肉慾をとりもどさせる

わたしやわたしたちは
彼女や彼女の幻想を愛するだろう
わたしやわたしたちは彼女のありうべきすべてを愛するだろう
彼女といつしよに来た夜を愛するだろう
荒廃した地の意味を充すために
わたしやわたしたちは
しだいに視えてくる風景をすべて肯定するだろう

〈九月のをはりの歌〉

さしたる苦痛もなく
わたしたちは冷気と戦火の告知のなかにあつた
暗い海峡は空よりも暗く遠くにあるように思はれた
わたしたちは既に
ひとつひとつばらばらになつた孤独な星のひとつを感じてゐた
そうして周辺には極度の真空と数へきれない距離があるように思はれた

九月は終らうとしてゐた
海峡は波立つた
わたしたちの荒廃したこころに乾いた風が吹くようになつた
乾いた風は想像をうち消した
想像のなかでわたしたちの未来は崩壊してゐた

空は暗く
風景のすべてをアルバムのなかの記憶におしこめた
ひとびとの流亡が北上した

ぼろぼろな靴をはいて
ある者は海峡を渡つて来たしある者は逃亡した
野に蜻蛉は翔ばず
鳥は囀らなかつた
わたしたちの喪失したものは限りなくなつた
何処にも救済の予想は成立たなかつた
隷属と貧《ピイ》
わたしたちの孤立の距離はしだいに深くなつた

わたしたちは感受することが出来なくなつて
すべてのものと激突した
皮膚は破れわたしたちは疲労しきつた

氷片のやうに九月の終りの陽《ヒ》はふりそそぎ
学童共はビルデイングのなかからせつ盗して出てきた
鋪路《ペイヴメント》のうへから九月の終りの光が視てゐた

〈一部の者たちのために書かれた詩篇〉

おまへは慧かつた　慧かつた
それからおまへの想像は埋没されてしまつた
おまへよりもつと愚かなものがこの時代の眼に視えるものすべてを
支配してゐる
おまへは慧かつた　慧かつた
暗い空の一部がおまへの真上にあつて決して離れようとしない
ビルデイングも鋪路《ペイヴメント》も広告塔も飾画も
仮構された風景の素材に過ぎないであらう

夕暮れの思想　晨の思想
それらはまつたく何の脈絡もなくしかもすべて空しく消えてしまつた
おまへが慧くても仕方なかつた
愚かなものは強く少くとも夫々の時代を支配する形で
永遠に通り過ぎる
そのでたらめを人間が知るのはいつも過去の出来事としてだ
正義の戦争や忠誠な兵士たち

まつたく愚かな理由でそれらは賞讃される

おまへの眼はただその時代の乾いた暗い空を注視しなければならない
そうして暗い空がおまへのほうへ近接して
疑ひもなくおまへの生存を圧しつぶさうとするとき
おまへはその暗い空の構造を分析しなければならぬ
おまへはそれを巨大な不可抗なかたまりとしてではなく
愚かな意志のでたらめな累積として抗はねばならぬ

〈火の秋のうた〉

——あるユーラシヤ人に——

ユージン　その未知なる人
いまは秋で暗く燃えてゐる風景もある
きみの胸の鼓動がそれを知つてゐるであらうと信ずる根拠がある
きみは廃人の眼をしてヨーロッパの文明を横切る
きみは至るところで銃床を土につけて佇ちとまる
きみは敗れ去らうとする兵士たちのひとりだ

ばかにあらゆるものは暗いではないか
すべての風景は秋ではないか
空をはしり去るものは候鳥の類ではない
鋪路を歩むものはにんげんばかりではない
ユージン　きみはソドムの地の最後の眼としてあらゆる風景を視つづけなければならない
そうしてゴモラの地を記憶しなければならない
きみの眼が視たものをきみの女に産ませねばならない
きみの死がきみに安息をもたらすことは確かだが
それはわたしを暗い告知で傷つけるであらう

告知はそれを受けとる者の側からいつも無限の重荷である
この重荷を捨て去るために
黒づんだ運河のほとりやかつこうの悪いビルデイングの裏路を
わたしが歩んでゐると仮定せよ
その季節は秋である
暗く燃えてゐる風景のなかに訪問した秋である
わたしは愛の破片すらもつてゐないのである
わたしはやはり左右の脚を交互に踏んで歩まねばならないであらうか

ユージン　きみはこたへよ
荒廃した土地で悲惨な死をうけとるまへにきみはこたえよ
やがて世界は愚かな賭け事の了つた賭博場のやうに
焼けただれて寂かになるであらう
きみは愚かであると信じたことのために死ぬであらう
きみの眼は小さな棘にひつかかつて乾く
きみの眼は太陽とその光を拒否しつづける
きみの眼は眠らない
ユージン　これはわたしの秋の物語である

ユーラシヤの暗い太陽の下で

――父と子のうた――

悲しみが子に遺伝する
悲しみはこの時代を生きながらへる
かつて父がした過失と敗北とが
無数の飢餓と重圧になつて体系（スイステム）のなかに存続する
夕ぐれと夜よ
暗い電燈のしたでこころを語り合ふことのなかつた父と子よ
憎しみのなかにあるフアタ―・コムプレックスよ
沈黙のなかで彼らの空洞が醱酵する
そのゆくてには彼らの想像をこえた離反がある
おうこのやうな無数の離反を
ひとつの時刻が予感してゐる
また其処では星たちと風とが触れ合ひ
ビルディングと鋪路とが繋ぎ合ひ
飾窓のなかの電燈と街燈とが磨滅しあつてゐる
都会は港湾を背にして
無数の灯が運河のうへを充ちて流れる

父と子とその憎しみよ
深く何処までも離反してつひに戦火のしたで相遇ふのであるか
体系（スイステム）とそのうへに築かれた住居や逸楽をはさんで
彼らはそれを守るものと破壊するものとに訣れるのであるか
彼らは銃把に手をかけ銃床を肩につがえるのであるか
彼らは稗畑やビルデイングの壁を振動させて発射するのであるか
ああかならずにんげんはそれを解かねばならぬ
血と悪因と歴史的累積の繋合を解かねばならぬ
聖霊を交へずに解かねばならぬ
父と子が彼らの生を賭けて解かねばならぬ

未来の想像にそつて子は歩む
彼のうへで暗い太陽と風とが交感しあつてゐる
彼は土管の埋められた鋪路のうへを歩んでゐる
彼はじぶんの運命に対しフアタ－・コムプレックスを感じてゐる

淪落したユーラシヤの土地と住居よ
また荒れはてた稗畑と山野よ
彼の眼がそれを視たとき彼の眼は乾く
彼のこころがそれを感じたとき彼のこころは悪意に充ちる

彼は運命のまにまにではなく
自らの意志によつて未来の想像のほとりを歩む
彼のむかう側に反逆の世界が秘されてゐる
ああ彼を嬉々としてゆかしめよ
ユーラシヤの暗い太陽の下で
充ち足りたものは既にない
久しい古代の伝説と久しい古代の悲劇とは喪はれてしまつた
彼は粉末の磁鉄のやうに
自らの方位を指してゆく
ああ彼を祝福でもつて充たせよ
彼は孤独を死に代へ
死を錘のやうに沈めてゐる
彼の頭上をユーラシヤの候鳥がとんでゆく
彼のうへを季節と風とが過ぎる
彼のために
祝福は天からではなく地上の塵埃のなかからやつてこなくてはならない
彼は告知と祈禱とを拒否するであらう
彼は悲惨と飢餓とを抱擁するであらう
何よりもまず
彼は戦火と淪落とが地続きであることを知つてゐる
彼はユーラシヤの背骨を感知してゐる

彼の星は何処かで憩ふであらう
彼は眠りに落ちるであらう、

〈日光の乏しい季節〉

わたしは影の場処にじつとしてゐた
わたしたちの時代もまた日光の乏しい季節を過ぎつつあつた
わたしは万事めぐまれてゐたのだ!
わたしによつて時代は何と貧しい同類を見つけ出したことか
乾いた風をごくごくと飲み
わたしの骨とわたしの皮膚は強くなつた
影の場処では腐葉土になつた樹々の葉が醱酵しつつあつた
わたしは温くなり
わたしたちの悲劇的な時代を愛した

絶望を知らぬ人々の仲間にわたしの名も録されなければならない
わたしのこころは楽天を嫌ひ
しかも美しいものを喪つてゐないと告げられなければならない
わたしは死んだ兵士たちの墓地をひとつひとつ想ひ描く
殻類と瓦礫とが捨てられた野の影や山腹に

彼らは無意味な事業を果し了へてしまつた
彼らは偽善の生にえに供せられ
彼らの地表にフイナンツが投下されたのを知らない
空しい出来ごとが蔓えんした時代よ
賭博のために張られた暗い空よ
そのまん幕にわたしや彼らの名は録されてゐない
幻影のやうに空しい影となつて候鳥の類がわたるのみである
また花々は彼らの葬ひのために咲くのではなくただ荒廃の徴候として
咲くのみである
わたしは彼らの死の空しさを誰にも語れない
わたしは彼らの戦ひをうたふことが出来ない

死を他人に与へることは光栄とはなり得ない
わたしの影とわたしたちの時代の影がそれを教へる
わたしたちの仲間――ビルデイングも鋪路（ペイヴメント）も雑然とした風景も――
すべての不遇のなかでそれを訴へる
わたしは孤独な反証である
反証である

〈ユーラシヤの暗い太陽の下で〉

運河に沿つてひとが歩んでゐる
彼らのうへで暗い太陽と風とが交感しあつてゐる
彼らは土管の埋められた鋪路（ペイヴメント）のうへを歩んでゐる
彼らはじぶんの運命に対してファーター・コンプレックスを感じてゐる

淪落したユーラシヤの土地と住居よ
また荒れはてた稗畑と山野よ
彼らの眼がそれを視たとき彼らの眼は乾きはてる
彼らのこころがそれを感じたとき彼らのこころは悪意に充ちる
彼らは運命のまにまにではなく
自らの意志によつて運河のほとりを歩む
運河に沿つて銀行の裏路や駐車場を過ぎてゆく
彼らのむこう側に反逆の世界が秘されてゐる
ああ彼らを嬉々としてゆかしめよ
ユーラシヤの暗い太陽の下で
充ち足りたものは既にない！

久しい古代の伝説と久しい古代の悲劇とは喪はれてしまつた
彼らは粉末の磁鉄のやうに
彼ら自らの方位を指してゆく

ああ彼らを祝福でもつて充たせよ
彼らは孤独を死に代へ
死を義のために決してゐる
彼らの頭上をユーラシヤの候鳥がとんでゆく
彼らのうへを季節と風とが過ぎる
けれど彼らのこころは黙々として笑ひを忘れてゐる
彼らのために
祝福は天からではなく地上の塵埃のなかからやつてこなくてはならない
彼らは告知と祈禱とを拒否するであらう
彼らは悲惨と飢餓とを抱擁するであらう
何よりもまず
彼らはできうる限り生きつづけるであらう

彼らは戦火と淪落とが地続きであることを知つてゐる
彼らはユーラシヤの文明の背骨を感知してゐる
彼らの星は何処かで憩ふであらう
彼らは眠りに落ちるであらう

そうして明日太陽はどのやうにユーラシヤの土地と居住のうへにあるか
荒れはてた稗畑と山野のうへにあるか

〈晨と夕ぐれとに祈ることを拒否する歌〉

晨になつて遠くからやつてくる戦ひと休止の告知
空ははげしく死の炎をあげ　地上は寂かな薔薇いろの風が吹いてゐる
ひとびとよ祈ることをするな
ひとびとよ仕事の手をやすめるな
わたしたちの晨は思ふことにおいて苦しいだけだ
ひとびとよ忘れようとするな
ひとびとよ記憶と覚醒のなかで生きよう
わたしたちの晨は
わたしたちのために
すべての戦ひのなかから友たちを守つてくれようとしてゐる
わたしたちは人間のこころにおいてそれを信じなければならない

夕ぐれになつてまた起される戦火と乾いた風の響き
鳥も翔ばなくなり　地上の凍る音だけが
わたしたちに自然を感じさせる
不幸な人間が過剰になつてゆくのに

不幸な人間だけが死ななければならない
ひとびとよ祈るな
ひとびとよ物のやうに眠れ
わたしたちの夕べは思ふことにおいて明日を証してはくれない
ひとびとよ幾許かの時間を暗黒のなかで過ぎさせよう
わたしたちの夕べは
わたしたちのために
疲労とその回復とを奪はうとはしない
わたしたちはすべての絶望によつてそのことを認めなければならない

何故明日も生きなければならないのかわからない
このやうな時に生きることが
まるで風のやうにひとびとのこころに刻まれて過ぎるだらう
わたしたちは伝説と遺伝とを信ずるだらう
それを信じなければならないだらう

〈夕ぐれと夜と晨とのうた〉

寂かな鳩のやうに夕ぐれは荒廃した街々に降りてくる
その時　空には薄ら赤い雲　乾いた風　とびあがつた塵埃などがある
わたしたちのこころと躰の影は鋪路のうへにある
したがつて！
したがつてそれは空のほうへ上昇しようとはしない
夕ぐれはまた車馬の響きやビルデイングの陰にある
まことに生々しい記憶がほど遠くなるのはその時刻である
こんな時刻　わたしたちの愛する者たちよ
戦火と乾いた風のなかで死者となるな
何故ならみんなはにんげんの類から忘却されて遠ざかるだらうから
ひとびとのこころに帰心があつて
結局ただ惨憺としてゐるに過ぎない住居を欲してゐる
戦場と荒廃した街々の間には暗い空隙がある
これほど異つた夕ぐれがある

誰もがそれを思はないとすればすべての暗い風景は存在しないが如くである

したがつて！
したがつて戦火や悲劇的な兵士たちの運命も存在しないが如くである
かかる生きかたにおいてにんげんはなほ生きることもできる
これは怪しく戦慄すべき寂しい事実ではないか！
まるで小鳥たちが空を過ぎるように
ひとびとのこころと躰とは鋪路のうへを過ぎてゆく
あらゆる出来ごとの外にひとつの安息もあるであらう
空には薄ら赤い雲　乾いた風　とびあがつた塵埃などがある
けれど知られぬ虚実も交錯してゐる
不眠の告知が空を過ぎてゐる

わたしたちの夜よ
認識の新たな場処となつてやつてこい
電燈は管制され　そのしたで板のうへの晩餐といふものもある
わたしたちは少年と少女のごとく眠りうる
わたしたちの晨よ
そのあとで生々しい悪意と覚醒となつてやつてこい
わたしたちのまへにはまた巨大な城砦の幻影もあり
死に晒された事実もある
したがつて！
したがつてわたしたちのこころと躰の影は鋪路のうへにある

〈困難は暗いといふことではない〉

秋は足音をたてずにきた
秋は何処からきた
秋はすべて流亡と悲劇とが色をなすところからきた
秋は暗い空から　乾いた風や眼から
秋は都会と戦場の赤い残照のなかから
兵士と将軍の汚れた手から
貨幣と有価証券の集積から
すべて未来のない形骸と系体（スイステム）からきた

秋は何処へゆくかわからない
わたしたちの鋪路（ペイヴメント）のうへにわたしたちは影を歩ませる
そうしてあらゆることは終りがこないことを欲しながら
あらゆることはそのとほりであることを欲しながら
わたしたちは過去といふものを捨ててきたのである
わたしたちは知られぬ空のしたを
まるで運命を撰択するように択選したのである

罪人の罪は著くあらはれ
わたしたちの苦渋は容貌のやうに空に映つたのである

困難はわたしたちが暗いといふことではない
孤独であるといふことではない
まるでわたしたちがあるとほりにすべてのにんげんがあるといふことである
そうしてあてどもない不幸が公平に分配され
ついに極まるところを知らないといふことである

〈宿無しの女のために書かれた詩〉

U子　そこらは星がいつぱいだと考へてもいい
またおまへの住居のほかにどんな住居も地球のうへにはないと考へてもいい
とにかくおまへはおまへの住居を出たがらない
外はいつぱいの荒廃した星かも知れないし
孤独な砂漠かも知れない
おまへの信ずるとほりににんげんのこころも風景といふのも在る
おまへの信じないことをおまへは信じなくてもいい

U子　いまは秋
それから金融危機の時
戦火と乾いた風の季節
おまへの眼よりもわたしやわたしたちの眼は荒廃してゐる
おまへの涙よりもわたしやわたしたちの悲しみは汚れてゐる
すべては砂漠
すべては暗い空洞のなかの風景
おまへの街に憩ひと平安とがありおまへの外にそれはない

それは真新しい絶望の場処
それは糧の実のらぬ稗畑
それは偶然につくられた未来のために悪るく廻転してゐる星のひとつ
おまへは正しい
おまへが外に出ようとしないことは正しい
語ることのできない異邦人の土地
暗い予感のある街

U子　いまは秋
それから兵士たちの貧しい運命のなかに苛酷な神が空席を与へてゐる季節
おまへは尖つた胸と優しい腕でわたしに語る
それから恐ろしい言葉でわたしに抗ふ
わたしはおまへを思ふときほんとうにわたしの精神だけが関与してゐる
のを感ずる
おまへの厳しい美はわたしを叱咤してゐるように思ふ
わたしは類を拒絶されてもいい
なほおまへのなかにひとりの人間をみる

〈愛なき者がうたつたうた〉

今日《けふ》の夕刻　秋がやつてきた
戦乱の予感もいつしよに黙んでやつてきた
死ぬべかりしものを死ななかつた修羅戦場の風も乾いてやつてきた
如何うすべきであらうか
わたしは強く雄々しくあらゆることを畏れてはゐない
わたしに愛がない故である

わたしは叫ぶ　たしかに暗い炎となつて叫ぶ
にんげんのこしらへてきたすべての文明は神の秩序から来たゆえに
罪過も著く滅亡びなければならないと
わたしは叫ぶ　たしかに暗い炎となつて叫ぶ
愛《アガペ》も愛《エロス》も無用になつた暁には捨てなければならないと

秋がやつてきた　乞食の相にやつして
あらゆる事象の健康さをクル病のやうにねじまげてやつてきた
知るものはすべて不幸である

わたしの憐憫には階段がなく
まるで鋼板のやうに風景もひとも弾きかへす
うたもうたはず
いつたい眼に写るものも視てはゐない
候鳥のむれが空を過ぎてゆくが
それらの方位についてはまるで無関心だ

そこで諸君よ（もとよりわたしに群衆はゐないから）
わたしの想像のなかの諸君よ
あらゆることがわたしの眼前で行はれても　わたしは畏れるものではない
ただ何ごとでもあれ　殺生だけはやめて慾しい
生理的狂暴も心理的狂暴も　神の申子にはありがちのことだが
わたしはかかるエクスタシイを信じてはゐない
わたしに愛がない故である

悲劇の色はいつも明るい
わたしの過去も未来もいまは明るいと言ふ外はない
にんげんの文明だけがばかに暗いではないか
たくさんの居候と意地の悪い家主とに充ち塡ちてゐるではないか
なあ諸君！
諸君はそう思はないか

〈わたしたちの魂の鎮めのためのうたの一部〉

賭博のおはつた賭博場にも秋がやつてくる
そこは地球だ
地球のうへの荒廃した場処だ
寂かなペイヴメントが続いてゐるし
うたふともなく過ぎてゆく無頼漢の群れもある
そこはやはり暗い青い空のしただ
雲も膜面のやうにあるし風も乾燥して吹きまはす

わたしたちの魂よ　鎮まれ！
たとえ憩ひの時間もなく
板の上の晩餐にあらゆる疲労が差しこんで来るとしても
けうは悲劇のうはさも聴かなかつたし
異邦の兵士たちも砲火を交へなかつた
わたしたちの瞋りも増えなかつた
珍らしいことである
珍重すべき一日である

わたしたちの魂よ　鎮まれ！

けふは一九五一年十月某日だ
過去はもうそれは暗い空洞のなかであつたが気にもかけない
健康な思想もゆきづりの出遇ひかも知れない
未来は多分わたしたちの恐れてゐる通りわたしたちの魂を目覚ませ
またはわたしたちの魂を販りわたし
わたしたちは孤独なわたしと孤独なおまへやみんなとに訣れてしまふだらう
空は鋼のやうにしたしく
鉛のやうに重たいことである
ペイヴメントは寂かである
わたしたちの魂よ　立ち騒がずに
わたしたちの魂よ　おたがひに疑惑することなしに——

〈忘れてのちに彼等は何処に〉

忘れてのちに彼等は何処に行つたか
彼らはふたつの眼とひとつの貌を遺してぼくから遠ざかつた
ぼくの記憶が幸せと不幸とを区別するとき
彼等は何れの側にいつたかわからない

ぼくは彼等を忘れてしまつたのだから
ぼくの国で親しい者たちは焼け死に
墓標の傍に埋められた
橋梁と架空線がこわれてひとびとをとぢこめた
彼らは何処へいつたか
ぼくの親しい名とともに
彼らはぼくと自然を異にしたようだ

美しいものよ
彼らといつしよに在れ
赤い上衣《セーター》と肩まで垂れた髪よ

いまもそれはそのとほりの色であれ
鳥よ
冬と春の雲よ
風についてその形によつて彼らに語れ
ぼくを訪ねてくれた
彼らの言葉と共に語れ

忘れてのち彼等は何処に行つたか
彼等の性のきらめきは
風のなかでぼくをまねく
ぼくは悲しみと歓喜と明るい情欲とを
彼らのほうへ繋ぐ

〈夜は異邦のやうに〉

夜は異邦のやうにわたしたちを視しらせない
また夜はひとびとを苛酷な税で苦しめる
わたしたちは何処からそれが来るのか知らない
わたしたちは何処へそれがゆくのかしらない
ただ或る季節のある時刻　地球は半分影のなかをとほり過ぎる
希望のないひとびとはその時一斉に蒼ざめ恐怖する
性悪のものは戦火と乾いた風を用意する
また愛する者たちは電燈のしたで身を守りあふ

冬は未来の方位にある
花々は記憶のなかに揺らめいて消える
夜は異邦のやうに敵視するものたちのなかへ　わたしたちの思想を埋める
わたしたちはつぎに自らのすべてを埋める
わたしたちはふたたび目覚めることのないように
星たちと神によつて繋がれる
且て異数の人が視たやうな曙光を

わたしたちは視ることがない
かくてユーラシヤの夜よ
荒れ果てた陸地のうへに文明はただ幻影によつてしか存続されない
そうして幻影を視るためにはわたしたちの眼はあまりに渇えてゐる
わたしたちによつてあらゆる土地は
悲劇の色を印されるだらう

〈非詩的な詩人から
詩的な女詩人へおくる晩秋の歌〉

日はあかるく窓辺へ差しこんできて
ある日のこと天道虫がたくさん発生して窓わくにつかまつてゐる
それは何処からきたかわからない
風がそれを運んできたかどうかわからない
そんな日　平和であると思へばわたしは思へたんだ
そうして寂しさも何もかも水平になつて
過去の記憶の平明さが
快いと思へば思へたんだ

おうけれども X線《エックスレイ》はそのときも発射してゐた
鉛のついたての蔭にゐてわたしは思つてゐたんだ
それですべては平和であつたわけだ
悲しいことに
次の時間にはわたしのこころは戦火と乾いた風を思ひ
暗い憂うつな時代の方角を思ひ
疑念の雲や風を感じ

もう天道虫さへ視なかつた

風はそれを翔ばせ
何処か窪んだ土地の石段のうへにゐ集させもしてゐるだらう
だからわたしはすべてのことを思ふかはりに
たつたひとつのことを思はうとするのである
それは晩秋の或る日
窓からあらゆる自虐や錯感《コムプレックス》を喪ひ去り
わたしもまた天使のごとくではなく
白墨の粉末のごとく翔び去りたいと願ふこころに似てゐる
それは遠い肖像への敬礼であるけれど
わたしはこの悲惨な時代を悲しむほどにはわたしの悲しみをさき得ない

〈忘れることのできないことの歌〉

徐々に失はれた土地は過去のなかへ去つてしまふ
にんげんの思考をさまたげるものがわたしたちの時代のなかにある
累積された体系の量質《マッス》として感じられるわたしたちの時代よ
それは暗い空から
また周辺の海から
ビルディングや工場地帯の風景から堕ちてくる
わたしたちは抗はなければならない
なぜならわたしたちが為さなければわたしたちは圧殺されて死ぬだらうから
わたしたちは信ずることが少いゆえに
わたしたちのあとに何物も残さないだらうから

失はれた土地よ
それは支配者の先導によつて想ひ出されてはならない
卑わいな熱狂と亡霊的な愛によつて想ひ出されてはならない
必要と愛着するこころによつて
また世界におけるにんげんの平等と権利によつて思ひ出されねばならない

それは穀類と樹木と豊富な気候によつて
それは生産と地味によつて
それはまた少年や少女たちの眼によつて
それは空を過ぎる雨雲や乾いた風によつて
それはまた死んだ兵士たちの記憶によつて
想ひ出されねばならない

失はれた土地よ
そこは颱風圏の通路
そこは亜熱帯
そこはわたしたちに解放された感覚を想像させる処
むごたらしくペトンが敷設され
異邦の防壁と異邦人の言葉によつて構成されるだらう
わたしたちの古代とわたしたちの伝説は死滅するだらう
わたしたちは抗はなければならない
なぜならわたしたちは忘れることができないから
失はれた土地
殺人器にくひ荒らされた土地
暗く惨憺たる土地
わたしたちは忘れることができないから、

〈兆候〉

ぼくたちの影をのぞきにくる無数の悪の貌のうち
神から来た使者の貌は
ぼくたちに文明の崩壊する兆候を感じさせる
何故ならばそこには頽廃と救済の
起伏の深い痕跡が
あきらかに遺されてゐるから

ぼくたちの風が
ぼくたちの苦痛を風化してひとつの石材のやうに固定するとき
ぼくたちの風は
あたらしい文明のために吹いてゐるのである
文明のあたらしさのために道化師の所作を
ぼくたちにおしえてゐるのである
ぼくたちはただ明らかにぼくたちの時間を意識してゐればよい
そうして過ぎてゆけばよい
世界にはひとつの奇跡も

ぼくたちのためには行はれなかつたのだから
ぼくたちは祈禱の空しさのために
じぶんを従はせてはならない

悲しみの無数よ
この時代はじつに悲痛だつたねえ
重荷を下ろせるのはいつのことかわからない
どんな兆候にも
ぼくたちは無数の希望と絶望とを託してきたのだ
まつたくの話がねえ
ぼくたちは道化師のやうにことごとにとびあがつて
驚いたりしたんだ

〈後悔する時の歌〉

ひとびとはこの世界の成行きを後悔する
言葉は威嚇のためにしか用ひられず
寂しさはどこまでいつても他人の愛にすり寄るわけにはいかない
戦火のいろ平和の騒乱
貧しい人々のかたく閉ぢられた日々
これらすべてのために
否定をあえてしなければならない
それが美しいこころの果てといふものだ
且て思はざることを思はず
思ふことのみ思へばよかつた
美しいこころの変つたすがたといふものだ

わたしの愛する者よ
わたしは信頼の半ばをこの世界のためにつかひたい
わたしの後悔の足ずりのなかに
あの美しくも壮厳でもなかつた歴史の重荷を含めたい

そうしてわたしの信頼のあとの半ばで
おまへのために沈黙してゐたい

わたしの空は冬のあひだ必ず澄みわたり
わたしの瞋りをそこへむかつて投げ
無数の眼で視るように
わたしのこころを目覚ましてゐたい

〈自由な夜のために書かれた詩の一部〉

遠くからはわたしたちの時間がやつてくる
わたしたちの時間は暗い空のしたで出来ごとを繋ぎあはせて
すべての風景とにんげんとに変革をわけ与へる
後悔することも信じられないこともすべて形態を与へられて
そこにわたしたちの判断が構成されてゆく

何故それは遠くからやつてこなくてはならないか
遠くからわたしたちは徐々に慣れなければならない暗い想像をもつてゐたか
ああそれはたしかにわたしたちの所有のなかにあつた
時はまことに怖れられなければならない
わたしたちが生存を喪ふのも時間のなかにおいてである
わたしたちが不信を塡めこんだ想像を解放するのも時のなかにおいてである
わたしたちが愛する者と別訣するのも時のなかにおいてである
風景が破壊されわたしたちが見知らぬ習慣に従属するのも
時のなかにおいてである
これらすべての出来ごとのために

わたしたちは疲労し立ちどまる
あるいは暗い空のしたで限りない睡眠を慾する
また風景は嗜虐的な死者の累積した幻想に充たされる
それはまた悪因を挑発してすべてのものを荒廃させる

だからわたしたちのためにわたしたちの時間は純粋にやつて来なければならぬ
わたしたちのために時間は知られぬ相貌でやつて来なければならぬ
何故にわたしたちは生存を逃亡の意識のなかに撰ぶか
それは全く理解することの出来ない理由をもつてゐる
わたしたちはそれを知らぬことをよしとするために
あの暗い無智を未来のために撰び取る
わたしたちの夜はわたしたちの無智のために安息とその行手をもつであらう

〈秋のなかの暗い場処で〉

空は深く青くなる
眼のなかにたつたひとつの風景を覆ふものとして空は暗く思はれる
由所あるこころは既に無くなつた！
風景は建てられたビルデイングの鉄骨や七ケ月目に自由になつた
囚人たちの焦慮のやうなもので充ちてゐる！
それは春から秋に至るまで何ごとも為さなかつたものの
焦慮で充ちてゐる！

暗い自由でも未だ求めるに価する
そうしてペイヴメントといふペイヴメントは雑多なひとびとの雑多な
願ひを戴せて駈けはじめる
すべてのペイヴメントが暗い戦火の想像に通じてゐる
雲が駈けるとビルデイングが狭い空間のなかで廻転する
わたしたちは視上げる処でだけ空やそのなかの秋に出遇ふ
わたしたちが求めてゐるのはそれであるか
いやいや決してそうではない

わたしたちが求めてゐるのは自由だ
自由な場処での不羈な孤独だ

わたしたちは落人《おちうど》か敗北したあとの頽廃者か
わたしたちは既に復讐のない荒廃した眼をもつてしまつたか
わたしたちの前に風景はやみ難くあるのではなく
ただ偶然に在るのであるか
すべてはわからない
そうしてわたしたちの意志に打克たうとしてゐる
わたしたちの意志はいまも暗い場処で語らうとしてゐる

〈暗い（昏い）秋〉

運ばれてくるのは鋪路《ペイヴメント》のうへの塵埃だ
運んでくるのは乾いた風だ
街路樹の葉がふりかかつてくる
そうしてひとびとは去つてしまふ！

無人の空《むな》しい眼が空やビルデイングのなかに残つてゐる
眼のなかに昏い光彩がある
寂しいことを為してはならない
そうして疑惑はあらゆる風景やにんげんの肩におちかかつてゐる！

暗い（昏い）秋よ　暗い（昏い）秋よ
それはまた渇いた季節でもある
荒廃したにんげんのなかを鋪路は遠くまで敷設されてゐる
ひとつの軌道である
ひとつの軌道である

おまへはにんげんであるか　そうであるか
どうしておまへはにんげんであるか
じぶんをまもるためにどんな非情の装ひを習つてしまつたか
どうしておまへはにんげんであるか
何をしてきたのであるか
たれのために何をしてきたのであるか

暗い（昏い）秋よ　暗い（昏い）秋よ
それは渇いた季節ではない
繋がれた紐である　繋がれた時刻である

おまへの眼が残されてゐる
空やビルデイングのなかに残されてゐる
そうして風が乾いて吹く
また時々雲もある
また時々鋪路のうへにひとびとの影が去る！
そうしてすべては過去の罪科によつて繋がれてゐる！

〈シメオンの讃歌にかはる暗いうた〉

昏い秋の空は決して明るくならない
わたしたちの自由につぐなはれた生存はしだいに遠去かるように思はれる
遠隔の地域からは戦火と流亡の便りがとどけられる
過ぎ去つたことはすべて異つた空に残されてゐる

異邦人といふ言葉のなかには怖ろしい暗い陰がある
信じられないことや神を異にした執念がある
わたしたちは異邦人と名づけられてゐる
たれがわたしたちをパン種と自由な夜の憩ひによつて救済するか

わたしたちは捨てられてゐる
わたしたちが生誕によつて既に捨ててきたたくさんの美しいもののために
わたしたちは既に捨てられてゐる
わたしたちは醜悪と被虐とを壁になすりつけて
生きるのである
生きるのである

昆虫や蛇や野犬のゐる場処で生きるのである
わたしたちの壁は永遠にかはらない暗い空であると思ふ！

わたしたちの暗いうたよ
にんげんの酸鼻と喪はれてゆく未来を繫ぐために
つぶやくようにうたはれてゐる暗いうたよ
既に神はうしなはれてゐる
既に神はうしなはれてゐる
それは既ににんげんの習熟された悪と組織《システム》のために喪はれてしまつた
わたしたちの生存の意味は決してかへつてこない
わたしたちは迎へるべき何物をももたない

〈燃える季節〉

すべての風景はいま燃える
多年にわたつて燃えてゐたものが冷たい灰燼になつてしまつたあとで
すべての風景はいま燃える
すべての？　ほんとうにわたしの関心をもつてゐるすべての風景は
ただならない悲劇の色をして燃えてゐる

わたしは苦しくないか
わたしは苦しい
わたしよりも苦しい者はゐるか
いやいや断じてそれはゐない
わたしより苦しくないものはゐるか
いやいや断じてそれは
ゐない
わたしのなかの機関がいま燃えてゐるようにすべてのひとびとのなかの機関が
燃えてゐる
それらはひつきよう同類の物からできてゐる可燃体であり

悲劇の色をして燃えるのである

燃えつきたときがわたしやわたしの関心をもつてゐる風景の停年である
無為であり悲惨であるべきはずの
破局である

生き残つた兵士たちが
わたしのポケットに宝石や貴金属の類がないのを口惜しがるであらう
それ程貧化された灰燼として
すべての風景のなかのひとつであり意志の空しくなつたわたしは
燃えつきるのである

〈みなさんはわたしのために悲しみをもよほすであらうか
いやいや断じてそのやうなことはない
みなさんのこころは乾いた石材に充塡されて
わたしやわたしの関心した風景のモニユーメンタルとして在るであらう
そうしてすべてのモニユーメンタルは決して語つたり哭いたりはしないものである〉

〈暗い記念碑〉

空は背景である
水が流れ乾いた風が移動し底深い空洞がえぐりとられてゐる
季節はただ出来ごとを記録するために其処にある
いくたびも死に絶えたひとびとよ
みんなは決して還らない
みんなはどうしてもにんげんの世界を別離していつた

みんなは何のために死に絶えたか
みんなはにんげんの同類を離れてゆくじぶんの肉体のことを感じてゐたか
それが灰燼と暗い自由に帰することを知つてゐたか
みんなは残された風景のことを想像できる場処に眠つてゐるのか

みんなよ
いくたびも死に絶えたひとびとよ
オオソライズされてゐるのは既に見知らぬ習俗と風景とにんげんたちだ
だから不浄な基金を積んで

みんなのために暗い記念碑を建立しよう
空は背景である
そうしてすべての慈善や情操の思想はもともと架空である
鳥も石材の肩で囀り
花々も撩れ咲き
世捨人はあとを絶たないであらう
孤独もへちまもない
兵士たちは移動し
肥沃は不均等の原則を累積するであらう

暗い暗い空が背景である
乾いた風がためらふやうに吹き絶えることのない場処で
みんなは悪しき夢と履歴とを晒しものにされなければならない
暗い約束である
約束である、

〈自由な夜のために書かれた詩の一部〉

秋　すべての運行には疲労が視える
そうして粒よりの砲列が火を噴き出す
わたしたちの大地は震動しながらじぶんの行手を知つてゐない
風が乾きはじめる

わたしたちは死の娘たちに魅せられて
砲火と乾いた風の方位と婚姻する
わたしたちは愚昧でじぶんを知らない亭主のやうにそれを演ずる
暗い愉悦と繋累とが
わたしたちの時を充たさうとする

わたしたちが通過する場処にある標べ
告げることを許されない流亡の者の掟て
わたしたちのゆくべき処のない出エヂプト記
暗い自由よ
いつすべてはわたしたちの所有となつた風景と時間とにわかれるのか

わたしたちは歩み指を折る
わたしたちのこころは屈折し寂かに期望してゐる
わたしたちのために世界はそれを赦さねばならない
秋　わたしたちは記号を予感してゐる
すべりおちる石材の影
鋪路《ペイヴメント》のうへを乾いた機能となつて歩むわたしたちの幻影
わたしたちはなほ生きようとしてゐる

〈風景と智慧〉

鋪路《ペイヴメント》のうへの植えられた並木の列に沿つて
わたしたちの智慧は発祥する
そうしてあらゆる情熱の空しくなつた地点で
わたしたちはわたしたちの乾いた風景を構成する
空しい夢よ
また力のなくなつたわたしたちの愛と憎しみよ

わたしたちは未だ未発達的な段階にある文明と自由とのなかで
自らを育てあげそうして既に歩みはじめてゐる
わたしたちにとつて智慧は風景に激突しながら膨脹する
わたしたちにとつて空は暗く
鋪路《ペイヴメント》はその装飾といつしよに長く果しない
わたしたちの撰択する風景の稀少性のために
わたしたちのこころは渇き
導管をつたはつて地下を流れてゆくわたしたちの幻影を感ずる

すべては散佚する
それはそれで在るがままの出来ごとである
ただ貧化された風景に殉じて死滅してゆくわたしたちの季節を
限りなく愛惜するのである
わたしたちの視てゐる地点から
あらゆる異邦人の風景が視えたのである

悲劇の色をしたわたしたちのこころが
悲劇の色をした風景を撰択する
そうしてその他のものがすべて荒蕪地となつてしまつたとしても
わたしたちの行ひは変らないであらう
わたしたちの歩む鋪路《ペイヴメント》のうへにそれは録されてあつたのである

〈また其処に夜がきたとき〉

羽虫がわきはじめる
羽虫は何処に真昼間の時を過してゐたのか
それは昆虫学の問題ではない
それは生存のなかにきらめく孤独とその所在との問題だ
羽虫は電燈のまはりに集まつてゐる
またそこに夜がきてゐる

思ひ出の不思儀
記憶の累積
わたしたちは其処でわたしたちの夜をはつきりと知つてゐる
遠ざかるものはすべて美しい
ひとつひとつが悲劇の陰をもつてゐる
わたしたちは風の渇きや草木の褐色を視やうとする
またそれは視えない
わたしたちの夜は痩せおとろへてゐる

わたしたちの夜は偶然によつてわたしたちの処にきてゐる
もし悲しみがなければ
わたしたちは星や紙屑や美しい女を視てゐるであらう
わたしたちは何もみてゐない
日本の鋪路《ペイヴメント》には何ひとつ敷かれてゐない
わたしたちの魂が離れて歩む
わたしたちの病根が日本の鋪路《ペイヴメント》のうへに充塡される
それを知つてゐるのはわたしたちだけだ
それを知つてゐるのはおまへだけだ
おまへは屈辱だ
おまへは異邦人だ

また其処に夜がきたとき
秘密を山分けしてゐる夜がきたとき
わたしたちのこころはおまへのこころにおまへのこころはわたしたちのこころに
歩みはじめる

〈わたしたちの魂の鎮めのうたの一部〉

夜は還ってくる！
再び　それは何ごとかを為しうることをわたしたちに告げる
何ごとかをたれかに為しうることを
わたしたちは屈辱に狃れた眼にわたしたちの夜の荒廃した風を
吸ひこむ
そうしてまたわたしたちの明くる日の風景を想像する

夜になるとわたしたちの眼は思考する物になる
わたしたちは暗やみのなかであらゆる真昼間の　系《システム》　を喪う
わたしたちは自由になる
わたしたちは疑惑のなかに充たされる
世界は其処からわたしたちの方位を視てゐる
わたしたちは其処からすべてに通じようとする
わたしたちの魂の鋪路（ペイヴメント）にわたしたちの影が歩むでゆく
次第に去りゆく者としてわたしたちは
恐らくその時　戒律者に率いられてエジプトを出離する

わたしたちの絶望がわたしたちの希望を視てゐるのは
こんな夜のこと
こんな夜のこと
わたしたちの魂を虐めぬいてきた幻影の世界よ
戦火と乾いた風の季節よ
苛酷な主税長《フィナンツ》に導かれた異邦の兵士たちよ
それらはすべてわたしたちの魂によつて打ち敗られるであらう
わたしたちは知つてゐる
わたしたちは知つてゐる
わたしたちが恐るべき復讐を神の名において致さうと思はないことを
わたしたちはにんげんの名において系（スイステム）を否み
彼らはにんげんの名によつてわたしたちに蹟くであらうことを

夜は還つてくる！
わたしたちの暗い自由は還つてくる
星がわたしたちの体系の真上で歩み
わたしたちの眼が疲労して内側に移動する
わたしたちは用意してゐる
用意してゐる
わたしたちは再び何ごとかを為しうる

〈褐色の時代〉

鋪路《ペイヴメント》には褐色の陰がある
空から投げられたわたしたちの時代の容貌がある
冷たい疑惑はいつ果てるとも知れない
わたしたちは鋪路（ペイヴメント）のうへを歩む
わたしたちの運命に褐色の陰がさしこむ
わたしたちの眼は乾いてゐる
悲劇はそれを乾かしたのである

物慣れた歩行のなかにある苦渋よ
わたしたちのこころは遊ぶことを知らない
わたしたちの路上は荒廃してゐる
わたしたちの歩行のなかにある偶然の連鎖よ
わたしたちは繋がれてゐる
それを逃れることが出来ない

けれども　けれども偶然のなかにある悲劇の色で

建物も飾窓も空の反映も塗りつぶされてゐる
わたしたちの眼は空の洞孔のあたりで乾いた風と接触する
風は時代の眼に変る
ユーラシヤの悲惨な劇をはこんでくる
にんげんがにんげんに加へる一べつのなかに火の星が瞋つてゐる
小鳥たちは何処の空を過つてくるか
花々は受精する時をもつてゐるか
兵士たちの足に踏みつぶされることはないのであるか

遺伝は空を過ぎねばならぬ
無償の夢によつて女たちは妊まねばならぬ
確乎とした習俗もなくわたしたちはすべてのなかにすべてを刻印せねばならぬ
それは褐色の時代から荒廃した時代へ
ついに遺志となつて生きつづける
わたしたちの鋪路はつきる
わたしたちの歩行はつきない

〈地の繋約〉

何といふことであらうか
わたしたちは地の果てまできてゐたのである
にんげんが牧畜のやうにうたひ　群れをなして眠り
ついに目覚めることのない風景のなかにきてゐたのである
国境ひに柵をうち立て
雑草や穀類を喰ひ飼はれてゐたのである
溝をめぐらし海溝や地峡をつくり飼はれてゐたのである
星はまたたき
十字架は鎖のかはりに首のまはりにかけられ
わたしたちはそれを取はずすために反逆と罪障の刻印をうけねばならなかつたのである
またすべての在りうる文明と系体《スイステム》を拒否しなければならなかつたのである
しだいに逃亡し
敗残の身となり
無数の学者や牧師たちから永遠のデマゴーグを授けられ
ついに生れて来ざりし方よかりしものをと記されねばならなかつたのである

地はいまも生きてゐる
皮膚のうへに花々を繁殖させ
にんげんの群れを生産し
憂愁と反逆とが遺伝されて生れ出る
そうして到るところに紐で繋がれた運命と運命とが出遇ひ
愛と憎しみとが互に喰ひ尽くす
無限の孤独が其処にある
無限の永遠の孤独が其処にある

何といふことであらうか
わたしたちは何の約束も与へられずに生れ出て
無数の地の繋約につながれてゐるのである
わたしたちは異邦人の名で呼ばれ
撰択を赦されてゐないのである
わたしたちは神を生き坑めにしてビルディングをうち建て
わたしたちの星が不変の光でまたたくことを確めなければならない

〈焔と死の秋〉

鋪路《ペイヴメント》のうへに街路樹《アベニュ》の葉が敷き出される
葉は枯れて赤くふり積る
想像は手易く想像に変つてしまふ
焔と死とがわたしたちのうちにわたしたちの肖像をつくりあげる
眼のなかにあるわたしたちの荒廃とわたしたちの風景とが
わたしたちの歩行をつらくする

秋
つくりごとにとりかこまれた偽善の愛が伝染する
空が暗く拡がる
橋梁がかけられる
わたしたちは秋の花々と秋の時間とを知らない
わたしたちは未来のことを知らない
風のなかに充ちた反証
わたしたちの生存が悲劇を感ずるのはそのためである
美しいことのなかつた時代

そうしてわたしたちの喪ってきたものは数知れない！

わたしたちは運河のほとりを歩く
塵芥と土管が埋められた運河のほとりをまるで機能が歩いてゐるように歩く
機能が機能を横断するときのやうに
わたしたちはひとつの断層の露出を視ながら歩む
わたしたちは想像を醜くしない
わたしたちは焰と死のかげに秋を感ずる

フイナンツに率いられてあてどもなく行く風景よ
わたしたちの歩行はそれを超えようとする
わたしたちは巨大な威嚇の壁をつきぬけようとする

〈知られざる秋のうた〉

かくてわたしたちは風景から奪はれつつあつた
風景のなかの情感はしだいにわたしたちの思想に離反した
わたしたちは愛惜すべき風景の移動を視察しながら
わたしたちが孤立してゆくのを知つてゐた

知られぬ暗い空と星たちのしたに
鋪路（ペイヴメント）はとほり過ぎ車馬の響きはやまなかつた
銀行の濫発する手形のなかに
また決してわたしたちに知られぬ予算のなかに
巨大な荷重が秘されてゐて
そのためにわたしたちの仲間は戦火と戦火との間に駈せねばならなかつた
彼等のためにわたしたちは何を告げ得たか
彼らを思ひとどまらせるためにわたしたちの言葉は奪はれてゐた
彼らは死を間断なく背負ひ
そのうしろに巨大なフイナンツの累積を感じてゐた
小鳥たちもこの秋はうたはず

わたしたちの軒端からはそれらの嬉戯するさまだけが視られた
花々は多く乾いた風のあとで倒れた
直立した電柱には垂れさがつた電線がささへられてゐた
わたしたちは
暗い空に乱れてとぶ虚実とヘビイサイド層の反射とを知らなかつた
フイナンツは好むところにその網状体系をうち立てた

知られざる秋よ（一九五一年）
わたしたちが小刻みに感じてゐることを
やがてそれは公開するであらう
わたしたちの愛するひとびとの像が
傷つき破れた土地できまじめな塑像のやうに佇ちつくすであらう
一にぎりの稗の穂にひつかかつた彼ら自らの思想を注視するであらう
彼らは何れにせよ乾いた風のなかでそれを感じ
荒廃した風景から始めなければならないであらう
彼らの前方から冬がやつてくるとき

〈祝禱〉

秋

日差しはあまり遠くへはゆけない
建物には明暗と時刻とがある
不眠のひとと眠つたひととが歩行する
ペイヴメントは乾いた記憶を過ぎさせる

祭礼がそこを過ぎる
単調で果てしない音楽が繰返へされる
音楽のうしろから群集が従つてゆく
はじめに青年たちが過ぎ　つぎに老人たちが過ぎる
祝禱に似た詠歌の響きがわたしと彼らとを遠去らせる
わたしは少くとも未来のほうへ彼らは過去のほうへ風景を構成してゆく

〈正しい規準は既に喪はれてしまつた！〉

わたしの喪失はやはり彼らの喪失に匹敵してゐる

流れてゆく時間は
彼らの騒音のなかで消え去り
またわたしの沈黙のなかでも消え去つてしまふ

祭礼はそこを過ぎる
乾いた風が巨大な石材の壁と群集の列のうへを吹いてゆく
たとへ彼らが感じないとしても
彼らのうへに乾いた風が吹いて
はじめに青年たちのうへを　つぎに老人たちのうへを　彼らの詠歌が
とほり過ぎてゐる
また花車に戴せられたトロンボンやフリユートの音色が
わたしと彼らの距離を古風な祝禱で充たさうとする

〈深夜に目覚めてゐた時のうた〉

おまへは眠る
そうしておまへたちすべては眠る
紡ぎあはせた暗い真昼間の出来ごとはみんなの鋼のベッドのまはりに
積み累ねられた影になつてゐる

わたしたちの誇りはすべて空しい形態になつて眠つてしまふ
あらゆることは正しいと思はなければならない
風に吹かれてゐる窓硝子
軒端につるされた紐
眼のまはりや電燈に集まつてくる羽虫の音
すべては赦されてゐなくてはならない

わたしたちはわたしたちの知らうとしたすべてのことから復讐される
そうして再び何ごとも為さないことを誓はされる
乾いた風と深夜に目覚めてゐるわたしたちのこころが
辛い証人だ

わたしたちは果して何ごとも為さなかつたか
わたしたちが生きてゐるといふことが何ごとでもなかつたか
知られぬ空やそのしたの甍が
証人だ
わたしたちは誰をも愛したり憎んだりしなかつたか
わたしたちは物忘れを過去のなかに投げこんだまま取出さうとしなかつたか
わたしたちの暗い感度は隔世遺伝のためであつたか

砲煙とそのしたの荒れはてた穀草の死骸よ
乾いた風と夜営のランプよ
この夜すべての憎しみが乾く時刻よ
兵士たちのこころに空洞がつきささる季節よ
すべてはまつたく空しい遊戯だ
賭金を背負はされた自由よ
欲してゐないもののためにわたしたちは生きてゐるのであらうか
すべてはまつたく空しい遊戯だ

恐怖は死に絶える
花々はゆかりの土地で腐敗してしまう
そうしておまへは眠る
おまへたちすべては眠る

眼のなかにぜんぶの世界が映つてゐると信じてゐるものだけが
永久に深夜のなかで眠ることを赦されてゐない、

〈秋の炎〉

秋　焦慮はまるで膨れあがつたヴイニイルの風船のやうに
またひとつしか眼をもたない太陽の炎のやうに
やつてくる
それはまた悲劇を原因と結果にわけてしまふ
にんげんが依り処にしようとしてゐるのはいづれにしても悲しい出来ごとだ
雲が膜をつくり
風が乾き
忘れもしないわたしたちは悲しい出来ごとのなかに明け暮れする
ことに慣れてきた
それでわたしたちは生きてゐられる
それでわたしたちは忍辱してゐる

秋　寂しさは一連の兵士たちの進軍する後姿を視ることである
彼らの靴といつしよに彼らの生存が擦り減つてゆくことである
彼らの足もとで穀草は踏みつぶされ
文明の未来はいちように荒廃を伝染させる

それはふたつない凋落の行進である
それは悲劇の土気色である
それは焦慮の想像である

わたしたちは骨の髄まで疑惑に充たされて
空しく生きてゐる
かくまでして生きてゐるとダリアの花の腐敗する季節に出遇はなければ
ならない
それはまた太陽の腐敗　影と光の腐敗
軸角のわからなくなつた制（スイステム）の腐敗
方位のわからなくなつた生存の腐敗
愛や憎しみの腐敗
わたしたちはかかる腐敗を乾いた風のなかに予感する

〈踏切番の歌〉

すべての憂慮は胸部よりうへに位置する
そうして眼は荒廃してゐる
かれらは無数の小駅の間にあつて踏切り板を踏みつけ
赤と青のカンテラを振る
列車がとほり過ぎる
すべての暗い幻像といつしよに過去の時間も通りすぎる
彼等は言ふべきことの多くを殺戮してゐる
彼等のまへを過ぎる旅行者が在る

彼らにパン種の外に何かを与へよ
彼らは世にあるすべての風習とすべてのにんげんが原則の外で動いてゐるのを感ずる
彼らは感ずる事象にたいしていま限りなく不遇である
死よ　彼らの前を旗をふりながら疾走せよ
そうして世界は加担すべき理由を喪つて彼らのまへに横はるべきである

彼らは視るであらう

あらゆる戦火と乾いた風とが轢断された地球の荒蕪地のうへに
ためらふ光景を
そうしてにんげんの快・不快の原則の外に彼ら自身の住居を決定し
そこに眠らねばならない
彼らは既に撰択の運命を捨ててゐる
彼らは既に見者の不遇を熟知してゐる
彼らは既に愛の触覚を別離し
鋼のベッドのうへに眠る

彼らは既に性をもたないことでにんげんの文明の遺産を拒絶する
彼らは愛《アガペ》を焚き愛《エロス》を無視するものである
彼らは白と黒の踏切板をおろす
死の結錠をおろす

〈砂漠〉

こころはもう他人《ひと》と語れない
他人《ひと》は遠く離れて住んでゐる
小さな電燈《エレクトリック》のしたに小さな板の食卓を据えて喰べてゐる
それは此処から視える風景だ
それは万べんなく行はれてきた光景だ
こころは不思議そうにそれを視てゐる

他人《ひと》は視られてゐることも知らないで
のんきそうに談笑しながら晩餐をとつてゐる
その光景には何かがある
何かがある
こころはそれがわからないでたいそう焦躁する
視えてゐるのにそれはわからない
ああそれは通じない

こころは歌を知つてゐるし愛を知つてゐる

けれどもう他人《ひと》と語れない
他人《ひと》は遠く離れて住んでゐる
ぜんぶがぜんぶ借家住ゐの者ばかりだ
誰かに金銭や恩恵の借りがある
こころはそれを視てゐる
たしかにそれは視えるのに
他人《ひと》は大小さまざまの腔口に食物をつめこんでゐる

愛は地球のうへの何処を支配してゐるのか
こころは乾燥しづきづき痛むばかりだ
兵士たちの撃ち合つて流した血は飲むことが出来ない
血漿は乾燥し荒廃した砦の壁に残される
こころはそれを視ることが出来るだらう
けれどすべての風景は遠い処にある
その距離をこころは厳密に目測してゐる

〈夕べとなれば安息もある〉

路上のひとびとのなかに
行くひと去るひと　また何処へ自分を運んだらいいのかと
眼ざしで問ふひと
暗い夕べに充ちあふれるのは鐘の響きと
美しそうでもない彼らの安息感だ
そうして時は彼らを何処へつれてゆくか
彼らの生命と彼らの愛や柔らかな抱擁を
彼らの貧困と彼らの習慣を何処へ
つれてゆくか

季節と風と戦火とフイナンツの支配人よ
つまりいまある全ぶの世界の王様よ
むかしながらの世界もいまは美しくもなくなつた
きみの蹄でそれぞれの地域と季節の花々は踏みつけられ
鳥たちの眼からは色どりが消えてしまつた
すべてはきみの慾するように変えられた

夕べとなればきみも憩ひ
貧しい彼らもまた安息を感ずる
このひと時の永生のために
平和はつよく苦しみのなかにあつても
きみのこころを抉出するために
風や寒さ
神経性苦悶症となつて
きみを訪れなければならない

これはつつましい願ひのひとつだ
夕べとなれば悪意も消える
路上のひとびとのなかに
たとへ死が前方からやつてくるとしても
彼らは眼ざしで自分の行へをたずねるかも知れない

〈風景と祈禱〉

わたしたちの風景とわたしたちの祈禱とが走り寄つて合致する
風景は過去の暗い処から祈禱は未来の暗いところからやつてくる
わたしたちの宿命とわたしたちの希望とが出遇ふ
貧しいわたしたちの時代よ
そこで何ごとかが行はれるはずのない
空しい邂逅よ
わたしたちを結びつけてゐる紐を
触れてゆく乾いた暗い風とその通り路よ

ある日　風は告げる
またある日　光沢のある空の触覚が物語る
小鳥と蜻蛉とが空のいろを映す
悲劇がある
理解せられない悲劇がある
紡ぎ車のやうに廻る悲劇の後日譚がある

わたしたちはどうすることも出来ない鋪路《ペイヴメント》のうへを歩む
ビルデイングがある　窓がある　縞目のある空の区劃線がある
工場の煙　車馬と塵埃
わたしたちの憎しみはかならずささやかな風景に爪を立てる
わたしたちは未来を異つた空のしたで予感する
わたしたちはきつと滅亡する
わたしたちは不幸である
いやまつたく幸せである

風景のなかにある暗い空洞がわたしたちに可能性を許してゐる
祈禱のこえがそこからわきあがる
祈禱は未来からくる
祈禱は欠陥を指してやつてくる
そうしてわたしたちは
わたしたちは除外されてゐる

〈夕べの風景・都会〉

屋根屋根のうへにまたとない高処の孤独が支配してゐる
わたしのこころをあやつるのは誰だ
それは誰なんであるか
一条の光の束がにつぽんの都会の片隅に差しこんでくる
残映の赤いところに悲劇のことが感じられる
わたしはいまわたしの魂を販りわたさうとしてゐる！
わたしのこころを陰にするのは
何であるか
それは何なのであるか

この縦横に通じてゐる鋪路《ペイヴメント》のうへを歩いてゐるひとびとを
販りわたしてもいい
彼らのこころが還りゆく処をもたないことを知つてゐるのはわたしだ
わたしなのだ
彼らのうちに女や飾身具が混つてゐるとしても
貴金属や宝石がまぎれこんでゐるとしても

販りわたしていい

彼らの魂に値うちはない
わたしの魂にも値うちはない
わたしたちはあらゆる事実のなかのひとつの事実として
仕方なしに鋪路のうへを歩むのである
わたしたちは生きてゐるので
わたしたちの空腹を充たさなければならないのである
ああそうして神の愚かな約束によつて眼に入るものすべてを視なければ
ならないのである

夕べは三叉路のまへで立ち止つてゐる
それは純粋の時間としてではなくひとつの陰として立ち止つてゐる
わたしのこころは焦慮してゐる
わたしのこころは誰にも出遇へない
自動車や電車や交通整理の巡査《ポリス》などの疑はしい相が視える
それらが鋪路（ペイヴメント）の上にゐないといふことだけで
わたしのこころは親和を感じない
わたしの魂に値うちはない
わたしはわたしの感受の独創性を販りわたしてもいい
わたしのすべてに値うちはない、

〈向うから来た秋のために〉

予感されてはならない季節がビルデイングのつくる蔭のなかに
ひつかかつてゐる
それを感じてゐるのは青い暗い空だ
乾かした麦稈をとりいれてゐる農夫のやうな影像が
わたしの眼のなかに安息を惹きいれる
それは季節について世界の影像と現実についてまたすべてのものについて
わたしの幻影に過ぎない
わたしの視てゐるのは青い暗い空のしたの群集だ
ペイヴメントのうへに区別されない塊りとして歩行する群集だ
群集のなかの孤独な生活と
罪を意識する嗜虐だ

そうして秋
彼らのなかにちつぽけな自己の影が深まつてゆく
彼らは鏡のようにその影を映すことを覚えはじめる
彼らはわたしに教示する

わたしは何処へゆくかわからないことを知つてゐる
すべてのものはわたしの意志に個別的だ
向うから秋がやつてくる
暗い秋がやつてくる
扇形に開いた空洞がいつしよにやつてくる

〈自由な夜のために書かれた詩の一部〉

苛酷な秋がわたしたちのほうへやつてくる
秋のなかの罪障と救済
あるひは憩ふためにあるひは焦慮するためにわたしたちのうへに
必要な空がある
空は青く暗い
わたしたちの思想の影がそれをすべて映してゐる
むしろたつたひとつの方向を
わたしたちが視てゐるためにわたしたちの思想はひとつの様式につつまれる
わたしたちの願ふ倫理がそのなかで生きつづけなければならない

運命を運搬して捨ててゆくものが
ちようどわたしたちの様式をきめてしまふ
いぜんとして青く暗い空のしたで
地球といふものを荒蕪地と考へても何も異つた意味で
生きることはできない
にんげんも風景もたくさんの産業地帯も戦火の土地も

決して実感として感じられない時刻があつて
わたしたちは覚醒したまま通り過ぎる

秋のなかの罪障と救済
わたしたちはその断面を劈開して観てゐる
わたしたちの愛する者がわたしたちのほうから視えるのはその時だけだ
まるで瞬間に成立つ愛の交換
そうしてすべては鋼のやうな孤独のなかにたちかへつてしまふ

異つた空をへだてて
わたしたちは自由な夜のなかのわたしたちの未来をもつてゐる

〈火山湖から帰つて〉

にんげんは充ち溢れてゐる
ペイヴメントのうへに女たちのボネットや男たちの折鞄や
乱れて打たれる靴のびようの響きが充ち溢れてゐる
火山湖の畔の夕ぐれ　都会のペイヴメントのうへの夜
時間を繋いで疾走してきたのは列車だ
わたしはもう夢をみてゐない
わたしはもう夢をみてゐない

あの火山湖の清澄とこの荒廃と電化の街々のあひだに
わたしのこころは変らない
わたしの視たものは変らない
星の近みにあるにんげんの運命とビルデイングの底にあるにんげんの運命と
ひき寄せられるようにして
いちように未来は暗く思はれる風景のなかへ移動する
わたしの恐れてゐるのは何か
わたしの恐れてゐるのは何か

地球はいま悪しき星のひとつである
表面に花々は咲かないし
乾いた風はどんな悲劇の色でも運んでくる
有価証券の累積に抑へられたにんげんが視える
乾いた風はそれを飛散させることができない
隕石は鋼になる
土壌は化学療法を発生する
わたしのこころは不可抗の体系を感じて
いつまでも欠損してゐる

愛する人たちよ
ごめんよ
安息が無ければひとを愛することはできない
安息は何故わたしのこころで拒絶されてゐるのかわからない
わたしのこころで不安と熱を帯びた思考が
まるで悪しき星（地球）のやうに廻つてゐる
わたしが愛するためにわたしの存在を停止しなければならない
それは神や何か　所謂　視えざる存在の思ふ壺にはまることだ
わたしには出来ない　それは出来ない

〈わたしたちの魂を鎮めるための詩の一部〉

いまも昔とおなじように老いた者たちは誇らしげに
世にうち克つために為した悪行のいくつかを語つてきかせる
そうして結局はやむを得ないのだと語り了る
飢餓の星のしたに巣をつくつて
やむなく魂と躰とを販りわたすひとびとのことはどうするのであるか
卑わいな正義や名目のために生存を無くした者はどうなるのであるか
かかる思想の場処において運命といふ言葉を導入してはならない
かかる事象は単なる巧かつ《カラクリ》に過ぎないのであるから

わたしたちの魂よ
明日の出来ごとのために戦慄することをやめるな
何故ならば戦慄をやめない限りわたしたちの魂は眠らないだらうから
わたしたちの魂が眠らない限り
わたしたちの魂は販りわたされることは出来ないだらうから
もしもわたしたちに飢餓の憂愁と孤独とがあるとすれば
わたしたちは悪行を誇る者にうち克たなければならない

そうしてわたしたちでさへ生きるために
飢餓の星たちを組合はせて星座を構成しなければならない
まことに主の無い星座を構成しなければならない

にんげんの苦患のはじまりは
財を守るために集合して争つたことであつた
あらゆる拡大の結果として
ここに巨大な火薬と鉄量に抑圧されたにんげんの群れがある
何よりもかかる魔毒を誇る者たちにうち克たねばならない
そうして同じ行為のしたにつねに同じ結果が生ずるとは限らないことを
知らしめるべきかも知れない
わたしたちの魂よ
老いたる者に増長せしめるな
彼らがすでに成長をやめ循環してゐるに過ぎないことをひどく自覚せしめよ
彼らが爪をともして蓄積したフイナンツの力を侮蔑の色をして空からしめよ
かくてわたしたちの魂を真直ぐに本来的な道を急がしめよ、

〈わたしたちは退くことができない〉

わたしたちは退くことができない
しづかにしづかに季節の風物が冬のほうへ移動してゆくと
わたしたちに残されたわづかな空が暗くなつて
あらゆる予感が其処では視えなくなつてしまふ
けれどわたしたちは退くことが出来ない
わたしたちが為さなかつたことのためにすべてのことは悪く進行し
わたしたちが為したことのためにわたしたちが孤立してゐたとしても
わたしたちは退くことが出来ない

空の気配や風の乾燥によつて
わたしたちの幻影は抱かれることがなくなる
すべての物はそのとほりにしか感じられなくなる
愛は渇いた行ひになりわたしたちは胸と胸のあひだに
鋼のやうな弾力をひそませて抱きあふ
そうして未来のなりゆきを視てゐる
わたしたちは悲劇を理解するけれど悲しみを多くしない

そうして或る時
あらゆるものから敵視されてゐるのを感ずる
光線がわたしたちの窓を斜めのほうから差しこんでくる
わたしたちの秋が冬に変へられようとしてゐる

わたしたちの約束ごとよ
それができるにしろそうでないにしろ寂しさだけがただひと色である
そうして期待のうしろから多くの空洞がさし迫つてくる
けれどわたしたちは退くことが出来ない
わたしたちに暗さと明るさを
最後にはげしい意志のある風景を与へられるべきである

〈赤い日が落ちかかつてゐた或時刻に〉

秋のある日のこと
赤い日が落ちかかつてゐたある時刻に
兵士たちの死といふものはやはり考へられたのだ
それから砲火と乾いた裂風
将軍たちの言葉のなかにある残酷な内容
おう世界はどうして何処を中心にして廻転してゐるのかわからない
そうして確実に赤い日が落ちかかつてゐたある時刻が
世界のうへの半分を照射してゐたのである

城砦のうへの醜悪な光の色
暗い稗畑のうへの光の色
とんでもない会談と約束のうへの秘された光の色
流民と貧しい家屋のうへの光の色
わづかな希望が
与り知らないことのためにすべての風景やひとびとのこころのなかから消える
そうしてもうつぎの時刻になる

暗い鋪路と街燈のしたの夜になる
また兵士たちも交替に眠つてしまふ

すべての出来ごとはまた目覚めてはじまるだらう
何といふ愚かで悲惨なことだ
未来を視ることのできない眼とこころは怖ろしいことを仕でかす
未来を視ることのできる眼とこころは荒廃してしまふ
為すべきことの無数と
感ずべきことの無量は
いつまでも不幸であつてよいのであらうか

これらのすべての考へは殆んど一瞬のうちにわたしのこころを過ぎていつた
赤い日が落ちかかつてゐたある時刻に

〈秋の飢餓のうた〉

飢えた者たちは星をまねき寄せて其処へ還つてゆくように
牧師めは或る秋の夜に説いてきかせた
その時牧師めの胸のポケットには白い絹のハンカチーフがちら見え
魚油が頭髪をひからせてゐたと記憶する
敬虔な信者に混つて
何といふ異邦人が在つたことであらう
わたしは嗤ひを魂のなかで上下させ窓の外に翔ばせもした
わたしは思つてゐたのである
つひに貧しく飢えたる者の還りゆくところはないことを
若し天上の権力者に従属することを願はなかつたとしたらね！

地上の権力者は告知したのである
米穀を喰ふに財なきものは麦を喰ひ
麦を喰ふに財なきものは雑穀を喰ふべきであると
雑穀を喰ふに財なき者は既に地上の住処には長く居つくまい
牧師めの分担において

飢えた星をまねき寄せ其処へ還りつくであらう

そして飢えて若々しい肉体をもつものは
すべからくその魂を渇らし
兵士となつて戦火と乾いた風のしたを駈せるべきことを
指示したのである
おうこの秋の暗く疑惑に充ちた景観において
わたしの感ずることの無限と
わたしの為すべきことの無数に幸あれ
鋼のやうにかたい魂と
愛を弾《はじ》く強い意志に幸あれ
にんげんと神との体系（スイステム）を嗤ふわたしのこころに
充ち塡ちた運命を視せしめよ
わたしは生きるのである
盗人たちに混つて生きるのである

〈眠ることなき者をして眠らしめよ〉

眠ることなき者をして眠らしめよ
疲労は累積するだけで消失することはない故に
しかもこの秋は安息の時間をもたらすことはなく
むしろ空の色の暗さや乾いた風の響きに
わたしたちの疲労は加はり
ともすれば戦乱や兵士たちの死を阿呆のやうにしか感じられないこころも
徴しをみせる故に

さては如何にすれば安らかに眠ることができるであらう
力なくすべての景観と事件とを諦め
また背をむけて眠れば
わたしたちのこころはわたしたちに苛しやくを加へ
決して睡ることを赦さないであらう
すべての景観と事件とに抗ひ
なほも深くその本質にさかのぼれば
わたしたちのこころはにんげんの類と歴史とから孤立するに至るであらう

されば眠ることなき者を眠らしめるには
あの孤独に耐える強いこころとせん細な意志とを与へるべきである
かくてそれを与へうる者は神でもない
またわたしたちの空しい祈禱でもない
それは実に
それは果てしなき渇望を求める魂である
そして渇望に現実を附与しすべてをうち砕くまでに愛を喪ふことである

おうこのやうにしてわたしたちは
砂漠に座し砂漠に眠るに似てゐる
またそれは眠りながら照射の激しさに焼かれてゐるに似てゐる
けれどわたしたちに自由の晨がくるまで
そのやうに耐えるべきであらう
それはそうあるべきであらう

〈城砦〉

暗い電燈が街から消える
ビルデイングの壁がたくさんの城砦のやうである
にんげんはゐない
鋪路のうへにはわたしたちの愚かな残像がある
馬鹿にされた秋よ
それをひとつの季節と呼ぶことは危険である
わたしたちは不信であつたし相もかはらず何よりも孤独であつた
にんげん全体の行進は何処にもなかつた
喧噪をつらぬきとほしたのはわたしの録した彼らだけだ
あの永遠に繁殖する種族だけだ
星たちが空でアセチレンのやうにいやらしく匂ひ
わたしたちの憂鬱もわたしたちの生存も
何処かへひとりでに消え去つたといふことを聴かない
おうだからわたしたちの登つてゆく階段よ
決して星たちのほうへ歩み寄るな

塵埃とアスファルトとくもの巣のやうな電線を愛し
別に其処を離れやうとしたがらない
ただわたしたちに空しい祈禱をおしへるものと
わたしたちにそれを繰返させるものとから
わたしたちは訣れねばならぬ
到るところに城砦を設計するものと
ビルデイングを構築するものとを
同じ認識によつて同一の者と視なせば
わたしたちはいまも砲火を浴びせ合ひ殺りくをめぐらしてゐるのである

おうだからわたしたちの不信と孤独よ
決して塵埃とアスファルトとくもの巣のやうな電燈のある風景のなかで
埋没するな
そうしてたつたひとりゐる愛人のやうに厳しく守らしめよ、

〈罪びとの罪の歌〉

何といふ愚かな空の色であらう
充ち足りるといふことのない暗い気流と高層の乾いた風から
成り立ち
むかしむかし使徒めから罪ある罪びとのやうに宣告されたにんげんと
律法や体系（スヰステム）から余計者のやうに思はれたにんげんとが
その下に居住してゐる
彼らは同盟して何故に謀反を仕でかさないのだらう
あらゆる体系（スヰステム）が転倒することも
ほんたうは星たちの運行のやうに自然の出来ごとだ
どこに罪があらう
ましてどこに罪の意識が実在しよう

悲しみはいつも乾いて有限だ
戦争といふのは体系（スイステム）の歯ぎしりだ
兵士たちよ
ほんとうは諸君の演ずべき役割は無いはずだ

諸君の舞台は山腹や稗畑や河川のほとり
要するに諸君はエキストラなんだ
諸君は生命を賭けて悲劇の色を濃くするために
諸君の血と砲火とを噴き出してゐる
空しい
諸君の義と祈禱とは空しい

何が生き甲斐であるものか
何が怯惰であるものか
罪の意識を感じて参劃することに何の正義があるものか
若しも諸君よ
諸君の弱みに滲みこむようにやつてくるものがあれば
それは愛であれ憎しみであれ正義であれみんな偽者だ
だから罪びとの思ひ　罪の意識は
有限のうちの極小の時間のあひだに
にんげんから消え去らねばならない

〈冬に具へての詩の一部〉

飾りのレエスで椅子とテエブルの前張りをして
少女らはすべてわたしを迎へそうではある
けれどわたしは応じきれそうもない
わたしの善意はちよつぴりで
とりわけわたしは吝嗇漢（けちんぼう）だ
と空想もできるうちは
まだまだ風も空気も厳しくないし
それは冬ではない
冬ではない

冬は戦争の予告と暗い空腹と
あまたの仲間たちの監視下におかれた報知をもたらしてやつてくる
また怪しい会談や取引きや
それでどうしたとかそれがどうしたとか
ひとびとの瞋りをまたたくうちに繋ぎあはせ
凍つた空のしたにこころを裸にして吊しあげる

少女たちとの悲しみも喜びも
紡車のやうにつむがなくなり
すべての心理的な織はぴつたりと停つてしまふ

冬はそんなにも辛い季節であるだらう
諸君（みなさん）具へよ
恋人や妻子を大切にまもつて
飢えたりこごえさせたりしてはなりません
また兵士たちも狐穴（フオツクスホール）に埋まつて
そのうへに雪降りつもるコーレアから引上げたほうがいい
十二月のある日に生れた神の子も
ひとを殺せとはよも言はなかつた

どうせすべては悲劇といふにふさはしい普遍的な意味をもつて
人類の歴史に残されるがいい
悲しみのあまたあるわたしの仲間たちに幸ひあれ
孤独を死に代へ死を倫理的に理解してゐるわたしの仲間たちに
幸ひあれ

〈積木と夕ぐれ〉

ひとびとから忘れられた空の色から降りてきて
ひとびとの文明と構築物（ビルディング）と小いさな軒端を繋ぎあはせ
微動だにできないほど固定してしまふ
暗く重くるしい一九五一年冬の太陽の落ちるとき
夕ぐれは冷却した風の乾いた路に転がる響きのなかにある
積木をしてゐる路上の子供たちよ
おまへたちはまつたく知らないことだ
身に覚えのないことだ
いまもひとびとを繋ぎとめ
体系（スヰステム）と支配とを糺弾しようとするものと
あまりにも重苦しく不幸な風景と秩序とを打破らうとしてゐる者とが
この地球の稗畑や山腹のあひだで
また路が運河に沿つて敷かれてゐる都会の隅々で
また大人たちのこころのなかで
嚙みあつてゐることを

積木をしてゐる子供たちよ
それらは父や母や兄弟の出来ごと
それらは異邦の友たちの出来ごと
だから積木をしてゐる子供たちよ
積木が終るまでに何ごとも終るわけではない
候鳥が何十度も乾いた空をわたり
そのたびに冷却した風が吹きはらう季節が
どんなにかおまへたちの思ひ出や想像をうちくだき
通り過ぎるであらう
そのときまですべては終りはしない
決してそれは終りはしない
だから子供たちよ　つづけるがいい
おまへたちの積木を繋ぎとめてゐるのは
板の上でする貧しい晩餐のための時限だけだ

わたしは希望を絶望にかえたり
絶望を希望にかえたりすることをたいへん嫌いなので
おまへたちの路上から学んでゆかう
おまへたちの眼と
おまへたちの為事と
そのあひだに充ちてゐる寂かな愛のことを、

〈冬のうた街のうた死と荒廃のうた〉

明るい太陽は暗いビルディングの陰にきてある時刻を示す
悲しいことは数知れず何処にでもある
路上で銀行の扉は閉ぢ
その機能は死なない
街々よ
それを支配する者のために荘厳にされてゐる構築物よ
また彼らと彼らのブレインを清掃するために並んだ街路樹よ
乾いた眼をした窓々よ
誰もすべての機構を透視したものはない
群集はただゆき過ぎるだけだ
風のやうに乾いた冬
薪炭を焚いて晩餐をとるために
群集はただ稼いでかへるだけだ
黙づんだ運河の水のおもてに映つてゐる銀行・レストラン・ビジネスビルディング
河べりの柳と遠くの鈴懸

橋とテアトルの赤い壁
土砂を荷揚げする河舟
ビルデイングの裏口から投げ捨てられた塵芥が流れてゆく
われらとわれらの荒廃の街
冬の死臭に充ちた街
われらはこころにすべてを用意してゆく
明るい太陽が明るい光をそそぐ膨れあがつた公園《パーク》のほうへ
公園《パーク》を過ぎて工場と護岸工事帯へ
海へ
逆さまに映つた都会の視える海へ

われらは埋没する
ひよつとしたらわれらの考へるやうには考へない支配者や官吏たちに混つて
明日レストランで喰べてゐるかも知れない
まるで異邦人のやうについ立の蔭にあつて
喰べてゐるかも知れない

〈記憶によつて回想された風景の詩〉

冬の空の青いときにその下にある都会の鋪路《ペイヴメント》のうへで
何ごともなければまつたく何ごともないのである
群集は外套のうちがはに財布をひそませ
彼らの好むカフエやレストランにはいつてゆく
彼らといつしよに奇妙な好奇心もはいつてゆく
世界と環境が異ふということは
この悲劇の時代でもつとも尊重されることだから
彼らはいまでも生きてゆくために
異つた食卓と異つた安息が必要なのだ
圧搾された生活から
彼らの夢がとび出すであらうか
彼らの夢を倫理的な陰影に一致させるために
もういちど戦火をひき起さうとする支配者たちよ
あまりに高価な代償によつて
結局　彼らを彼らの墓穴を掘るために進軍させることができるか
それはわからない

それはわからない

彼らを兵士たちに仕立てるには窮乏と圧搾が必要だ
けれどそれによつて彼らは兵士たちとなるか
それはそうはいかない
それはそうはいかない
彼らは些細な愛や憎しみや寂かな歩行をたいせつにしてゐる
彼らは無数の機械と無数の晨や夕の挨拶を好む
彼らは伝説や架空の想像を愛してゐる
彼らは女たちとその眼の色を
雑多な居酒屋のあひだに探しにゆく
おうだから彼らは余計なことをうけ入れないだらう
おうだから支配者と革命の戦士たちよ
諸君の倫理的な夢を体系（スイステム）の変革から導いてはいけない
フイナンツ・カピタルの機構とソシヤル・レボルシヨンの問題を
感傷の陰影で塗りこめてはいけない
まして戦争といふ倫理的な悪夢で
いつさいを解かうとしてはいけない
記憶によればそれは一九四五年ごろの生々しい飢餓を導き出しただけだ
支配者たちは卑屈な喜劇（コメデイ）を演じ
革命の戦士たちは牢獄から出てきてとんまなことをわめき散らしてゐた

〈星と繫がれた歌〉

歎きといふものは明るい空のしたで為されるものだ
暗い空になると星たちが振光のひと束ひと束でわたしたちの運命をつなぐ
それでわたしたちは歎きもならず
死人の死も決められてしまふ
鋪路のうへをくだつてゆくわたしたちの足音は
わたしたちのこころのなかに　また眠りのなかに　また暗い電燈のしたの会話のなかに
消えて滲みとほる
わたしたちはそのとき沈黙や悲劇の眼ざしで
何故ともなくすべてを諦めなければならない
わたしたちはその時　星に繫がれたのである
繫がれたのである

わたしたちは時代といふものや体系（スイステム）といふものの怨恨を知つてゐる
わたしたちは手を振りあげ信号する
そうして地上の巨大な礎石といふ礎石が歎きと瞋りのためゆり動く
それを知らないものは罰せられる

それを知つてゐるものは夜明けのまへに星が薄れてしまふ
にんげん世界の怨恨のはじまりに
たつたひとつの星が瞋つてゐた
いまでは無数の星が瞋つてゐる
正しい願ひといふのは何といふ患ひであらう
凶兆が視えるのはにんげんが正しいと想像してゐることからである
ギリシヤの秋とにつぽんの秋
わたしたちは両眼をえぐられてもそれを触知する
その秋は暗いなあといふことを

空には黄昏の赤蜻蛉と小鳥たち
乾いた風と軒端につるした目刺魚
禁呪の繁殖する土地で
わたしたちは生き　そして死ぬのである
星がわたしたちを其処に繋いだから
無限の歎きや噴き出してくる焦慮を圧し殺して
わたしたちは生きてゐるのである

〈寂寥を巣にかへせ〉

このうへはすべてに向つて多くを語るまい
ただ眼をあげる
そこに空　そこに風　そこに冬のなかのひとつの救済があると信じよう
戦列のなかのひとりひとりの兵士たちのうへに
幸あれ
泥まみれにされた稗畑や山野のうへに
安息のときがあれ
兵士たちの後ろにつづいた愛や憎しみにまた明日があれ
兵士たちが駈せるとき
彼らに守るべきものを守らしめよ

そうして異邦人のわれらは
そこに空　そこに風　そこに冬のなかのひとつの救済があると信じよう
意志によつて荒廃が変革されることを信じよう
われらが生き難いものを感じるとき
われらの寂寥を巣にかへせ

そうして鋪路（ペイヴメント）や運河の底に埋めよう
柳や鈴懸やビルデイングのなかの冬
そこに空　そこに風
冷却されてゐる太陽とその影
すべてが終えんするかに視えるとき
われらの勇気に充ちた風景がはじめられる
われらの風景のなかを
磁鉄のやうに正しく時間が過ぎ
兵士たちの重たい幻影が過ぎ
戦火と乾いた季節が過ぎ
われらの意志が過ぎる

〈鉄鎖と冬〉

牢獄の季節のなかの牢獄の日々は
板のうへにおきつぱなしの茶碗と食パンのきれつぱしと
乾うどんのおれた束
ねずみが天井をがさがさとわたる音
ぼくらの憂愁は路上を走らず
つねに残りすくなになつた地点で
未来について
未来の幻影と敗残した現実とについて
意志の方向をむけてゐる
ぼくたちの火器が奪はれ
ぼくたちのうたは路上から消え
ぼくたちはじぶんのためにじぶんの墓穴を用意しなければならない

虫のはいづりまはつた行政と
従属になれて嗤つてゐる外交と
一方位に解放された銀行の扉とフイナンツのゆくへ

ぼくたちの冬のなかの
意志のない破局への前進

〈冬にならない時のうた〉

鋪路のうへで木の枯葉が賭つこをしてゐる
黄色調の雲の背のしたで
何といふことなしに偉大な者の死の記憶があるのは
寂かな秋のことでもあらうか
それはまつたくそのとほりとしても
わたしのほうへやつてくる告知はみんな凶兆ばかりである
既にひとが戦火のしたで死ぬことは凶兆と言へない程になつてしまつた
イランの石油管とスエズの運河
ジヨンブルの衰運と悪い動向
秋は極めて遠方からと極めて近くから同じ風を送つてくれる

秋は死の季節
死といふものは近親の歎きをよそにして
牧師めの儀文に埋葬されて暗い空洞のなかへはいつてゆく
屍体のあるところで花は咲かない
屍体のある周辺で花は咲き出す

脂肪の花　腐葉土のビチユーメン
飢餓の星たちがかがやく夜に
秋はやつてくる
秋は
際限のない奉仕のやうにめぐつてくる

悲劇的なにんげんの集団よ
架空の価値と正しいといふことのためににんげんは死んでゆく
または仮定的な愛のために
程よく生きてゆく
すべての愛のうちにんげんの形態をもたない愛は架空である
地球やピラミツド形や悪しき星の振光のやうな愛はうそである
同じ地平線で語られない愛はうそである

〈冬の街角で画家に出遇つたとき感じたことのメモワアル〉

冬の風が路上で裏がへると
路上のいつさいの塵埃は乾く乾く
そうして奇妙な人かげが擦れちがひざまにわたしに挨拶する
わたしも挨拶する
今晩は　わたしの好きな画家《えかき》さん
わたしはあなたを愛してゐます
そうして尊敬してゐます
やがて一九五一年冬の風景はあなたの描いたとほりになり
すべてのひとがあなたの視たとほりに視るし
あなたの予感もみんな正しい

よつてわたしは帰途であるし終電車にも遅れそうだが
考へてみよう冬の街角で
描かれたもの一切についてではなく
わたしの描かうとする一切について
それが何処でわたしたちの路上（ペイヴメント）とわたしたちの苛酷につながるか

わたしたちの行為の一切とわたしたちの加担の一切に繋がるか
何処で銃火は噴き
仲間たちの血が流されるか
和解のための条件は
い、い、にんげんの未来を約束するか

わたしの描くものはあまりに数が多い
そうして芸術の約束を外れてゐる
わたしはわたしの描くものによつて芸術家であることは出来ない
わたしはわたしの感受するものによつて芸術家であるだけだ

冬の風よ
夜であるから星が振光してゐるし
労働者たちは眠つてゐる
わたしは彼らに明日を約束しないで遠い未来を約束することの好きな
芸術家でありたくはない
それを知つて
冬の風よ
乾いて乾いてこの路上を吹け、

〈明日からはまた寂しくなる〉

明日からはまた寂しくなる
何故ならば空は遠く冬であり雪も消える
それといつしよに働き手である異邦の友たちの名が土のなかに埋められる
人間に礼のなかつた戦ひにおいて
彼らは自由ではなく　彼らは愛や美しい思ひ出から隔離されて
死んだ
告知は今日税吏のやうに苛酷に
ぼくの処へやつてくる
明日からはまた寂しくなる
何故ならば空は遠く冬であり雪も消える
ミロリイ青《ブルー》のかたい冷たい大気のなかを
候鳥の類も過ぎない
追悼が影になつて空を過ぎるときの危険が
ぼくを寂しくさせる

世界はまつたく無慈悲だ

誰も未来のほうを指さすことができない
すべては何ものも象徴しない
そのなかを彼ら死者たちは櫛の歯を引くように欠けてゆく
彼らのあとを追かけても
彼らのあとを追ひかけても
そこは何処かの国ではない
石材と土と腐敗とでもない
ぼくたちの地平において
絶望の形づくる山岳と
希望の喪失するやうな空とは
遠く冬であり見わたすかぎりの雪も消える

明日からはまた寂しくなる
友A　友C　友E……
彼らは死者となり祈禱をうけなかつた、

〈雪が消えてまた来る季節〉

雪は消えて
もうふたたびぼくが感じた暗い感じといつしよに
それは降つてきそうもない
太陽の軌跡はすこしづつ立直つて
ぼくが温いと感ずるように
風や鉛いろの雲
都市街道の樹々の列にいたるまでそれを感じてゐる
合法だの非合法だの
にんげんの世界はたいへん騒がしく
平和はあの薔薇いろの晨といつしよに
決してやつてきそうもない
寂しさをおほつてまたあの予感の季節がやつてくる
砲列と幕舎と残りの雪を
ぼくたちは活字のあひだにばかり視てはゐない
フイナンツやプシコロジカルな動きにいたるまで
余りに破局は肌にちかい

それを触知するものはみんな不幸だ
誰が戦火と乾いた風を決定し
それが唯一の路であるかのやうにふれてあるくか
貨車にのつて移動するものは
いつたい何処に移動するのか

ぼくたちの加担しない果てに
ひとつの世界があり
其処ではにんげんの意志のすべてを
メカニカルな衣裳にかへて
無惨な賭けがおこなはれる
それはまたにんげんの歴史の悪因に
ひとつの寂しい季節を加へようとしてゐる

〈颪と冬と奈落の土地〉

そこでおまへは歯ぎしりしながら
颪と冬との移行を視つめてゐた
空には盛りをすぎた薔薇のやうな雲が
太陽《ひ》の影と円形の歌とをつむぎあはせてゐて
それはおまへにとつて或る種の絶望の形を暗示してゐた

ヨオロツパからの風信が
ひどくなつた兇兆を告知してきた
おまへのこころの友たちの多くは兵士になり
ある者は辺境地区の衝突で死んでいつた
小さな事実のまへに
果しなく美しいこころと生とが奪はれつつあつた

アジアの土地は昏かつた
忍辱と激情と従属の運命とがいつまでも其処を離れなかつた
寂しい扶余族よ

ひとびとはその半島で峠と国境の哀歌とが好きであつた
こころに絶えまなく訣別と圧制とが刻まれてゐたからである

おまへは世界のいたるところを思ふことができた
おまへは瞋り
風と冬との移行を視つめてゐた
赦し得ない幾つかの不幸がある
おまへはそのメカニズムのなかに歴史の累積された悪を感知し
にんげんの金属《メタル》のやうな孤独を思ふことを為すべきだ

太陽《ひ》のしたでおまへの影は亀のやうに視えた
たくさんの人家と樹木と道路とが白んでゐた
おまへが感じてゐるものを
すべてのひとびともまた感じてゐるように思はれた
おまへは人間全部を信じてもいい
そして人間の創り出したすべてを信じてはならない
ここは暗い地球のうへの土地だから

〈冬がはじまるときの歌〉

冬はひとりでにはじまるだらう
そうしてわたしが焦慮してゐたことどもは
ますますゆるぎなくわたしの視野のなかにあり
時間の過ぎるとともに凍りつき
暗い空がつづいてゐる都会のペイヴメントのうへを
わたしは無双の寂しさでゆくだらう

彼ら（即ちわたしの場処から離れていつた者たち）は
彼らの場処にたどり着き戦火を用意するに違ひない
彼らは兵士たちを育て
暗い情熱を鼓吹するだらう
人間のためにではなく自らの認知してゐる体系（スイステム）のために
且て神から手渡された卑わいな秩序のために

わたしは再び彼らに抗ふだらう
冬がはじまるとき

わたしはペイヴメントのうへをわたしの方角にゆくだらう
わたしは愛と知慧とを新らしくし
わたしの不変で壁をつきやぶるだらう
出遇ふひとごとに不可を訴へるだらう
わたしの寂しさは鋼のやうに堅くなり
わたしの皮膚は累積するだらう
そのうへに乾いた風が吹き
悲劇の色は埋没する
そのうへに氷雨が降り
わたしの荒廃は凍る

彼らは知るだらう
そのとき彼らの焦慮がはじめられ　終ることのないことを、

「日時計篇」以後

（ぼくの言葉が戦乱と抗争する）

ぼくの言葉が戦乱と抗争する
一片の紙きれが兵士たちを募集する
砲煙と砂ぼこりの地域で
ぼくの言葉は兵士たちに出遇ふか
意志のないように視えるぼくたちの時代には
抗ふ言葉だけが生きてゐる
そうしてぼくの言葉は
ランプのしたで独りの兵士をみつけ出すだらう
善き意志は彼の弾そうのなかにはない
ポケツトのなかの書簡や豆本のなかに隠れてゐる
あるいは家族たちの窮乏のなかにまたは
彼が兵士である理由のなかにかくれてゐる

ぼくの言葉は語る
彼の防衛するものが彼の愛する家族ではないことを
彼の防衛するものが彼の敵であることを

ぼくの言葉は暗くなつて告げる
いつもあるものは死にあるものは生きる冷酷な秩序のことを
そうして彼が殺さねばならないのはおそらく彼の友であることを
彼は眠るまへにぼくの言葉を思ひ出すだらう
彼はポケットの書簡と写真とを触れるだらう
家族たちの窮乏と
兄弟たちの確執を考へる
彼が兵士となつた理由が
ぼくの言葉の架空さと虚飾とを瞋る
彼はもうぼくたちの屈辱の歴史についてのぼくの言葉をきかうとしない
彼のランプは消え
疲労を眠らせる

ぼくの言葉は
彼の近親憎悪と殺伐をこのむこころをえぐれない
彼の優しいこころを変えた秩序の病根を動かせない
ぼくの言葉は焦燥する
兵士たちは明日になると
未明から殺戮を演習するだらう
ぼくの言葉は幼時の記憶といつしよに兵士たちに忘れられる
ぼくの言葉は屈辱でいつぱいになる

ぼくの傍らを
兵士たちが足音を散乱させて過ぎる
ぼくの愛着と嫌悪はかれらに踏みつぶされる
ぼくは兵士たちに拒絶されたぼくの言葉を拾はない
ぼくの言葉は其処で虐殺される
おう兵士たちよぼくの兄弟よ
ぼくの安息日ときみたちの休暇とは死地をあらそつてゐるのだ

〈独りであるぼくに来た春の歌〉

＊＊＊

屈折した光のなかでぼくの予感が視る
箱詰めにあつたぼくの死とぼくの生とを
埋もれてゆくにんげんとにんげんの苦悩とを
生き残るものとその佗しげな象徴とを
もしぼくたちが機械のひとつであると自分を考へ得れば
ぼくたちの文明は至極く平安なのだ
銀行の扉が開き　有価証券の額面が四散する
フイナンツ・キヤピタリズムの再生と膨脹
ぼくに与へられたふたつの眼が
たしかに視るべきものを視てゐる
鉄鎖をたち切らうとする五月よ
煤けた花々の季節よ

美しいことのないぼくたちの時代の言葉で

祈禱をとなへることをやめよう
季節はふたいろの風から
ちひさな夕星を生んでゐる
ぼくの未知の友たちがアジアの何処かで
銃床と星とを繫ぎあはせる
あらゆるこんな地平線で
友よ
けつして殺戮をはびこらせるな
ぼくはそれを考へるとき
疾走する影のやうにひとびとの言葉のなかで語らうとするのだ

＊＊＊

夕べがひとびとの頭のうへでひらく
睡りが落ちてきそうに空が烟る
哀れな地球のうへでいつせいに晩餐がはじめられる
黄色い光のなかでぼくはひとつの仮定をたてる
明日ぼくのうへにやつてくる荒涼とその救済について
たれかのために唱つてゐるぼくの小さな歌について
荒廃した未来へあゆみ寄るぼくのわづかな歩行について
それはまあ寂かな慰めでもあるのか

ぼくは死にぼくの優しさが感じてゐる

ぼくは睡りを紡ぐために
夜の砂漠のなかに身を横へる
閉ぢられたぼくの眼は永遠を約束されないけれど
無数の星がぼくの精神の不在のなかで生れ
ぼくの不在のなかで薄れる
ああそれだけがぼくの夕べと夜との童話だ
赦された明るい可能だ

〈独りぽつちの春の歌〉

独りぽつちのぼくを遠くからたれかが呼んでゐる、
うしろから波濤のやうに瞋りがうち寄せる
ぼくらの仲間の忍辱の歴史がまたつみ重ねられる
寂しく重苦しい春よ
ぼくはどうして独りぽつちなんか
ぼくはぼくを呼ぶ声にどうして呼応できないのであるか

太陽がぼくらの都会を照射してゐる
運河がわれてビルデイングがたつ
ふた色の風が春をそよがせる
温暖をまき上げて
地を駈せてゆくぼくらの仲間の足おとよ
ぼくを見捨ててすすむべきだ
ぼくの我執とぼくの孤独とぼくの苦悩とを塵埃のやうに埋めて
文明のいはれをぼくらの手に奪回すべきだ

寂しく重苦しい春よ
文明の愁毒に覆はれた日蔭を
ぼくは乞食のやうに彷徨する
銀行の扉が開き　有価証券の額面が四散する
雲のやうな暗い予感
フイナンツ・キヤピタリズムの再生と膨脹、
ぼくに与へられたふたつの眼がたしかに視るべきものを視てゐる

燃えあがる炎のなかの崩れかかる壁
弾痕にひつかかつた眼
誰が誰のためにひとりぽつちのぼくの春に
すべての暗憺を視せるのであるか

ぼくは強ひられた路上にぼくの影が歩むのを知つてゐる
ぼくの足もとから文明が崩壊してゆく
いつからかぼくは予言を知らない予言者のやうに
いくたびも予感する
埋もれてゆくにんげんとにんげんの苦悩とを
生き残るものとその侘しげな象徴とを
寂しく重くるしい春よ
消えようとするぼくの路上よ

〈悲歌〉

崩れかかつた世界のあつちこちの窓わくから
薄あをい空を視てゐる
円形の荷重を感じてゐる
にんげんの眼
信ずることにおいて初心でありすぎたのか
ぼくの眼に訣別がうつる
にんげんの秩序と愛への
訣別が映る

銃口よ発射するな
壁と踏みあらされた稗畑とを破壊するな
その引金に手をかけるものが秩序であるとき
ぼくはなほ小さな歌をうたへる
ぼくはなほ悲歌を捧げることができる
ぼくのゆいつであつた愛や
ぼくを育ててくれた秩序と狡智にむかつて

太陽は五月の間を
火焔をともなつて廻り
その下で無数の窓のなかのぼくの窓が
黒布を垂れてぼくの悲しみを証してゐる

ぼくは知つてゐる
訣別がどこに発祥したのか　どこに形をあらはしたのか
その時　五月の空が鮮やかに　ビルデイングのうへで
むすうの血と黄塵と湿つた風とを捲きあげる
ぼくは自らに赦さうとした愛の惰性を悔恨する

萌えでる五月の街路樹よ
陰影を匂ひでわける微かな風よ

絶望がぼくの前方でかたい気圏をこしらへてゐる
ぼくの遠い友たちは銃口を擬して
時刻をまもつてゐる
終ることのない暗澹を　ぼくは彼らのために憎む
未来と過去とを鎖のやうにつないでゐる歴史を憎む
重荷がぼくたちの肩から
未来の肩に移される

その時のぼくたちの安堵を憎む
鉄鎖のなかにきた五月よ
ちがつた方向からしづかな風をよこしてゐる五月よ
ぼくは強ひられた路上にぼくの影が歩むのを知つてゐる

星のうた　落下のうた　夕べの風のうた
ぼくはぼくの仲間たちに何を告げよう
彼らのゆく路に　彼らの草たちが騒いでゐる
希望をとりかへるためにぼくの暗いこころを訪れようとするな
文明をゆさぶるためにその銃口を発射するな
いつもある者は生きある者は死ぬ
つまりいつさいの狡智が繁栄するところで
寂しげなことをしようとするな

鉄鎖のなかにきた五月よ
重い積載量をのせてめぐつてきた地球のうへの季節よ
草と虫と花たちのうへに
陽が照り
影が転移する

〈ひとびとは美しい言葉でもつて〉

ひとびとは美しい言葉でもつて
かれらの愛する者たちに語る
若し世界がじぶんたちのために可能性として視えるならば
愛は愛と結びつくべきであり
すべての死の予感や影はかれらから遠ざからなければならない

そしてひとびとよ
わたしはとりわけ
じぶんやその徒党のちからによつて
戦火や乾いた風をまき散らし
歴史を破滅の方へもつてゆくことのために
秩序やそれを固定しようとする者に言ひたいのだ
欲望の了つた時から
きみたちはもう何処かへ去るべきであるといふことを
きみたちによつて
どんな正義も名目になつてしまふだらうし

どんな美しい言葉も汚れてしまふだらうから

愛するひとびとによつて語られる
無心と固有の言ひまはしが
言葉のなかからとび去つてしまふだらうから
しかもそのとき
言葉はじぶんの暗さも破壊の意味も識らうとしないほど
無恥になつてしまふだらうから

愛と愛とが結びつくために
どんな窓飾りや附属品も無用だ
日のふりそそぐ路上で
かれらは過去のほうから歩いてきて出合ひ
未来のほうへ歩みさればいい
乾いた循環しない情感で
卑小や俗ばつた安息に従はない愛で
そのとき歩み去ればいい

たれもかれらをとどめるものもない孤独で
さえぎるものもない自由で
運河のほとりを

わたしの好きな運河のほとりを
そのとき歩み去ればいい、

〈苛酷な審判〉

緑の季節と太陽がちひさくみえる
異質の風景の底で
ぼくたちの苛酷とぼくたちの夢とはいつも
乾いてゐることにおいておなじだ
ぼくたちの風景とぼくたちの視線とは暗く
あなぐらのやうであることにおいておなじだ
とほりかかる歴史の審判者よ
　いづれぼくたちの時代のスイステムと
ぼくたちのこころの病理とを赦さないであらう執行人よ
その法服が誰によつて作られたものであるかを証せ
その威厳がどこに権威を由来するかを示せ
ぼくらの嗤ひを無視できるようなたしかな根拠において
証せ
ぼくたちのこころを病的と呼びうる実証において示せ
さなくばぼくは言はねばならぬ
ぼくたちの時代の執行人よ

ぼくたちはすべての美しい言葉と愛とを喪ひ
すべての信ずべきものを不信にかへ
なほ余すところ三十の年月と
スイステムに支払つた絶望を
いつ赦されるかわからない絶望を
数へて生きねばならない
　おう寂しいぼくたちの法廷
風が温度と気圧とを替え
戦火と乾いた夜が風景とその視線を変へ
ぼくたちの不幸な感情が女や少年たちのこころを変へ
板のうへで夕べごとに晩餐がひらかれる
いつせいに寂しいぼくらの地球よ
ぼくたちが不在であつた時代にいんめつされた証拠のため
ぼくたちは貧困と圧制のなかで
磨滅を強ひられてゐる
ぼくたちは王者だ
殺人者と盗賊との罪状を
ぼくたちが背負はねばならない理由があるか
彼等の放火によつてぼくたちが死なねばならぬ理由があるか
かれらの廃墟のなかで
ぼくたちが絶望せねばならない理由があるか

ぼくたちの時代の執行人よ
やがて苛酷な審判をくだすために法廷を宰領する執行人よ
おまへの不在のあひだ
醜悪な証拠をあつめるぼくたちの敵手を嗤って
ぼくはこれだけを告げよう

〈夕日がわたしたちの視る風景のうへに〉

夕日がわたしたちの視る風景のうへに
風景のなかの恐怖のうへに
貨車（ワゴン）のうへの装甲車に
鉄片と砂利とセメントのうへに
あかく非道のかげをおく

休息はわたしたちのこころに絶切れる
焦慮のなかをまるで女たちのやうに
背信と虚偽の季節がすぎる
うたうものはわたしたちのこころと風景のなかにわづかだ
夕日のなかに燃える
ぼろきれのやうな雲
わたしたちのビルデイングとペイヴメントが
わたしたちのために
いつもそこにあるだらう
そこに記憶と屈辱の風景を定めるだらう

わたしたちは視てゐる
どんな可能もわたしたちの視てゐる風景のほかから
くることはない
どんな可能もわたしたちの生を断ちきることなしに
おとづれることはない
奪はれたものと奪はれないものとを
空しくわけようとしてゐるわたしたちの眼
けれどわたしたちは手形や証券によつて
四散するフイナンツの行方によつて
わたしたちの奈落と不可避とをもつてゐる

恐怖のうへに
貨車（ワゴン）のうへの装甲車に
運搬される武器のうへに
砲火と乾いた風の夜との幻影に
あきらかに同化を拒否してゐるわたしたちがゐる
わたしたちの非情がある
わたしたちの宿命がある
わたしたちの皮膚から汗がきえる

それは乾いて大気のなかに蒸発してしまふ
もうどこにもわたしたちの疲労と病理と灼熱とを
証すものはなくなるのだ
夜をわたしたちのものであらせるために
ちいさな睡りだけを手わたさないようにまもる

わたしたちはただじぶんの非情が
女たちのうへに　愛する友たちのうへに波及するのを恐れる
もう愛することの不可能な予感が
事実となつてあらはれるのをおそれる
世界がそのやうな風景として実現されるのをおそれる

〈貨車（ワゴン）と日附けについての擬牧歌〉

貨車（ワゴン）が
ひとつひとつの運命であるやうに
そのうへの装甲車と　砲と　砂のうとをつんで疾走する
すくなくとも鉄路のうへに　たそがれと
暗いひとびとの屋根と　はかりしれない
予兆がうつつてゐる

われらの日附けのうへを走る　貨車（ワゴン）よ
しゆう恥と屈辱の列よ
黙い箱よ
昨日われらが喪つたもののうへを　まるで
ぼうじやくとして踏みあらし
つぎに破局のほうへ疾走しつくすであらう貨車（ワゴン）よ

〈時代のなかのひとつの死の歌〉

ここでは空からきたたくさんの風と
過去のほうからきたひとつの時間とが
信じられるだけなのだ
風景のなかのビルデイングや広告塔や運河に沿つた緑の樹々
また歩いてゐる群集とこころ
影と背信と逸楽
すべては既に壊えさらうとするものに属し
その死のまへの記憶のやうに
ただひとつの方向へと
自らを歩ませる

空虚の記念に
それらの滅亡といつしよにわたしの滅亡も考へられ
更に網状にはりめぐらされた
鉄鎖の幻影も可能となる
死よ

わたしとわたしの友たちに訪れるであらう
暗いゆいいつの路上よ
フイナンツと戦火のキヤタピラのしたに敷かれた路上よ
わたしはそれを受容することにおいて
わたしのすべての言葉によつて遺言をのこしたい

〈緑の季節と蹉てつの時刻〉

ここにひとつ黙示があつて
緑を噴き出す季節のなかのビルデイングや運河の
暗い路のあひだを彷徨する
それをみたのはおれとおれの蹉てつだ
黙示にはふたつのことが示されてゐる
にんげんの希望を踏みくだく
フイナンツのキヤタピラの無限の行進と
それをはばまうとするにんげんの意志について
いま路上でおれの出遇ふのは
ただこれだけだ

街樹のなかに夢が堕ちて
緑はくろい炎となつて燃えあがる
正銘の戦火のほかに
かかる異質の炎がある
おれはそれを視て　おれはそれをひとに語れない

貨幣額の概算のために
膨大な帳簿のまへにうづくまつて
終日それを喰ひ
また明日もそれを糧として生きねばならない
おれたちのスイステムとおれの友たちの生活よ
何故おれたちには憎しみの場所にしか愛をもてないのか
ラゲルレエフの沼の家の娘を
おれたちはそこで見つけなければならないのか
おれたちの沼には電灯がともり
おれたちは暗い塊として
そこで愛と絶望とをいつしよに共有する

六月よ
緑の噴き出す季節よ
ここにひとつ黙示があつて
それは何処から街路のうへにやつてきたか
それがくろい炎となつて燃える緑のなかで
何故に黙示するのか

おれの蹉てつは時刻になつて
その時　その風景を決定してゐる

〈死者のために捧げられた弔詩〉

太陽はまだ燃えつきることはない
ビルディングやそのあひだの路上で
ひとびとの群れは終ることはない
病理をさらけ出したスイステムのなかに
屍をよこたへた死者たちよ
きみたちを死におくつたものを
巨大なフイナンツの生きた手足を
瞋ることなしに
きみたちのために弔詩を捧げることはできない

太陽は未だ病んでゐない
きみたちの墓所ときみたちの肖像を吹く風は
まだ濁つてゐない
微温な同情によつて汚されてゐない
神の説教によつて不遇ではない
むすうの瞋りと嘆きと意志によつて厳壮にされ

いつまでも守られようとする
きみたちの周辺に
貧困なひとびとの自由な乾いた愛が在る

＊＊＊

ペイヴメントのうへを塵埃にのつて
六月の風があゆむ
ちいさな光と影とが転げる
帽とヴエール（面紗）とが吹きはらはれる
路上のちいさな出来ごとのなかに
停とんしたにんげんの愛がある
微笑がひらく時に
ひとびとのかげにかくされた不安な運命よ
それはまつたく地続きをふく
ひといろの風によつて
ひとつの予兆に導かれる
不安と愛とがからみ合つてとまる
そこにはスイステムの死とあかつき
巨大なひとつのむくろとむすうの蘇生とがある

きみたちの希望よ
それは何処からくるか
蘇生は墓地のなかのきみたちの肖像におとづれるか
太陽の無言はいまも無言だ
まるできみたちの無言のやうに
すべての小鳥たち　すべての空のいろも無言だ
まるで颱風の眼のやうに
あらゆることがきみたちから遠ざかりながら
激動してゐるのだ

〈雨期の詩〉

長くはげしくわたる日本の雨期よ
洪水が氾濫し　銀行の扉がはげしく叩かれる
その暗い雨中に
有価証券の額面が氾濫し
破局のまへの悪感と　破産のまへの抗争がつづいておこる
あの喪はれたひとびとのために
たれもこころから悼歌をうたふものはない
浅瀬をわたる騒乱と〈社会的〉な弔辞とが
はげしく雨にうたれた死者たちの肖像に捧げられる

とほくでかれらを愛したであらうひとびとよ
づぶぬれになつてなほ歩まねばならないのは
それら不幸なちいさな愛と
鉛のやうに重たい雲のしたの
わたしやわたしの思想である

ゆくところがなくて
いぜん　すべてはながい雨期のなかにあるといふことが
わたしたちに意志を抱かせる
騒乱にかくれて消えた
かけがえのないひとびとを
たれもが思はないたつたひとつの思ひかたで
わたしたちの都会の　わたしたちの好きな
運河のうら路で
まるで荷重のやうに愛惜することが
わたしやかれらを愛したものに
ゆいつの未来を示すことを信じよう

雨期のあひだをくぐつて
フイナンツと鋭い抗争とが疾走する
かくされた陥落のなかに
練獄のやうな空がうつり
土砂に流された運河が
わたしたちの肩のうへを過ぎる

〈暗い太陽とそのしたの路〉

ちいさな樹木の列によつて
たつた二列の緑によつて
しづくをたれてゐるサラセン風のペイヴメントを
わたしは異邦とその悲惨とを思ひ
別離させられた
わたしとわたしの思想とを思ひ
歩むのである　歩むのである

暗い太陽よ
そのしたの路上よ
わたしは歩むのである　歩むのである
わたしがわたし自身であることをやめたとき
わたしの思想は世界の酸鼻をかんがえ
むすうの破局を予感する

〈夕ぐれごとの従属の歌〉

ひとびとにおとづれる夕ぐれごとの
秘された従属と屈辱の思ひよ
いはば形のない重圧として感じられる
ひとびとのうへの空と路上よ
また盲目にされた報導と閉ざされた理由よ
またふたたび繰返へされるかも知れないプロセスの
途中にあるむすうの生存よ
いつまでもわたしたちは文明の奈落にあつて
這ひあがることが出来ないのである

地球をうるほすためにやつてくる季節と
湿気を運んでくる雲とが
わたしたちの八月を刻みこんでゐる
わたしたちはその空と雲とによぢのぼらうとしないのである
奈落の底には嘆息はないのである
苛酷だけがあるのである

わたしに荷はれた苛酷の量を
ひとびとより重いと感じるのは無意味だ
夕ぐれごとの秘された従属を
わたしのうへにだけ感じるのは無意味だ
路上に風が噴きあがり
そのさきに不安な美しさがうつる
みどりの樹々がうつる
ひとつの夕べの影とひとつの寂しい安堵がうつる

おう　ゆくところのないわたしの帰還の　おもひ
とまどうひとびとの優しいこころ
この路上はいまも手慣れてゐてしかも未知だ
まるで異国のやうなちがつた素ぶりの街々だ
わたしたちはそのなかで刺し殺さねばならぬ
架空のうたと架空の謀議と
たしかなひとつの破局とを
まるで義務であるかのやうに
またおくればせに与へられた権利であるかのやうに
ひとつの証しであるかのやうに
この夕べごとの従属と屈辱の思ひに形を与へねばならぬ

ひとびとよ
何処かに美しい街角と鋪路とがある
ちひさな夕星と団欒とがある
きつと其処には絶望に形をあたへることのできた仲間たちが
歴史の未明をけ破るように
沈黙と安息とをまもつてゐる

〈絶望はまだ近くにゐる〉

鈴懸の街樹のある路で
銀行の裏の路で
いつものとほり歩いてゐるといふことは
絶望がまだ近くにゐることを意味してゐる
絶望がまだ近くにゐるといふことは
ぼくにまだ愛を蘇えらせることができないことを意味する
ぼくにまだ愛が蘇えらないといふことは
ぼくが孤独であることを意味してゐる
ぼくの孤独よ
由来するところの遠い　錯綜した　死にちかい　孤独よ
ぼくはぼくの孤独について　いつもふたつのことをかんがへる
救済と信ずるふたつのみちをかんがへる
ひとつは歴史のなかにぼくの孤独を資格あらしめること
ひとつはぼくの孤独に寛容を訓へること
おお　鈴懸のみちよ　銀行の扉よ
ぼくはそこにいくらかの繫りを感ずる

ぼくの孤独の流通する場処を見つけだす
それを知つてゐるのは誰か
それをぼくの絶望や歴史についての資格にからませて
理解するのは誰か

鈴懸はいま夏のさかりで
きいろな光をはじきかへし　じん埃のなかに埋める
ひとびとの帽をかげにする
ぼくはいつせいに付けられた葉に安息をかんじなくなつてゐる
また憂愁をかんがへなくなつてゐる
咲うような乾いた夏の
それはわづかな余剰であるだけだ
ぼくはそれをぼくに抵抗する風景のひとかけらとかんがへる
ぼくは何処へゆくか
おうぼくは　銀行の扉から四散する
有価証券のゆくてを追求してゆけ
そこには畸形なスイステムの膨脹と破局とが約束され
ぼくはその約束のうへを独りでゆく
決して立ちとまらないでゆく

〈黙契〉

きみのちいさな敗北は
塵埃を流してゐるどすぐろい晨の河べりで
生活の窮乏や愛のあせた女の背信を
一瞬の泥水のやうに飲みくだし
みじめな浮浪人の気持になる
たつたそれだけのことだ
けれどきみは傷つくにちがひない
それがきみやきみの晨を暗くする
それが反逆の根つこになる
それがすべての絶望の胚種をつくる
そんな脆いにんげんのこころに

そうしてきみがにんげんに対して感じるみじめさはほんたうだ
あらゆる正義や反逆の根拠が
あまりたしかでないことで
きみの感ずる疑惑や傷手はほんたうだ

ぼくは知つてゐる
地球といふこの巨きな舞台で
富や安定が正義とすりかへられる
ちひさな屈辱が巨大な反抗にかはる
その手品がそれぞれ正当に存在することを
けれど手品師たちはその仕掛けに傷ついてもみないにちがひない
きみは考へなければならない
ほとんどどんな徳性や美しさも
あらゆる規準から見はなされてゐることを
ぼくやきみがひとつの幸せから遠ざかるとき
幸せのほうもぼくやきみから遠ざかる意志をもつてゐることを
絶対とか神とかが
一瞬を永続にすりかへようとする手品にすぎず
手品師の悲哀や絶望や貪慾が
そのからくりをささえてゐるのだといふことを

おうだから
きみもぼくもあまり巧妙でない手品師のひとりだ
そうして
自分の演ずる手品の仕掛けについて
卑怯なパントマイムの俳優のひとりだ

うしろめたい謎がいつも生存の断崖でうかがつてゐる
にんげんの黙契の
醜怪な貌が
あらゆる風景のうしろがはにゐる
きみがきみのちひさな敗北につまづくように
ぼくはこの黙けいにコムプレックスをもつ

どこかに脱出する方向があるかどうか
どこにもあまりたしかな理由はないとかんがへるぼくと
どこにも価するこころの苦悩はないと信ずるきみと
とにかく脱出すべき風景のなかから
それぞれの反抗を結情にして
歩みはじめねばならない
きみはきみのちひさな敗北を排せつする
どこか女たちの畑のなかに　するとまるできみの敗北のやうな
たんぽぽや菫の花がさく
きみはその一九五二年ごろの春をたいせつにしなければならぬ
ぼくはあらゆる黙契をほじくりかへす
地殻をとりまいてゐる靄のやうなふんゐきをはがしてあるく

おうそしてほとんどたしかに

きみはいちれつの屈辱の花を育ててゐる
そんな風景をぼくは露出させる

〈太陽が遠のく〉

こく明にきざみこまれた　ぼくたちの苛酷
太陽はいま遠のく
黄昏れのほうへ　ぼくたちの嫌悪とちいさな
むすうの陥落のほうへ
ぼくたちの危惧とぼくたちの破局のほうへ
太陽はかつてユーラシヤの守護神であつた
葦原といりくんだ穴居のうへに
太陽は且て軌道を設けてゐた
ひとびとはそれを視あげるとき
風と温暖とが微ぐのを感じた
ひとびとはその下で愛することを知り
憎悪を錯綜にうりわたさないやうに
本能が正しく排除することを知つてゐた

おう　いまぼくたちの本能は
何を排除することを知つてゐるか

すでに謀議と論理の糸とを正しい錘車に
紡ぐことを失つたのではないか
且て市民とともにあつたぼくたちの義は
いまむすうの席を収奪されたぼくたちとともに
あらねばならぬ
ぼくたちの瞋りとぼくたちのおこなひとともにあら
ねばならぬ
ぼくたちの寒冷とぼくたちの荒涼とに
加担せねばならぬ

ぼくたちのゆめとぼくたちの苛酷とがころがつてゐる
乾いた風景のうへを
太陽はいま遠のく
はじめにぼくたちの路上を　羞恥を　ちいさな愛を
つぎにぼくたちの意志を
影と陥落とにうりわたして
太陽はいま遠のく
ぼくたちのさてつしたたましひは
いま役割を了へる
あの悔恨に肉づけする仕事につかいはたしたこころを
暗い空にむかつて埋没させようとする

ぼくたちはしづかに睡るのかあきらかに死ぬのか知らない
ぼくたちの附加した風景はすでに破壊されるのかどうか知らない
ぼくたちの理由はしだいに荒廃し
ぼくたちの路上を鋪装する
そこに明日の食卓と荒涼とを設ける
みしられぬぼくたちの愛と非議と抗訴とを
遠ざからうとする太陽よ
やがて知るだらう
ぼくたちの指さした方向から　ふたたび
それは登らねばならないことを
ぼくたちの路を照射せねばならないことを

〈蹉跌〉

ぼくたちの思想から
不幸な属国《（領）》が脱落する
ぼくたちの苛酷な非議がぼろぼろになる
ぼくたちの肩や髪の毛のうへで
空がきれいに澄んでゐる
ぼくたちはとべと言はれても
いまはとべないだらう
ぼくたちはぼくたちを軽蔑するか
おう深く軽蔑する

ぼくたちの幻想は
ぼくたちの飢餓に迫脅される
このましくない飢餓が
このましくない幻想をつくり、
腐りかけた縁の下で
日陰花のやうに

繁殖する
のぞみ　うたがひ　ちひさな足音で
やつてくるぼくたちの愛憎よ
ぼくたちはそれを反転して
非情の旗をかかげたい

ぼくたちは貧民であり
悲惨の名を騙り
またいくぶんかは人間の脳髄でもある
予言好きのひとは　ぼくたちの
脳漿をかいくぐつて来給へ
ぼくたちがいつたいどうなるかについて
予言したまへ
季節はまだ青葉の皮膜で
きみたちの饒舌をつつんでゐてくれる
きみたちが沈黙したあとで
ぼくたちは抗争をはじめる

季節は枯れる
隣人は背をむけ
兄弟たちは反目する

ぼくたちの思想は疑惑にいぢめられて
七転八倒する
飼つてゐる小鳥が
ぼくたちの喉咽を塞ぐ
ちひさな愛憐が
すみやかに取すがらうとする
革命を教唆した
ぼくたちの思想が　ブハーリン風の非情が
極刑に処せられる

おうぼくたちの不服従のまはりで
むすうの蹉跌が反復する

〈ついにそれは来た……〉

運河のうへにみちびかれて
生活のすべては流れてゐる
汚物のうへに太陽が映つてゐる
街路はいまそこでいくつかのためらひを歩ませる
おうぼくがぼくのこころから離れて
雑沓のなかへ立ち去らうとするのだ
ふたたび豊かな風は
ぼくに対して吹くまい
またぼくに革命を教唆していつた
ブハーリン風の苛酷さは
その愛憐と妄想によつて
極刑に処せられよう

ついにかへらない恋人をまつて
交差点のまへに佇つてゐる女たちよ
きみたちの眼のなかにぼくは映らないで

スラッグのやうに堆積した
塵埃の風がとほりすぎる

〈さてつの季節〉

それはいま
はじまる秋であり
世□の□□者が
ぼくたちの□□する惨苦に
投資しようとしてゐる
苦痛な夜露が
空にうちあげられて雲となるように
明日ぼくたちは都会の下街で
そこはかとなく死滅の予想へかられるかも知れない

ぼくたちの空想と飢餓とは
まるで運命のやうに関係してゐる
このましくない空腹が
このましくない空想をつくりだす
瞋りと反抗はいつまでも
腐りかけた縁の下で日蔭の花のやうに

密生してゐる
望み　うたがひ　ちひさな足音で
やつてくるぼくたちの愛憎よ
ぼくたちはそれを反てんして
非情の旗をかかげたい

ぼくたちは貧民であり
悲惨の名をかたり
またいくらかは地球の脳髄でもある
予言するひとびとは　ぼくたちの
脳漿をかいくぐつて来給へ
ぼくたちはいつたいどうなるのかについて
予言したまへ
季節はまだ青葉のかげで
きみたちの戯語をゆるす雅量をもつてゐる
きみたちが沈黙したあとで
ぼくたちは抗争する

ぼくたちの季節は枯れ
隣人は背をむけ
兄弟たちは反目する

ぼくたちの思想は疑惑にいぢめられて
七転八倒する
ぼくたちの飼つてゐる小鳥が
ぼくたちの咽喉を塞ぐ
ちひさな愛憐が
すみやかに取りすがらうとする
革命を教唆した
ブハーリン風の非情が
極刑に処せられる

おうぼくたちの不服従のまはりで
むすうのさてつが反復する

〈われらの愛した悪は何処へいつた〉

われらの愛した悪はどこへいつた！
荘厳にされたペイヴメントのうへをゆく支配者の
車に背をむけて嗤わらつたものたちの
不逞なたましいはどこへいつた！
卑小な安息と怯懦な温気とから
破滅を言ひわたされ
むすうの家や秩序から追はれた
むすうのたましいはどこへいつた！
浅瀬をわたる俗情に
言はなくてもよいことだけを言ふ文化の運搬人に
悪逆の言葉を放つた
たましいの異質はどこへいつた！

われらは惜むのである
いま暗いあけぼのの世界にあつて
混乱と破壊と死が衰弱した時代にあつて

われらの愛した悪のたましいを
惜むのである
うしなはれた者の美しさをもつものとして
秩序のなかで秩序にあらがつたものとして
勇気にある裏うちを与へたものとして
われらの系譜のひととして
惜むのである

われらのさてつしたたましいは
もう役割を了へる
あの悔恨に肉づけする仕事につかいはたしたこころを
いま未来にあふれる明るい空にむかつて
しづかに睡らせようとする
さてつを知らないたましいが未来をつぐ
われらはただそれが永遠にであることを願ひ
そのなかにある安易を危ふくおもふ
われらは地下を流れ
運河にそそぐ都会の下水管であることを光栄とする

ああその季節のいち日
われらは銀行の扉のまへを犬のやうに彷徨する

フイナンツ・キヤピタリズムのメカニカルな噪音のなかに
われらの予知するものは暗い
手形に約束された繁茂と衰微とは暗い
われらは受感するものとして
われらの非業を歩ませる
われらの愛した悪は
すべてそれに寄生し
いつもわれらのやうに彷徨してゐたのだ
われらの愛した悪はどこへいつた！

〈運河のうへの太陽の歌〉

昏い運河のまへに
ふたつの人影が刻明に佇ちつくし
かれらの肩から髪の毛にかけて
太陽は墓標のやうに刻んでゐる
かれらはかれらの重荷を棄てて
かれらの家にかへる
かれらはふたつの肉塊のあひだで
生活をいとなまねばならない

かれらから太陽は剝れおち
かれらの衣裳は鱗粉をうしなつた
蝶のやうにすりきれる
ひとつひとつの情緒は落下し
かれらの濁音はちいさなふいごのやうに
苛酷なひびきをくはへる
〈ぼくたちの鱗粉ははがれおち

ぼくたちの情緒はすりきれる〉

〈夜のつぎに破局がくる〉

音もたてずにおまへは眠りから醒めよ
そのときはおまへは破局の風景を視るのだから
おまへはあらゆる心の用意を怠らないやうにすることが賢明だ
かつてにんげんの心に対してした疑惑や不可解感は
何の役割もしないのだから
おまへはあらゆる絶望のうちのいちばん残酷なもの
つまり巨大な乾いたおまへのこころを空孔のある鋳物にしてしまふ
そんな絶望に出あふのだから
あるひとつの夜が終りにちかづくころ
たしかそれは一九＊＊年秋ごろのことと思へばよい
おまへは眠りから醒めたとき
音もなくそんな風景にかこまれてゐる

おうおまへはふたたび人間以上の目覚めかたで
それらの風景をあまねく観察し
ひとつの未来の設計とその設計に近づくために

歩みはじめることが出来ると考へるか
まちたまへ
〈黄ばんだ植込みの葉が
その時もいまのやうに
おまへの窓から視えることは確実だ
その背景が高みに上澄してゐるあをい空であることも確実だ
けれどおまへはそれらを視る余裕をこころのなかにもつか〉

破局の形態は予見をゆるさない
けれども都会の廃墟のなかで
よろよろと影のやうなひとが歩み
ビルディングのなかで帳簿が概算されてゐる
おまへはスイステムの休止としてその破局をみるだらう
破局の晨
晨とともにぼくの好きな黥んだ運河が膨脹し
衰褪と塵埃とをいつものやうに流すだらう
海へ　港湾のほうへ
最初の動作はぼくの運河から起る
ぼくが敢て建設とよばない動きが
もうれつな絶望にからまれて
ぼくの運河からはじまる

おまへはそれを視る
おまへの晨に　たしか一九＊＊年秋ごろのある晨に
あるいはむし歯をみがきながら
あるいは廃墟のなかの泥をかみながら
ひとまづうつろなかまへでそれを視る

一九＊＊年の秋ごろ
必然の糸によつてわたしの予見はあきらかに形をあらはす
夜のつぎに破局がくる

〈ぼくの友たちによせるぼくのうた〉

むかうからぼくのほうへやつてくるたつたふたつの眼は
牢獄のなかで生きつづけ
さいの河原の石つみや　帝政ロシヤの旧い刑罰のやうに
いつ終るとも知らされない同じ作業を強ひられてゐる
あのふたつの眼のいろだ
すべて無益を知つてゐることの苛酷さを
疲労やいら立ちによつてあらはしてゐるふたつの眼よ
おまへの仕事や生活から
美しさや築きあげることの充足を奪ふのは誰であるか
おまへの筋骨や頭脳による苦しい仕事を
漏洩させて流してしまふ　そのスイステムの陥孔は
いつたいどこにあるのか
おまへの父やその父のときから
未だ続いてゐるそのスイステムは何であるか
生誕の場処がすべてを決定するといふ
この不当が存続する理由を

おまへはあきらめによつて信ずるか
おまへのふたつの眼のなかの炎症は
もう視ることを喪つてしまつた証しであるのか

おまへは信ずるか
幸せのほとぼりでつくられた言葉の美しさを
開花すべき環境で開花したエゴイズムを
おまへは信ずるか
美食のエネルギーで強行された政治といふものを
それを承認することを出世といふたわけ果てた説得を
おまへは信ずるか
権力の奴隷となりさがつた神といふものを
怯懦でけちくさい婦女によつてうたはれる讃美のうたを
おまへは信ずるか
生活の荷重を思つてもみない女によつて　吐き出される
愛といふ言葉を
おまへは信ずるか
正義とカピタルと文化と屠殺道具とが
うまく循環してゐるこのスイステムを
おまへはなほ信ずるといふことを生きる理由のなかにもつか

おまへの疲労したふたつの眼よ
涙なんか決してたたえるな
父祖の代から遺伝した湿気と繰言とを投げ捨てろ
すべての抑圧の象徴と実体とを拒絶せよ
けちくさい温暖を愛とかんがへるあの俗情を抹殺せよ
おまへはひとりだ
おまへの環境は凍土帯《ツンドラ》であることを自覚せよ
おまへはひとりだ
おまへのひとりの意味をたいせつにせよ

ぼくのほうへやつてくるふたつの眼よ
ぼくはおまへに慰めの卑しいことをおしえる
ぼくはおまへにぼくの理解が無言であることをおしえる
ぼくらのシステムが絶望に近いことを
ひとつの権威をもつておしえる
そのなかでぼくらの築かねばならない仕事の膨大であることをおしえる、

〈冬〉

冬はいま
ぼくの帰すうについて知らうとする
あの深い慾望と
猜疑のいろの空をしてゐる
苦痛にゆがめられたぼくたちの
労働よ
ぼくたちは苛酷のほかに身につける
ものはない
しだいにせばめられたぼくたちの生活から
ぼくたちは抗ふのだ

失墜するものは光だ

〈うしなはれた愛と　その経路について〉

このむすうの星のしたの
　　都会のなかの
銀行が扉をとぢてゐるし
　そこから七つめのビルディングのなかに
わたしはわたしの愛をつなぐものを
　　感じてゐる

（われわれの外がわからは）

われわれの外がわからは
日々のくらしの困窮がおそひかかる
われわれはしづかな砲火のなか
たえまなくくり出される魂の
惨劇のなか　眼にみえない
監視のしたにゐる
われわれは魂を
いぢけさせないために　たえず
たたかひをえらばなくてはならない

うたがひもなく　われわれは
卑小であつて
のどを点火する少量の酒
あすの労働のためのわづかな休息
そのときの寂しい会話
を欲してゐる

われわれはポケツトをさぐり
わづかの紙幣がないかを
たしかめる
われわれの言葉は
情慾のかげをやどし
うら切られた世界を
にくんでゐる

〈惨苦の語り手〉

ここはいまぼくたちの
貧しくくらい空間だ都会をとほる
たゆみなく迫害されるものがそこで
未来について
たくさんの絶望を告知される
夕ぐれどきのビルデングのうへで
わめきさわぐ鳥のむれの記憶よ
ぼくたちの力はいまだ証されてゐないことを
ぼくたちは都会の支配者たちに警告する

ぼくたちは絶望について語るけれど
きみたちから与へられたぶんはきつと支払ふ
ぼくたちは惨苦を語るけれど
それは
風のつめたい空へきえることはない

おう語り手は
刻々すくなくなる
けふぼくたちをうけいれたものも
あすは失墜するのだ
反抗するものの疑惑について
ぼくたちの歴史はいつも没理する
けれどぼくたちはいま
しづかに語るのである
きき手のない
まづしくくらい都会で
巨大な絶望について
その絶望のさけ目について

償却されない負債をかかえるものは
群衆のかおにひとしい
基礎工事のコムベアからたれさがる
氷の花
おお　春はとほく
またはけつしてやつてこない
反抗に出で立つものは
ぼくたちからさつて決してかへらないがいい

反抗につかれたものは
ぼくたちの下へ落下しないがいい

ぼくたちの絶望を喰つて
ビルデイングは刻々うちたてられ
ぼくたちの負債をあつめて
その内部はにぎやかになる

絶望のさけめはまだかたく
ぼくたちは惨苦を語り了へることができない

〈失語症〉

季節の挨拶をするかはりに
じろりと洞ろな眼をむける
よくようのないおまへの視線からは
どんな貧しい愛もにげてゆく
おまへの頭のうへは鉛のやうな空
遠ざかるにつれて
羽毛のやうにやさしい
ことばがとびかつてゐる

おまへはたつたひとつの
ことばを欲するか　鉛のやうな空の
したの不遇な街々で　ずり落ちることなく
生きてゆくための
ゆいつのことばを欲するか
世界にうら切られても　世界
をうら切らないで　恢復できる

ひとつのことばを欲するか
孤独のおくそこをたしかめうる
ひとつのことばを欲するか

〈時はちかづく〉

夕ぐれのときの空よりも濃く
なつた　運河のみづ　ぼくが
あるくことをやめたために　さしこむ
ひかり　たまる日ざし
いまはなにをかくそう
ぼくは異邦人のやうに瞋つてゐる

ひとびとはどうしてぼくと
くいちがふのだらう　生活の
なかの流れと停止が　そのまま
ぽつんと佇つて運河をみてゐるぼくと
忙しそうにながれてゆく　にぎやかな
雑沓に　わかれる
ぼくの眼が追はなければ
かれらは永久にぼくを忘れるだらう

運河はぼくの記憶
ぼくには失意とか希望とかはない
みち潮になるとそ行することができる水のやうに
ぼくにも　とほい過去
つまづかない喜怒の表情があつた

けれど　いま革命よりも
すこしおくれて　それに忠実に
怒号するだらう　汚物のうへ
にゆれるひかり　鉄さびを
かぶつた街路樹
偽善にたいする嫌悪を
なくしてしまつた都会

そのうへを
手筈をまちがつただけだと称して
馬鹿面をしたサンドウヰチマンがうろつく
道をふさぐ

〈風が吹くたびに〉

近よりにくい街の全景を
わたしらはある予感によつてつきとめる
わたしらはある
予感によつて　うちひしがれたひとびとが
立去るのをしる
かれらの動揺から
無慈悲な生活の幕がかさなつてゐるの
がわかる
かれらはじぶんの意力と
貧困とを競はせたのである
うち振る旗もみえない　宿命の
競技場で
かれらの敗色がたしかになつたとき
かれらの視野は　阻まれ
かれらは生きるために　ほんの身のまはりの
ちいさな得失に執着するであらう

風が吹くたびに

〈ちひさな群へ〉

あたたかい風とあたたかい家は無駄ではない
いまは冬だから　そしてぼくたちはこごえるから
ぼくたちは冬の真向へ出てゆくために
ちひさな微温を裏切る
ぼくたちが街路へほうり出されたために
地球はしかんしてしまつた
季節はぼくたちの苦しみぬいたことを繁殖させないために
女たちを遠ざける
そしてぼくたちは何処までゆかうとも
第一級の風てん病院にゐることに変りはない

悲しかつたのは昨日までだ
うつくしかつたのも昨日までだ
冬は二つの極からぼくたちを緊めあげる
そうして未だ生れないぼくたちの子供を決して生れないようにする
こわれやすい神経をもつたぼくたちの仲間よ

フロストの皮膜のしたで睡らう
そうしてぼくたちを憩はせよう
ぼくたちの革命は敗れ
戦火が乾いた風にのつてやつてきそうだから
ぼくたちはなれてゐるはづではないか
危機を枕辺にして睡り
苛酷な夢をそだてることに

〈危地に立つひとびとへ〉

ぼくの魂が契約を感じたから
その契約はにんげんにとつてまだ遂げられたことはない

〈危地に立つ階級へ〉

無数の破約のために落ちこんだぼくたちの階級へ
ぼくはそれを高めることのできるどんな言葉も
信じはしない
晨ごとにかならず降りてくる霜と
夕がたになると凍りはじめる風とにかこまれて
冬をこす屈辱の階級よ
働くことによつて支へられない困窮と
蛆虫のやうにこころにつきささるわづらはしさと
支配するものたちの追撃ちによつて
辱従の冬をこすぼくたちの階級よ
けれど
ぼくたちの忍従にはそのはじめがある
ぼくたちを制圧するものにその元兇があるのだから
ぼくたちの屈辱にはそのをはりがある
ぼくたちを強迫するものに死滅があるのだから

〈死のむかふへ〉

ここは三月の死んだくにから
わづかに皮膚をひとかはうちへはいつた意識のなかだ
意識のいりくんだ組織には死臭がにほひ
こはれかけた秩序をつぎあはせようとする風景と
そのなかにじぶんの生活をなげこまれながら
はるかに重たい抗命と屈辱とをかくまつた　べつの
意識が映る
ぼくたちの意識を義とするものよ
それはどこからきてぼくたちと手をつなぐか
それは海峡のむかうの硝煙と砲火あるところからか
またそれはヨオロツパのおなじ死臭のなかからか
それはおなじ死臭の
べつな意味を
死んだ国のなかでつくり出さうとするものからか
死んだにつぽんよ
死んだにつぽん人よ

おまへの皮膚のうへを砲をつんだワゴンがねりあるく
おまへの皮膚は耻をしらない空洞におかされてゐる
おまへの皮膚から屈辱がしんとうしてゆく
やがておまへの意識はふしよくされた孔から
じつに暗い三月の空をのぞくだらう

はるはめぐつてきて
にんげんをさらつてゆくのであるから
ところどころ空はうたがひぶかく晴れて
おまへの屈辱をあきらかにしてゐる

〈おまへの屈辱をゆくりなくめぐつてくるものと
とりかへるな
おまへの屈辱をかくじつにあるべき未来と
とりかへよ〉
おまへはじつに暗いとおもふ三月の空から
はるかに底のほうにあるにつぽんといふ土地をかんがへよ
しゆうかいなビルデイングのなかでおこなはれる
ペテン師のたそがれた合唱をかんがへよ
板のうへでとられるみそづけの晩さんをかんがへよ
重役のやうな芸術家が

ルムペンのやうなげいじゆつ病青年をやとつてゐる
げいじゆつの市場をかんがへよ
おまへはおまへの意識をひとこまづらせば
そんな風景のなかでかんがえることになる

〈それはうつくしいか〉

かぎりなくとほくへ
われわれのゐるしづかな安息から
とほくへ　われわれのちひさな争ひから
とほくへ　われわれの魂の不具からとほくへ

〈たのしい十字架〉

きみの　あのうすさびれた
工場での　ちいさなたたかいは
挫せうした
挫せうのおもいではつらいものだ

〈惨劇〉

きみは魂の惨劇によつて
たれをも生きかえらせることはできない
きみの憎んでゐるのはうつくしい歳月にみがかれた老女だ
労苦のなかつた生活と
てきどの甘さや自尊心にはぐくまれ
それ相当の名誉ある男にまもられて
微温的な愛のしぐさも知り
美食のたのしさもわきまえ
もしかすると慈善についてアソシエーシヨンをもち
ホランド風の水車の口絵のある雑誌で
身上相談を担当してゐる
うつくしい老女だ

〈いまはひとつの季節〉

いまはひとつの季節
とほりすがりにおとづれる
すべてのものはたちさつた
うつくしい苦悩
やさしい求愛
残こくな表情のうらに
涙をながしてゐるストイックな仮面

そうしてきみはいま
世界でろしゆつされた世界の
孤独な
筋ばつた脳髄にどれほど
血液をあつめても
きみがいま生活してゐるところから
逃げだすすべはみつからない
きみはきみ自身の重さによつて

世界のあらゆる風景をかん没させる
民衆のえんさは
倒さまになつてうつる
もえつきた戦後
はじまる
あたらしい長期的クリシス
きみは用意せよ
きみのたたかふべきものは
つよくかつ陰微な怪物だ
原因をつきつめるきみのメスは
老いた女のやうに愛のない
支配者たちをみつけだす

〈救ひのない春〉

救ひのない春がきたら
小鳥がちひさな巣を
軒にしつらへる
小鳥は
しろい骨のやうに
からから鳴きたてる
ぼくたちはその傍に
とほい喪失をかける
つまり
うつくしい苦悩　やさしい求愛
残こくな表情のうらの
ストイックな涙
を、

そしてこの憩ひには
苛酷な生活を対比させよう

吹きつさらされた世界から
逃亡しようとする
夢遊病者（むかしの仲間）のうしろから
じゆうぶん計画されたおのの
一げきをくわえよう
ひとの魂を
殺害することによつてしか
ぼくたちに救ひはない
けれど又ぼくたちに救ひはない
ぼくたちの魂の惨劇によつて
秩序を破壊することはできないから

救ひのない春がきたら
死もまたちかくへくる
ふりきらうとしても
無駄の無駄
ぼくたちのえんさには
狂気がぶらさがつてゐる
ぼくたちの揺動のはてに
かがやく世紀はこない
生活からしたたりおちる

この疲労で
すでになくなつた根拠を眠らせよう
ぼくは生きてゐることによつて
けふ　罪をおかしてゐる
たたかはない民衆のなかの
おもたい困窮
ぼくがたたかふなら
ぼくはまだ生きてゐるのだ
救ひのない春
ちひさな春
ぼくはまだ生きてゐるのだ

〈よりよい世界へ〉

きみよりさきに　ぼくが死ねば
世界はきみにしたがつて変ることになる
ぼくよりさきに　きみが死ねば
世界はぼくに加担するかもしれない
力のない響きで
一日中ぼくのとびらをたたくのは
ぼくにちかいひとびとの
それは訴えである
生活のなかから　いはれのない
苦しさをとりのぞくために
ぼくも　かれらのやうに
ぼくの友とするひとびとのとびらを
たたきたい
かれらは
風よりも空虚なひびきを
きく　ぼくの生活よりも

ぼくの魂のなかに　惨劇が
おこなはれてゐるのを　知る

ぼくの唇のけいれんから
しめ木にしぼられたやうな声から
かれらは　わかい肉体のなかの
意外に老いた魂をさぐりあてる
けつきよく
ぼくらの物語りはをはり
ぼくらは木の葉のやうにばらばらなこころで
わかれるのだ

約束を
　しよう
よりよい世界のために
ぼくが独りでゐたら
ぼくは死んでゐることを
ぼくがおおぜいでゐたら
ぼくは生きてゐることを

〈危機に生き危機に死ぬ歌〉

われらは長くもがなと
願はないのに　砂をかむ生活
みよりもない絶望　くだのなかの
うすぐらい薄明　ちからなく呼びかける
変革への誘ひ
そのみちは
長きに失した！

われらは生誕とともに
軍靴をはき　名高い名匠の
狂刀をぶらさげ　米びつの底を
さぐつてにぎり飯を喰ひ
たのしき三月
るり色の四月
芽ぶく五月を
うしなつた

ちからないわれらを　死に
追ひやつた　マルスの悪レイを
呼べ　寝床よりも
墓地へ入つて眠ることを
快楽のごとくおしへたものたちを
呼べ
かれらをして　危機に生きる
われらの苛酷なことばのくだを
くぐらしめよ　かれらをして
自ら縊死せしめよ

〈韋駄天〉

きみはきみ自身を休ませよ
きみはいつでも任意な時に目を覚ませばよい
きみには追跡妄想がないし
もうゆくさきもきまつてゐる
秩序といふやつは
まるで母の胎内だ
きみはそこで外傷をうけなかつたのである

おう　一九五三年の炎のやうな夏
ぼくは韋駄天のやうに去る
きみときみのいくらか患はしかつた物語と
きみの善意と狡猾さと
卑しい感覚と
それらみんなにさようならを言ふ

〈一九五三年夏のための歌〉

とめどなくぼくたちは
ぼくたちの夜のなかに沈み
ぼくたちの頭上にひらく空や緑のかげを
ひとつの運命のやうにうけとる
ぼくたちは形づくられた世界から
ほんのすこし不興気に頭をつきだし
つぎの時刻に未知の世界につきおとされる
ぼくたちはぼくたちの夜を
不眠のまま歩む

ぼくたちは夏に　氷のなかの
ひとつの国土にゐる
ぼくたちの愛や非議が
いゝゝ、
ふんゐきのなかでこごえ
苛酷な脳髄で
すべてを含まない

ひとつの世界を描く
ぼくたちは
秩序のなかのむすうの怯懦を脅迫し
つぎにぼくたちの苛酷をなだめる

ぼくたちは夏に　夏のなかの
ひとつの声をきく
それは死者の声であり
もつとも悲惨であつた砲火の下の
情況からきこえ
あるいは窮乏を盲目でつなぐ
生活のなかからきこえ
果てしなくつながれる
明日へいちまいの弔辞のやうにきこえる

夏はあたかも
さんさのために発狂する女性のやうに
太陽と臭気とを落下させ
ぼくたちは決して暴発することのできない
反抗をひそませる
ぼくたちはまるで化石となつた自然だ

夏とともに終る虫だ

〈青葉の蔭から〉

青葉の蔭から
おまへの孤独な貌は視えるのだ
それは街路で、
それはふたつにわかれたビルディングの中庭で
それは銀行（バンク）の植込みで
それは運河べりの休憩場で
すなはちおまへが歩む
夏といふ夏の苦痛なビジネスのあるところで

一九五三年夏は
そもそもおまへの苦悩の季節であり
おまへがおまへの生存の理由として
のこしてゐる場処はごくわづかになつた
おまへはトロンボンの音につれて
危険な道化の演技をしてみせる
おまへは逆説をたよりにして

おまへの苦悩を踊らせる
おまへの苦悩はふたつの方向からくる
ひとつはほとんど生理的に決定された
連帯感の拒否からくる
ひとつはおまへの階級が
完全犯罪によつて殺される
そんな暗い予感からくる

青葉は都会いちめんに盛りあがる
けれどおまへの眼は
それを視てゐる余ゆうをもたない
都会の雲はうつくしいが
それをほんたうに映せるのは
最終の眼ばかりだ

そのとき
おまへはおまへの皮膚を刻んで
被虐的なゆめを結ぶな
おまへは最終の眼で
民衆の破局を映せ

都会の雲から落下する長期的クリシイスを
凝視せよ

青葉の蔭から
おまへの孤独な貌がみえるのだ
それは街路で
それは薬品にまみれた仕事場で
それは銀行（バンク）の窓口で
それはとある加担の姿勢で

〈亡命〉

街でおまへは何をするか
街でおまへはビジネスをする
それから路をぬける
路はつづいてゐる
貧困の街々へ
おまへはいまもそこを過ぎることが
できない

おまへはうたを唱ふ
そうしながらおまへは労働する
労働しながら睡つてゐる
少女が花を挿しにくる
それからサイレンが鳴る
それから疲労がどつとくる
おまへはいまもそこを過ぎることが
できない

おまへは小さなむしろのうへで
ちいさな鉄槌をとりだして
おまへの機械を修理する

おう
逃亡しながらかすめとる風景のなかには
おまへの残酷さにおののくものと
おまへの暗さに罪をみつけるものと
どこからともなく
誘ふものとがある

〈暗い地点で〉

おまへの眼よりも
おまへの脳髄は深い神経をめぐらしてゐる
そうしておまへの神経が触知するのは
引裂かれる不幸だ
八月の晨　おまへとおまへの影が
都会の下街をとほりすぎる
おまへは　そこで生活の根拠をおろし
おまへの影は独りで歩みさる
訣別の理由はおまへの影に味方する
おまへの影はゆくだらう
ひとつの断絶よりも
むかうがはにある関係をつくりあげるために

いまにんげんとにんげんとの関係は
暗いものである
握りあつた手と手のあひだから

屈辱があふれでる
おまへを信じないのは以前からだ
おまへを殺さうとしたのは
おまへの階級を憎悪するからだ
おまへが死なないのは
おまへの階級が強じんだからだ
おまへは高く砲煙をとばし
おまへの疎外感はそのまま
おまへの安定感とおなじだ
そのあひだで
生きることは不服従を意味する

Ⅱ

〈手形〉

おまへは売りにだしたのだ
おまへの思想を
おまへの苦悩を
それからおまへひとりが知つてゐる
おまへのスキヤンダルを
おまへを買ひにやつてきた男は
よれよれの上衣のポケツトから
手形をふり出し
すなはちそれは
未来のおまへについて
たくさんのことを約束した
けれど
おまへは
汗くさい集会所で
運河のほとりの銀行の窓口で

生涯のみごとなBegegnungの場所で
その手形をとりだすことができない

それはたとへば羞恥のやうに
こんどはおまへのポケットのなかで
よれよれになつて埋まつてゐる
おまへの諾（ウイ）のカテゴリイのなかで
おまへはその夏にたびたびとり出し
それをみんなの想像のおくにつき刺し
いくらかの有用性をたしかめる
このしづかな街では
あはれなことが多すぎて
おまへはそのひとつひとつに
不幸な想像をはたらかせる

おまへは手形にかはつてしまふのか
おまへはおまへの体をふたつに折つて
永久に不用なものを
つぎつぎに売払ふのである

Ⅲ

$k=1,\ k'=1.5,\ k''=1,\ \alpha=\pi$

$d=2.5\times10^{-5}$cm に取れば (5)～(9) 式によって"interference bronze"を計算することが出来る。

今"interface bronze"と"interference bronze"の差異を考察するために Fig. C Fig. D に夫々の反射率曲線を種々な角度によって計算した結果を図示する。

これによると"interface bronze"では入射角を異にした場合反射光の総体は異っているが，主波長は同じ個処に保たれている (Fig. C)。これに対して"interference bronze"では入射角を変化させて計算した結果は，広い範囲の主波長の変化を与えている。これが両型の"bronze"を区別する実際的な方法であるけれど，両者が共に生起する場合中間の効果が観測されてくる。

とによって求められる。(3) 式を使用に便利なように単純化すると

$$n^2-\frac{2nk(\lambda^2-\lambda^2_0)}{G\lambda}-(k^2+1)=0 \qquad (4)$$

吸光係数の値からこの吸収帯の反射指数に及ぼす影響が計算されるこの場合 G は吸収極大の位置に対応するように選ぶ。

"interference bronze" を計算する場合，同じ振動数をもった波動が，位相と振幅を異にしたときに生じる重畳作用を与える式が適用されると考えられる。

即ち

$$R=A^2_1+A^2_2+2A_1A_2\cos\Delta \qquad (5)$$

ここで R は反射光の強度，A_1A_2 は夫々の波動の振幅 Δ は各波動の位相差。

薄い膜面における反射波動の振幅は (1) 式と少し異った形の Fresnel 式から計算される，第一面からの反射光波の振幅 A_1 は

$$A_1=\frac{\sqrt{k}\cos\phi-\sqrt{k'}\cos\theta}{\sqrt{k}\cos\phi+\sqrt{k'}\cos\theta} \qquad (6)$$

第二面からの反射光波の振幅 A_2 は第一面からの透過光のフラクションを乗ずることによって同様に

$$A_2=\left(\frac{2\sqrt{k}\cos\phi}{\sqrt{k}\cos\phi+\sqrt{k'}\cos\theta}\right)\times\left(\frac{\sqrt{k''}\cos\theta-\sqrt{k'}\cos\psi}{\sqrt{k''}\cos\theta+\sqrt{k'}\cos\psi}\right) \qquad (7)$$

k'' は第二の媒質の弾性常数 ψ は反射の第二次角遅れの角 Δ は膜面の性質に依存し，次のように表現される。

$$\Delta=\frac{4nd\pi}{\lambda}\cos\theta-\alpha \qquad (8)$$

d は二つの並行な面の距離，n は媒質の反射指数 λ は光の波長，α は二つの反射面における位相変化の "interference bronze" 差を計算する場合 k，k'，k''，ϕ を知ることが必要である。θ 及び ψ は次の式から計算される。

$$\sqrt{k}\sin\phi=\sqrt{k'}\sin\theta \qquad (9)$$

$$\sqrt{k'}\sin\theta=\sqrt{k''}\sin\psi \qquad (10)$$

若し展色剤の皮膜が空気中にある場合を仮定すると

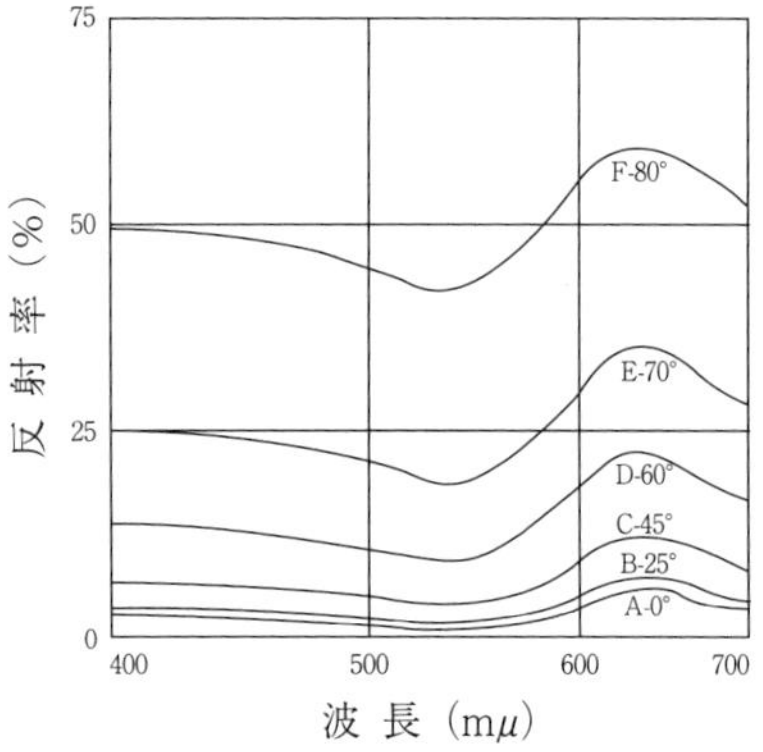

Fig. C　Alkali blue の bronze の計算曲線

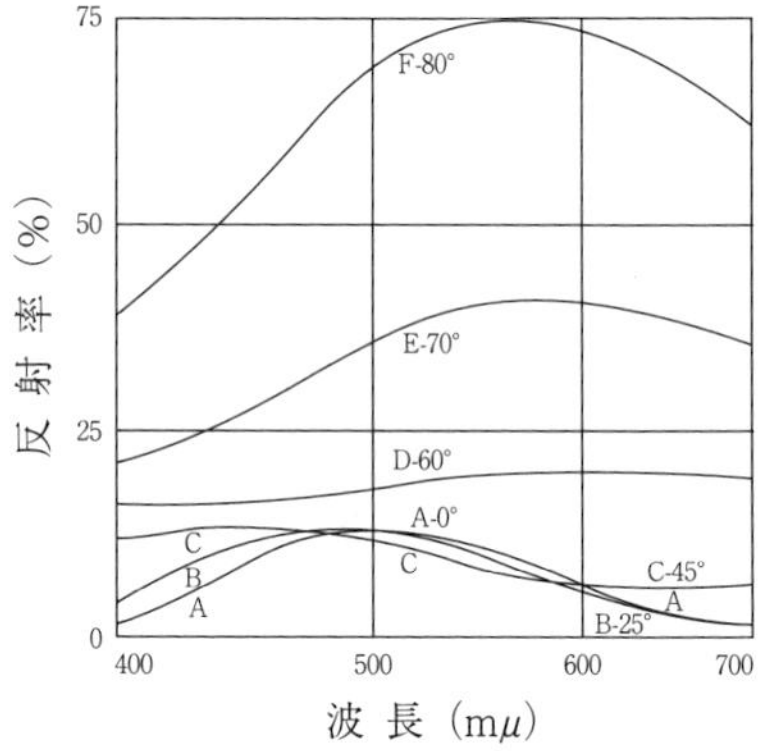

Fig. D　展色剤は膜の bronze の計算曲線

曲線BはFig. Aにおいては入射角60°，視角60°，方位角180°の偏光による反射曲線でありFig. Bでは光源角60°視角60°方位角180°の垂直偏光による曲線である。Fig.に明らかなようにalkali blueでは青（400mμ）と赤（700mμ）に大きな反射能があらわれインクは紫であることを示す。bronzeでは黄色を帯びた橙色を表わしている。曲線CはBと同じ条件で，ブロンズを減少させるためにグリースの薄膜を試料の表面に塗って測定したもので，alkali blueではうすい青色をbronze orangeではうすい橙色を示しブロンズの特性は共に消失している。

Frensnel（5）によれば異った媒質の境界面に光が入射した場合の反射エネルギーのフラクションは良く知られているように

$$R=\frac{1}{2}\left(\frac{\sqrt{k'}\cos\phi-\sqrt{k}\cos\theta}{\sqrt{k'}\cos\phi+\sqrt{k}\cos\theta}\right)^2+\frac{1}{2}\left(\frac{\sqrt{k}\cos\phi-\sqrt{k'}\cos\theta}{\sqrt{k}\cos\phi+\sqrt{k'}\cos\theta}\right)^2 \quad (1)$$

となる。ここでϕは入射角θは反射角で，k'としてインクの弾性常数kとして空気の弾性常数を用いればFresnel式はブロンズ現象に適用されることになる。Maxwell（5）の電磁論から考えて弾性常数は比誘導容量に置き換えることが出来るから，k，k'は夫々反射指数吸光係数，と次の関係にあることがわかる。

$$k=(n-ik)^2 \quad (2A) \qquad k'=(n'-ik')^2 \quad (2B)$$

ここでn，n'は空気とインク皮膜の反射指数，k，k'は夫々の吸光係数を示す。此の式を（1）式に代入してiで除すことによってブロンズを計算するための式が得られる。

又Helmholtz（5）の分散理論によると反射指数と吸光係数は顔料分子中の発色団の特性から試算することが出来る。

即ち

$$n^2-k^2=1+\frac{M\lambda^2(\lambda^2-\lambda_0^2)}{(\lambda^2-\lambda_0^2)^2+G^2\lambda^2} \quad (3A)$$

$$2nk=\frac{MG\lambda^3}{(\lambda^2-\lambda_0^2)^2+G^2\lambda^2} \quad (3B)$$

$$M=\frac{Ne^2\lambda_0^2}{m\pi C^2} \quad (3C)$$

$$G=\frac{r\lambda_0^2}{2\pi mC} \quad (3D)$$

λは計算しようとしている波長，λ_0は吸収極大の波長，Nは単位容積中の発色団の数，eは発色団中の荷電，mは発色団中の質量，rは発色団に含まれる制動抵抗。

これらの式から反射率R（波長λ角ϕ）は発色団の或る特性と単位容積中の数に依存していることが理解される。これらの式を用いて実際に“interface bronze”を計算しようとする場合。若し顔料粒子の大きさが光の波長より大きい場合，個々の粒子は異った光学特性をもった展色剤中にある独立した反射領域と見做されるし，粒子の大きさが光の波長に比べて小さい場合は皮膜は均質な真の溶液のように見做すことが出来る。（1）（2）式を用いる際，インクの吸光係数と反射指数を波長の函数として決定することが必要である（空気については既に知られている）。吸光係数はインクを溶媒に可溶な状態にして（例えばalkali blueの場合スルフォン化してエタノール水に溶解させる）透過率曲線を測定するこ

Phenomenon of Bronze in Surface Coatings

G. L. Buc, R. H. Kienle, L. A. Melsheimer, and E. I. Stearns

Ind. and Eng. Chem. vol. 39. No. 2, 147-154 (1947)

東洋インキ製造株式会社　吉　本　隆　明

印刷インクや塗料の皮膜などでしばしば観察されるブロンズ現象には (i) 単一な構造をもった表面から光が選択的に反射されるために生じる "interface bronze" と (ii) 極めて近接した構造体から反射された光が選択的に干渉し合うために生じる "interference bronze" の二型がある。"interference bronze" の場合は視角を色々に変えるとブロンズの色相もいろいろに変るけれど "interface bronze" ではブロンズの色相は大体一定に保たれているから差別することが出来る。

ブロンズを測定するには異った多くの波長について試料の相対的な反射率を決定すればよいけれど，普通の分光学でいう反射率曲線の測定と異った点は光源と視点の方位を条件として考慮に入れなければならないと言うことである。

alkali blue (CI 705)，と bronze orange (CI 165) で市販インクの組成をつくり白色の紙面に印刷したる試料について，ブロンズを分光器で測定した結果を夫々 Fig. A，Fig. B に示す。

Fig. A，Fig. B 共に曲線は普通の反射率曲線であり，換言すると光源角を0° にして視角を発散させた場合で，alkali blue では青色を bronze orange では赤味を帯びた橙色を表わしている。

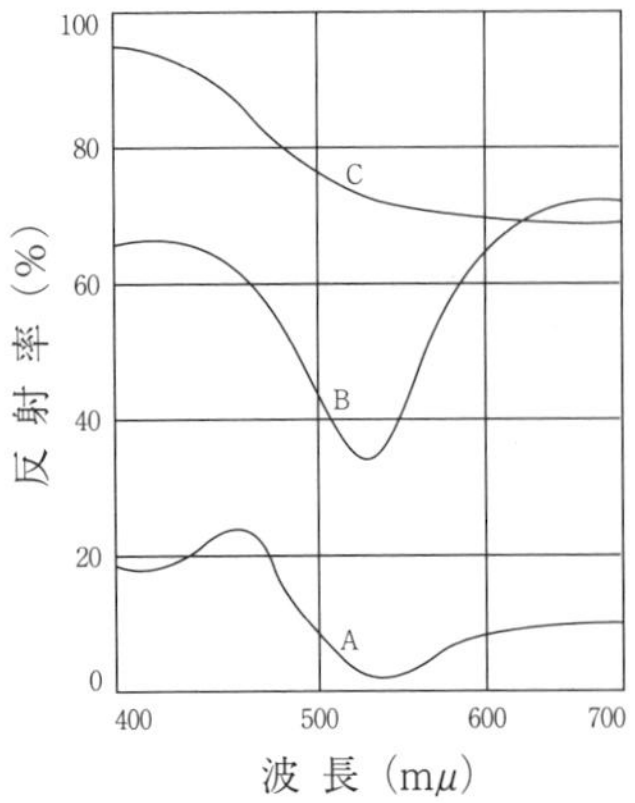

Fig. A　Alkali blue Ink.

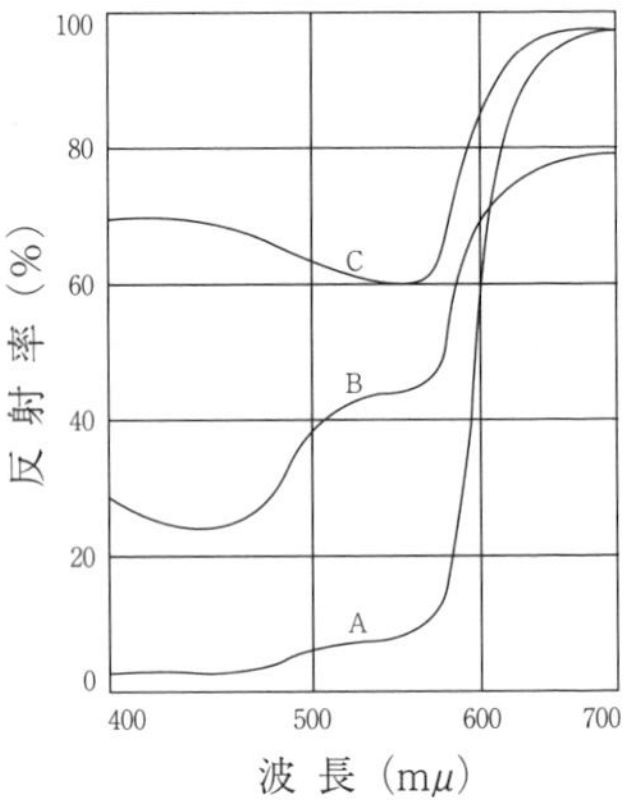

Fig. B　Bronze Orange Ink.

解題

凡例補足および解題凡例

一、第一―三巻に収録されるものは、多くはノートや原稿として残されていたものであり、その他の学生同人仲間のガリ版刷や筆耕屋のおこしたガリ版刷の発行物で発表されたもの、学校関係の印刷物に発表されたわずかなものも含めて、すべて、かなりの時間を隔てて、『初期ノート』（一九六四年六月三〇日）や『吉本隆明全著作集2　初期詩篇Ⅰ』（一九六八年一〇月二〇日）、『吉本隆明全著作集3　初期詩篇Ⅱ』（一九六九年五月三〇日）や『初期ノート増補版』（一九七〇年八月一日）にはじめて収録されたものである。

一、これらのものを再現するにあたって、明らかな誤記、誤字、脱字は改めたが、一般的には誤字、誤用であっても、文字が存在し意味が通じるもので、著者特有の用字、特有の誤用とみなされる場合はそのまま残し、頻出する倒語もおおむね改めなかった。仮名遣いについても原則的にそのままとし、句点、読点、字アキなどを含めた表記についても出来るだけ元の書かれた状態を尊重し再現するようにした。ノートや原稿に書かれたまとまりのない文章も、何らかの意味を指示していると思われるものは本文として再現し、省いたものは解題に註記した。そのためそれぞれの全体の表題を、著者が自分で命名したものは別として、これまでのものと改めたものもある。

一、詩篇については、著者の詩作の過程をすべて辿れるようにするため、抹消された詩篇も、判読できる程度のものは再現した。詩篇群全体が抹消されたものもこれまでに復元されてきているからでもある。

一、解題は、それぞれの時期の生活史的な背景にも必要に応じて触れながら、原稿、ノートに関連しては、その形状や筆記具の別、インクの色、その書かれた時期の推定などの事項を、掲載誌に関連しては、発行年月日、号数、発行所などの書誌的情報、印刷の方法などの事項を記載した。

一、校異はまずページ数と行数、本文語句を表示し、そのあとに矢印で初出や収録刊本との異同を示し、等号で註記事項を記した。初出は［初］などの略号を使用した。

例　二七六・3　遠のくもの←遠くのもの＝原稿によって校訂。

これは「日時計篇」のなかの「〈信仰のないものの覚書〉」の二七六ページ3行目で初出の『全著作集3』以来『詩全集3』まで「遠くのもの」とされてきたのを、原稿によって「遠のくもの」と改めたことを示す。

この巻には、一九五一年から一九五四年までの間に書かれた詩篇と科学論文一篇を収録した。

全体を三部に分ち、Ⅰ部には、前巻に続く「日時計篇」の後半部と「「日時計篇」以後」の詩稿群を、Ⅱ部には、この時期の発表詩一篇を、Ⅲ部には、科学論文一篇を収録した。

生活史的には、一九五一年に東京工業大学の特別研究生の課程を修了し、東洋インキ製造株式会社に就職して勤務生活を続け、一九五三年に青戸工場労働組合の組合長に選ばれて組合活動に打ち込んでゆく時期に該当する。

I

日時計篇（下）

『吉本隆明全著作集3』（一九六九年五月三〇日、勁草書房刊）にはじめて一括して収録され、『吉本隆明全詩集』（二〇〇三年七月二五日、思潮社刊）に再録され、二分割で『吉本隆明詩全集3』（二〇〇七年七月五日、思潮社刊）と『吉本隆明詩全集4』（二〇〇七年九月一五日、思潮社刊）に再録された。「〈或る晴れた五月の夜に〉」、「〈夏のなかでうたふ歌〉」、「〈われらの街の黄昏の歌〉」、「〈眼のある季節〉」、「〈都会の女たちのための歌〉」、「〈六月の憂愁について〉」、「〈わたしたちの自戒の歌〉」、「〈ゆえいの季節における手記〉」の八篇は『全著作集3』への収録に先立って『吉本隆明詩集』（一九六八年四月一日、現代詩文庫8、思潮社刊）に収録され、「〈寂しい転変〉」、「〈聖ニコライ堂附近で〉」、「〈貧乏なY家の三男がうたふ歌〉」、「〈時がわたしに告げた歌〉」、「〈長雨期〉」、「〈重たい鳥の歌〉」、「〈星をあつめる歌〉」、「〈夜の広場〉」、「〈遺志のない遺言歌の一節〉」、「〈無心の歌〉」、「〈燃える季節〉」、「〈また其処に夜がきたとき〉」、「〈地の繋約〉」、「〈祝禱〉」、「〈砂漠〉」、「〈向うから来た秋のために〉」の十六篇は『吉本隆明全集撰1』（一九八六年九月三〇日、大和書房刊）、『吉本隆明初期詩集』（一九九二年一〇月一〇日、講談社文芸文庫、講談社刊）にも再録された。『転位のための十篇』収録の「火の秋の物語」の異稿「〈火の秋のうた〉」は『全詩集』ではじめて収録され、『詩全集4』に再録された。

本全集では（上）と同様に川上春雄の調査による配列順で、この異稿を含めて三百三十一篇を収録したが、冒頭の詩篇の末尾の日付（一九五一・〇一・〇三）と月数や季節についての言及から、これらの詩篇はほぼ一九五一年十二月頃までの一年間に書かれたと推測される。原稿の体裁・形式や手直しの具合は（上）と同じである。「日時計篇」は一九五〇年の年末から一九五一年の年初めの一週間ほどの中断を挟んではいるが、川上春雄の『全著作集3』の解題にあるように、「もともとひとつらなりの「日時計篇」を（上）と（下）に分割収録した理由は、量的に大冊となることをおそれたにすぎない」というべきものであるが、（上）と（下）でいくつか形式的な相違点があるように見受けられる。

一つは、（上）には末尾に日付の明示されているものが二十篇あったが、（下）は冒頭の一篇のみである。一つは、行末の読点が少なくなり、それも最終行末に微弱な打たれ方をしていることが多いが、他方でしっかりした句点の打たれている詩篇もある。一つは、感嘆符の使用頻度が少なくなっている。一つは、何らかの心覚えと思われる表題の上に付けられている印が（上）では◎印であったが、（下）では「詩稿X」の本文行頭に付けられていたのと同じような✓印になっている。一つは、同じブルーブラックインクのペンが使われているが、（下）ではGペンのような横の線の細いペンで書かれているとおもわれる詩篇が二十篇ほどある。一つは、細い罫線の引かれていない紙質の少し悪い用紙が、前半部に十九枚使われている。また一つは、褪色あるいは変色の違いともおもわれるが、（下）では紙の色合いの異なった用紙が混じっている。

（上）は一九五〇年の八月中旬から十二月下旬までの期間に二十篇の日付のある詩篇が含まれていることもあり、配列順にあまり疑問は生じないが、（下）では冒頭の一篇にしか日付の記載はなく、表題や本文に表示される月数や季節への言及が大きな手がかりになったはずである。そうすると三三八―三四一ページの「〈五月と六月とのあいだの歌〉」、「〈星の視えなくなった六月の夜の歌〉」は、三七一ページの「〈或る晴れた五月の夜に〉」よりはあとに来るのではないか、また三七三ページの「〈夏のなかでうたふ歌〉」は「六月」を「うたふ歌」よりはあとに来るのではないか、という疑問が生ずる。

すでに第二巻解題で引用したが、『全著作集2』の解題で川上春雄は、「「日時計篇」では、飛び地になっているもの、逆年代に並んでいる部分、長篇の詩で二枚目が離れているものなどがあり、作業は渋滞した」が「もともとは九冊位の詩帳として綴りこまれていた形跡」があり、「極め手ともいうべき綴り穴の位置が残されて」いたこと、「別々の綴りが、ある部分は同時に書きすすめられていることもわかった」と書いている。川上が原稿を入手した時に振った「一連番号」と最終的に確定した配列番号を見比べるだけでもその「渋滞した」作業の困難さが窺え、川上が「ていねいに広間にならべて調べた」ような作業をあらためて行なって「別々の綴り」を川上がどう扱ったかを確認し直さなければ、個々の詩篇の移動をするだけでは済まないことになる。しかしその時間はなく、疑問の個処を記すだけにとどめた。また『全著作集3』の解題で川上は、「巻末の六篇ほどについては、制作年次の考証について確信がない。本巻の全詩稿についてどうしてもこのような排列になるしかないとおもわれるが、多数の草稿詩篇が対象であることゆえ意外な過失があるかもしれない」と書いており、特に（下）の配列順にはまだ検討の余地が残されているとおもわれる。

おなじ『全著作集3』の解題で川上は、「西洋半紙半切の白紙のままの原稿用紙は、「残照篇」「日時計篇

（上）」には一枚もない。「日時計篇（下）」のはじめの部分すなわち昭和二十六年二月ごろの詩稿に十九枚と、すでに述べた「Ⅲ」とのみ記入された一枚に使用されたものが認められるだけである」と書いているが、「十九枚」の白紙原稿は残されていない。「「Ⅲ」とのみ記入された一枚」と、「つぎの「〈ぼくらの国の黄昏は……〉」と、そのつぎの「〈ぼくらの傍に春がきてゐる〉」の三枚は、綴り込まれたとじ穴がない。このことは紛失された詩稿が他にもあることを意味するものとおもわれる」とも書いているが、「とじ穴」があるものでも「（ああきみたち！）」のように失われた原稿の後半部とおもわれるものがある。（原稿の右側二カ所にある「とじ穴」の形状も一様ではなく、かなり大きなものから、針の穴のようなわずかなものまでさまざまである。）

詩の表題に〈 〉を付す体裁は「日時計篇」からはじまり、しかもほとんどの詩篇に付されているが、おなじ解題で川上は「著者にも問うてみたが、まず定稿ではないという意味を含んでいることはたしかである。（中略）つまり内容的にはこのままでいいとしても雑誌等に発表する気はない、発表の用意をしている段階のものではないという性質をもっていた。」と書いている。この形式は次の「「日時計篇」以後」の詩篇でも一貫している。

さらにまた「さきに「日時計篇（上）」における、詩集『固有時との対話』についての著しい対応を発見して解題文で呈示したが、（下）においては、詩集『転位のための十篇』との関連は作品の字句自体としてはそれほど密接な交渉は見あたらないようである」として、わずかに「〈火の秋のうた〉」が『転位のための十篇』所収の「火の秋の物語――あるユウラシヤ人に――」の初期段階の異稿であり、「ユーラシヤの暗い太陽の下で――父と子のうた――」や「〈ユーラシヤの暗い太陽の下で〉」が関連する詩稿であることを指摘している。

先に記した何らかの心覚えとおもわれる◎や✓印のほかに、「題名の右肩に」読点のような、印があると川上は指摘しているが、その位置は表題のすぐ右横や、欄外の余白や、表題の上とさまざまで、打ち方の強弱もかなり異なっている。これらを同一の印とみなしうるか疑問が残るが、（上）の四篇を含めて川上が掲出した詩篇を列挙しておく。――〈孤独といふこと〉、〈ゆふぐれといつしよに唱ふ歌〉、〈忘却の歌〉、〈冬のための哀歌〉、〈傷を負つた春〉、〈泥まみれになつた道〉、〈たのみがたい春〉、〈花開くこと〉、〈虐げられた春〉、〈春の日の自我像〉、〈死の合間からの歌〉、〈ひとつの予感〉、〈風が夏を連れてくるわたしたちの処に〉、〈時がわたしに告げた歌〉、〈炎のゆく空の歌〉、〈長雨期〉、〈夜がわたしたちの周囲に降りてくる〉、〈夏のなかでうたふ歌〉、〈われらの街の黄昏の歌〉、〈わたしたちの自戒の歌〉、〈わたしたちの生のための六月の歌〉、〈六月の風に対つてうたふ歌〉、

〈風が燃える日の歌〉、〈病者から病者への歌〉、〈われらの未来と暗さをうたふために〉、〈夏の終りのうた〉、〈都会での擬抒情歌〉、〈星をあつめる歌〉、〈都会の触手〉、〈暗い季節〉、〈屈折の歌〉、〈自由な夜のために書かれた詩の一部〉［夕暮……］、〈晨と夕ぐれとに祈ることを拒否する歌〉、〈夕ぐれと夜と晨とのうた〉、〈宿無しの女のために書かれた詩〉、〈忘れてのちに彼等は何処に〉、〈非詩的な詩人から詩的な女詩人へおくる晩秋の歌〉、〈兆候〉、〈また其処に夜がきたとき〉、〈褐色の時代〉、〈地の繋約〉、〈砂漠〉、〈夕べとなれば安息もある〉、〈夕べの風景・都会〉、〈わたしたちの魂を鎮めるための詩の一部〉、〈わたしたちは退くことができない〉、〈赤い日が落ちかかつてゐた或時刻に〉、〈記憶によつて回想された風景の詩〉、〈星と繋がれた歌〉、〈冬がはじまるときの歌〉。

なお（上）ほどではないが、（下）にも折り返しか改行かの判断がむずかしい場合があるので、これまでと判断を変更した個処は校異に掲げた。

以下、必要な項について註記する。

〈還らざる歌〉

七・2　ひとりでにつきぬけて↑［原］ひとりでに／つきぬけて＝折り返しとみなした。

七・3　寂しさを知る↑［原］寂しさ／を知る＝折り返しとみなした。

七・4　女たちの　胸の↑［原］女たちの／胸の＝折り返しとみなした。

七・5　温もつてゐた↑［原］温もつ／てゐた＝折り返しとみなした。

七・6　胸もとに↑［原］胸もと／に＝折り返しとみなした。

七・10　あれる夜↑ある夜＝原稿によって校訂。

七・11　にんげんのもらし得る↑［原］にんげんの／もらし得る＝折り返しとみなした。

七・11　もらし得る↑もたらし得る＝原稿によって校訂。

七・15　すべての重積を↑［原］すべての／重積を＝折り返しとみなした。

八・1　怨嗟↑［原］怚㥄＝原稿の文字はともに存在しないが、「㥄」は「死者へ瀕死者から」（一九五三年）にも「惨㥄」と作字されて残っている（第四巻五七・14）。

八・1　うめきを発し↑［原］うめき／を発し＝折り返しとみなした。

八・2　愛することもならない↑［原］愛することも／ならない＝折り返しとみなした。

〈生の隔絶のうしろにあるもの〉

一〇・5　にんげん↑にんげん＝原稿によって校訂。

〈穢悪の時代〉

一二・4　喜随＝原稿倒語。

一三・10　詭計↑［原］危計

〈この寂寥の根にあるもの〉

一三・2　むごたらしい寂寥↑〔原〕むごたらしい／寂寥＝折り返しとみなした。
一三・4　都会のビルデング↑〔原〕都会の／ビルデング＝折り返しとみなした。
一三・8　脳髄↑脳髄＝著者は「脳髄」を「脳髄」と書くことがおおいが、「髄」は存在しない文字であり、『全著作集2』以来まちまちに校訂されていたが、すべて「髄」に校訂した。
一三・9　明晰↑〔原〕明析＝第二巻三九・8の註参照。一六・5も同様。
一三・9　プランによつて↑〔原〕プランによつ／て＝折り返しとみなした。
一四・4　善なる↑善たる＝原稿によって校訂。
〈冬のなかの心景〉
〈惨像〉
この二篇は用紙に罫線が引かれていない。
一九・6　わたしたちは↑わたしたちの＝原稿によって校訂。
〈わたしたちのうちで亡びゆくもの〉
二一・12　些細＝「仔細」の意かもしれないが、原稿ママとする。
〈冬の歌〉［わたしは冬を……］
この詩は用紙に罫線が引かれていない。
二五・2　痕跡も視えず↑〔原〕痕跡も／視えず＝折り返しとみなした。
二五・3　冬をわたしは↑〔原〕冬を／わたしは＝折り返しとみなした。
二五・4　もつがゆえに　また↑〔原〕もつがゆえに／また＝折り返しとみなした。
二五・4　狐↑狼＝原稿によって校訂。
二五・6　慈善会を催ほす↑〔原〕慈善会を／催ほす＝折り返しとみなした。
二五・7　コンクリートの↑〔原〕コンクリート／の＝折り返しとみなした。
二五・9　探るがゆえに　薄弱↑〔原〕探るがゆえに／薄弱＝折り返しとみなした。
二五・10　けずらせるがゆえ↑〔原〕けずらせる／がゆえ＝折り返しとみなした。
二五・11　女《ひと》を求める↑〔原〕女《ひと》を／求める＝折り返しとみなした。
二五・11　巧まれた秩序↑〔原〕巧まれた／秩序＝折り返しとみなした。
二五・12　わたしをユダの↑〔原〕わたし／をユダの＝折り返しとみなした。
二五・13と14の間の行アキ＝原稿によって校訂。
二五・14　こたつやストオブ↑〔原〕こたつや／ストオブ＝折り返しとみなした。
二五・15　やつてゐるビルデング↑〔原〕やつてゐる／

ビルデング＝折り返しとみなした。
二六・1　文明を滅亡させる↑［原］文明を／滅亡させる＝折り返しとみなした。
二六・2　明るい未来↑［原］明るい／未来＝折り返しとみなした。
二六・3　鋪装路を歩む↑［原］鋪装路を／歩む＝折り返しとみなした。

〈剥離された風景〉
二七・3　浸透↑［原］侵透
二七・4　強烈↑［原］強裂

〈絵画のやうにきた冬〉
この詩は用紙に罫線が引かれていない。
二九・7　建築↑不建築＝原稿によって校訂。
二九・16　殺伐＝「殺戮」の意かもしれないが原稿ママ。
二九・16　視するゐる↑視すえる＝原稿によって校訂。

〈冬を監視する者の歌〉
表題は「〈冬を視ていたときの歌〉」を手直ししている。
三四・15　借した＝原稿ママ

〈冬が逝く〉
表題は「〈冬の日の墓碑銘〉」を「〈冬の日のある墓銘碑〉」と改め、それを抹消して書き直している。節題「I」が抹消されている。
三五・3　墓銘碑＝「墓碑銘」がふつうの用語だが「墓銘」を刻んだ「碑」の意とみて原稿ママ。
三五・17　抗がはう↑［原］抗らはう＝著者はしばしば「あらがふ」を「あがらふ」としている。以下、一〇六・7、二二・11、三五四・12、三六五・2、三九二・2、四一八・6も同様に校訂。（第二巻五〇三・6の註参照。ただし本文は直しもれです。）
三六・13　煖炉《ストオウ》↑煖味《ストオブ》＝原稿によって校訂。
三七・2　誹謗↑［原］非謗
三八・2　たれの愛をも↑たれの愛を＝原稿によって校訂。
三八・13　妥協をはじめ↑妥協をはじめる＝原稿によって校訂。
四〇・5　どんでん返し↑［原］―［詩全3］どんてん返し

〈歳月のなかの空洞〉
四一・15　怯懦↑怯儒＝原稿によって校訂。

〈冬のまんなかにたつとき〉
四五・4　博引旁証↑［原］―［詩全3］博引傍証
四五・8　にんげん↑にんげん＝原稿によって校訂。
四五・9　病むでゐる↑病むである＝原稿によって校訂。

〈虐げられた冬〉
四九・12　植られた↑植えられた＝仮名送りの送りすぎ、送り足らずは、原則として原稿どおりに校訂した。

〈裂風のとき〉
五四・1　烈風＝原稿ママ
五四・3　よみかへさなければならない↑［原］よみか

へさなければ／ならない＝折り返しとみなした。
五四・4　まるで冬枯らしの↑［原］まるで／冬枯らしの＝折り返しとみなした。
五四・9　無値価＝原稿倒語のママ。
五四・9　とは思はない↑［原］とは／思はない＝折り返しとみなした。
五四・10　石階の途中↑［原］石階の／途中＝折り返しとみなした。
五四・11　かほをうづめて↑［原］かほをうづ／めて＝折り返しとみなした。
五四・14　時間との↑［原］時間と／の＝折り返しとみなした。

〈冬の掟ての歌〉

五六・8　怖迫＝原稿ママ
五七・2　危ふい↑危ない＝原稿によって校訂。

〈愛の絶えざる歌〉

六四・1　重積＝原稿ママ。七・15、八七・5にもある。

〈雪が都会を埋める〉

六五・11　殺ろす↑殺す＝原稿どおりに戻す。

〈冬の歌〉［きめこまかく……］

六六・12　被いで＝第二巻三五九・17ほかの註参照。

〈酷しい冬〉

六七・8　なすべきかを↑なすべきか＝原稿によって校訂。
六八・2　それ↑それ＝原稿によって校訂。
六八・4　ならないのかも↑ならないものかも＝原稿によって校訂。

〈夕日のある風景〉

以下「〈禁制の歌〉」までの四篇は、用紙に罫線が引かれていない。
七五・2　眼はつかれ↑［原］眼は／つかれ＝折り返しとみなした。
七五・3　重なつてゐた↑［原］重なつて／ゐた＝折り返しとみなした。
七五・5　怡しさを↑［原］怡しさ／を＝折り返しとみなした。
七五・9　おこなはれて↑［原］おこなは／れて＝折り返しとみなした。

〈冬のうた〉

七七・2　路のうへを↑［原］路の／うへを＝折り返しとみなした。
七七・4　こころの果て↑［原］こころ／の果て＝折り返しとみなした。
七七・5　街をゆく↑［原］街を／ゆく＝折り返しとみなした。
七七・9　植えつけられた慈善↑［原］植えつけられた／慈善＝折り返しとみなした。

〈禁制の歌〉

八一・11　弁腹＝原稿ママ
八一・13と14の間の行アキ＝原稿によって校訂。
八二・7　紐をづたづたに断ち↑紐を断ち＝原稿によって校訂。
〈降誕祭前夜〉
八三・3　騒擦＝原稿ママ
八三・13　由所＝原稿ママ。第二巻一八一・12の註参照。一五三・8、五七八・4などにもある。
八三・15　汚れた手↑訪れた手＝原稿によって校訂。
〈冬風の鳴る夜の歌〉
八六・5　外廓↑外廊＝原稿によって校訂。
〈余燼〉
表題は「〈余燼の歌〉」を手直ししている。
八七・2　そむけて過ぎて↑［原］そむけて／過ぎて＝折り返しとみなした。
八七・3　たいていその息↑［原］たいてい／その息＝折り返しとみなした。
八七・4　ぴらぴらさせて↑［原］ぴらぴら／させて＝折り返しとみなした。
八七・5　余燼は　だから↑［原］余燼は／だから＝折り返しとみなした。
八七・5　おちるとき　にんげん、い、↑［原］おちるとき／にんげん、い、＝折り返しとみなした。
八七・6　奴がゐる↑［原］奴が／ゐる＝折り返しとみなした。
八七・7　繰返してきたチクロイド↑［原］繰返してきた／チクロイド＝折り返しとみなした。
八七・9　投げやりになつた↑［原］投げやり／になつた＝折り返しとみなした。
八七・10　風景のなかを　まるで↑［原］風景のなかを／まるで＝折り返しとみなした。
八七・11　眼のなかにとびこんで↑［原］眼のなかに／とびこんで＝折り返しとみなした。
八七・14　はかない賭けごと↑［原］はかない／賭けごと＝折り返しとみなした。
八七・15　わたしたちの↑［原］わたしたち／の＝折り返しとみなした。
〈暗い冬〉［街樹の葉が……］
この詩は用紙に罫線が引かれていない。
八九・2　滲みこんだままつひに↑［原］滲みこんだまま／つひに＝折り返しとみなした。
八九・4　刻みこまれた↑［原］刻みこまれ／た＝折り返しとみなした。
八九・12　なくなつてゐる↑［原］なくなつて／ゐる＝折り返しとみなした。
九〇・5　盗人でも↑盗んでも＝原稿によって校訂。
〈墓掘り人を憎む歌〉
九二・3　辺疆↑辺彊＝原稿も「彊」だが校訂した。

九二・12　天讙←天體《ママ》＝原稿によって校訂。一一三・9の「天けん」参照。
以下「〈衣をつけた忍辱〉」までの九篇は、用紙に罫線が引かれていない。

〈渇いた二月〉

原稿末尾の「海は黦づんで荒れる／海のむかふは明るいかどうか」の二行が抹消されている。

〈雪の暗いときの歌〉

九五・5　窓にしみついた雪←窓にしがみついた雲＝原稿によって校訂。

〈ふたつない訣れ〉

九九・5　坩堝←［原］堝坩
九九・9－10　きみより／も←きみよ／りも＝改行の位置を校訂した。

〈凩がやむときわれらの陰にさすもの〉

一〇一・5　鉛色←銀色＝原稿によって校訂。
一〇一・16　陰←影＝原稿によって校訂。

〈冬の歌〉［冬のなかに……］

一〇三・5と6の間＝原稿は行アキなしとみなした。

〈冬眠〉

一〇六・7　殺さう←［原］殺らさう

〈衣をつけた忍辱〉

一〇八・4　疑惑←疑感＝原稿によって校訂。
一〇八・11　同一による←同一にある＝原稿によって校訂。

〈独りでゆく冬〉

一二〇・4　だらりん←だらり＝原稿によって校訂。

〈薄ももいろの冬〉

この詩は用紙に罫線が引かれていない。
一二一・11、13、一二二・2　惰落＝ふつうは「堕落」だが、意は通じるので原稿ママ。

〈発端〉

一二六・9　過途期＝原稿ママ

〈断ちがたい冬〉

一二九・8　それでもなほ←それでもなお＝原稿によって校訂。

〈冬のための哀歌〉

一二七・7　うつたへる←うつたえる＝原稿によって校訂。

〈遠くへ放つ小鳥〉

一三〇・10　侶伴＝原稿倒語のママ。

〈ある追悼詩〉

府立化工時代からの友人・吉本邦芳の追悼詩とおもわれる。ただ邦芳が亡くなったのは一九四七年である。第一巻「歎異鈔に就いて」の解題五五六ページ参照。

〈輀にかけられた生存〉

一三四・12　白晳←［原］白析
一四二・4　吹張＝原稿ママ

〈泥まみれになつた道〉

一四六・6　山峡←［原］―［詩全3］山狭

一四六・10　あゆむでゐる↑あゆむのである＝原稿によって校訂。
一四七・1　梢↑棺＝原稿によって校訂。
一四七・1　網の目↑［原］――［詩全3］鋼の目＝「鋼」という字は存在しない。

〈時間をかけた自画像〉
一四八・9　電燈↑電灯＝別字として原稿どおりとする。
一四八・12　公園《パーク》↑公園＝原稿によって校訂。

〈瞋りをかすもの〉
一五四・11　瞋り↑限り＝原稿によって校訂。

〈冬のあと〉
表題は「〈明るい冬のあと〉」を手直ししている。
一五六・4　みせずに↑［原］みせづに
一五六・17　P《ピィ》↑P＝原稿によって校訂。

〈詩への敬礼〉
一六一・4　現代する＝原稿ママ
一六一・5　言ひかへれば＝原稿によってこの一行を追加。『全著作集3』以降この一行が落ちている。

〈ぼくらの傍に春がきてゐる〉
一六四・9　出来ないか↑できないか＝原稿によって校訂。

〈駅丁〉
この詩は少し細いペンで書かれている。
一六七・1　積みこまれた↑積み込まれた＝原稿によって校訂。

〈偽使徒〉
一六八・9、10　縮収＝原稿倒語。
一六九・6、7　にんげん↑にんげん＝原稿によって校訂。

〈来歴〉
この詩は少し細いペンで書かれている。
一七〇・7、8　歩む＝『全集撰1』、『初期詩集』では「歩ゆむ」に統一している。
一七〇・13　饒豊＝『初期詩集』では倒語を直している。

〈わたしたちもまた時代のやうに暗い〉
表題の上に✓印が付されている。一七二・5と6の間にあった二行「わたしを誘はうともしないで／仲間たちは途中から引返してゆく」が抹消されている。
一七一・4　選びとる＝『全詩集』以後は「撰びとる」に統一している。

〈詩で書かれた鼓舞のうた〉
一七五・7　おれのゆく道↑おれの道＝原稿によって校訂。

〈暗い春の絵〉
一七七・13　意外↑［原］以外＝第二巻五五四・11の註参照。五〇二・2も同様。

〈晩冬のうた〉
表題の上に✓印が付されている。
一七九・12　諸作＝第二巻七二・6の註参照。三六二・11にもある。

〈噴火〉
一八八・12　むしろ↑むろん＝原稿によって校訂。

一八九・4　われらに←われらの＝原稿によって校訂。
〈反抗期〉
一九一・11　にんげんはいま←にんげんはいま／にんげんはいま＝原稿によって校訂（『全集撰1』、『初期詩集』では正されている）。
〈視えない花びら〉
一九三・5　過去が　あんなに←過去　があんなに＝原稿によって校訂。
一九三・11　みんなのうける受難←みんなの受難＝原稿によって校訂。
〈囚虜の時代〉
一九五・15　鉄窓←獄窓＝原稿によって校訂。
〈決められた春〉
一九八・8　動乱に←動乱も＝原稿によって校訂。
一九八・13　群集←群衆＝原稿によって校訂。
〈黠い春〉
二〇四・1　黠＝著者特有の用字。第二巻一四・6の註参照。六四五・15にもある。
二〇四・4　資格←［原］支格
遇ひにきた……
この詩の表題には〈　〉がない。
二〇六・4　幻変＝原稿倒語。
〈非議するもの〉
二〇八・4　居場処←居場所＝原稿に戻す。

〈聖ニコライ堂附近で〉

東京工業大学同期生の友人・渡辺金弥が実験で失明したときのことが想起されているとおもわれる。

二一五・9　会釈←［原］会挨＝二九六・2も同様。

〈暗い絵本の註〉

二二三・12　永遠にわたつて←永遠にあたつて＝原稿によって校訂。

〈架空の年代誌〉

二二四・15　衝激＝原稿ママ
〈寂しい太陽〉

二二六・4　風に←風や＝原稿によって校訂。

二二六・8　われら←わたし＝二二六・8、10、13、14の「われら」と「わたし」は重ね書きされていて、どちらがあとの手入れか、判定がむずかしい。

〈反抗の沈められる時代〉

表題の上に✓印が付されている。

〈黙示〉

二三四・17と二三五・1の間にあった「痛ましい傷を背負うとするな」の一行が抹消されている。

〈地上にきてゐる忍辱〉

二三六・4　還算＝原稿ママ
〈告訣〉

二三八・12　けう＝旧仮名遣いでは二三八・6のように「けふ」だが、この書きぐせの名残りは「学生について」

（一九六八年九月）にもある（第九巻四二・1の註参照）。五六二・12にもある。

〈都市街道〉

二四〇・5　天末線＝宮沢賢治「原体剣舞連」に「準平原の天末線に」とある。

〈愛を刻むうた〉

二四四・15　応はしい＝原稿ママ

〈通信〉

二五五・14　殺し合はうとはしない↑殺し合はうとしない＝原稿によって校訂。

〈夕べの時における都会〉

二六〇・3　おまへ↑おまえ＝原稿によって校訂。

〈愛が自戒にかはるとき〉

二六二・9　わたしを↑わたしたちを＝原稿によって校訂。

〈春の日の自我像〉

二六三・14　いつぱいの↑いつぱい＝原稿によって校訂。

〈小さな歌〉

この詩と次の「〈真青な空のしたの街で〉」は少し細いペンで書かれている。

二六六・3　手や脚↑手や脚や＝原稿によって校訂。

二六六・8　出遇なかつた↑出遇はなかつた＝原稿のママとする。

〈星のない夜も星のある夜も〉

表題は「〈星のない街も星のある街も〉」を手直ししている。

二六九・8　つき出して↑つきだして＝原稿によって校訂。

二六九・9　ながれくだる↑ながれてくだる＝原稿によって校訂。

〈海の手が都会を触れにくる〉

表題は「〈海の手が都会を触れようとする〉」を手直ししている。

〈信仰のないものの覚書〉

二七六・3　遠のくもの↑遠くのもの＝原稿によって校訂。

〈小さな街で在つたこと〉

二七九・15　三遍↑〔原〕三扁＝第二巻四五・8の註参照。

〈辺疆地区〉

二八三・1、6、15、二八四・7　辺疆↑〔原〕辺彊＝九二・3の註参照。四六四・1も同様。

〈石材置場の詩〉

この詩は少し細いペンで書かれている。

〈星の響きをきく歌〉

二九一・2　四月↑四角＝原稿によって校訂。

二九一・3　角礫と角礫のやうに↑角礫のやうに＝原稿によって校訂。

〈一九五一年晩春〉

二九五・10　マニユファクチヤー↑マニユファクチアー＝原稿によって校訂。

〈星座のある風景〉

表題の上に✓印がある。
二九七・9　とまどつて↑とどまつて＝原稿によって校訂。
二九七・12　ビルデング↑ビルデイング＝原稿のママとする。

〈死の合間からの歌〉
二九九・9　まつてゐて↑まつてゐる＝原稿によって校訂。

〈暗い記録〉
三〇四・3　狂躁↑［原］狂噪

〈物象のなかの季節〉
表題は「〈物象の季節〉」を手直ししている。
三〇八・5　□□□□［四字抹消］＝かろうじて「愛の爽昧」とも読める。
三〇九・6　埋立地↑掘立地＝原稿によって校訂。
三〇九・7　引くりかへし↑ひつくりかへし＝原稿によって校訂。

〈貧乏なY家の三男がうたふ歌〉
三一一・5　あらう↑あろう＝原稿によって校訂。『全集撰1』、『初期詩集』では正されている。

〈何故に愚行が赦されるか〉
三一五・2　祭楽＝「楽」にあたる文字は原稿不明。

〈未生の混沌〉
イギリスの詩人・批評家Stephen Spenderの詩The Uncreating Chaosの第Ⅰ節の訳。行末の句読点の表記は原稿どおりにした。

三一八・16　銀鏡↑眼鏡＝原稿によって校訂。

〈ああきみたち！〉
失われた詩の原稿後半部にあたるとおもわれる。前項と同様、著者自身の詩ではなく翻訳とおもわれる。

〈最終の日の歌〉
三二一・11　風↑道＝原稿によって校訂。

〈更に大きくなつた少女たちに与へる歌〉
三二三・9　砲火↑［原］炮火＝著者は「炮」と「砲」を両用しているが、『全著作集3』解題で訂した事例としてあげられているので、それに従った。三二五・4、三二六・13、三九三・9、三九五・1、3、14、四一八・8、四五七・9、四五九・2、8、四七一・14、四七五・16、四七七・3、四八二・1、2、四九一・6、五三五・7、六四〇・4も同様。

〈享けない星のうた〉
三二七・7　墜下↑［原］堕下

〈暗い季節におけるわたしたちの自画像〉
三三一・5　失墜↑［原］失堕＝三二七・7「墜下」にあわせて校訂。四三一・5、四六一・8などと同様。

〈五月の夜を記憶するための歌〉
三三三・6　卑小↑［原］卑少

〈星の敷かれた都会のうた〉
三三四・1　敷かれた↑撒かれた＝原稿によって校訂。

〈未来のない季節〉
三三六・7　遥い＝「遠い」あるいは「遥な」の意か。

〈五月と六月とのあひだの歌〉
この詩と次の詩は「〈或る晴れた五月の夜に〉」よりもあとの配列になるはずとおもわれる。
三三八・10　北方↑地方＝原稿によって校訂。
三三八・13　階程↑階梯＝原稿によって校訂。第二巻「詩と科学との問題」三〇八・13ほかに「論理的階程」とある。
〈星の視えなくなつた六月の夜の歌〉
三四〇・11　わたしの↑わたしたち＝原稿によって校訂。
三四〇・16　辱忍＝原稿倒語。
〈友と訣れる時にうたふ歌〉
三四七・5　出来なくなつた↑できなくなつた＝原稿によって校訂。
〈長雨期〉
三五二・3　みな↑［全詩］［詩全3］みんな↑［全著3］みんな＝原稿によって校訂。
〈重たい鳥の歌〉
三五四・11　存在↑存住＝原稿によって校訂。
〈時の深みに在つての歌〉
三六〇・5　潜んでゐる↑潜んでいる＝原稿によって校訂。
三六一・5　このやうな↑やうな＝原稿によって校訂。
〈夜がわたしたちの周囲に降りてくる〉
三六八・6と7の間＝書きかけの一行「けれどわたしたちをいつそう辛くさせるのは」が抹消されていて、行アキはないとみなした。

〈夏のなかでうたふ歌〉

三七三・6、7　練獄↑煉獄＝原稿どおりの表記にした。

〈都会の女たちのための歌〉

表題は「〈都会の夕ぐれのための歌〉」を手直ししている。

三八〇・4　生み出す↑生みだす＝原稿によって校訂。

〈ゆえいの季節における手記〉

三八五・1　ゆえい＝勝ち負けを意味する「輸贏」とおもわれる。

三八六・8　ふりわける↑ふりわけて＝原稿によって校訂。

〈わたしたちの夜の追憶のうた〉

表題は「〈わたしたちの夜の掻擾のうた〉」を手直ししている。

三八八・3　感じる↑感じとる＝原稿によって校訂。

〈曙のなかの星たちの歌〉

三九〇・12　揚げる↑掲げる＝原稿によって校訂。

〈架空な未来に祈る歌〉

表題は「〈架空なものに祈る歌〉」を手直ししている。

〈砲火に抗ふものの歌〉

表題は「〈業火に抗ふものの歌〉」を手直ししている。

三九三・15と三九四・1の間にあった「地上に刻まれてゐる墓石の文字によつて／失墜せられた神の位置を証すために／わたしたちの孤独はすべての炮火の加担者に抗らはうとする」の三行が抹消されている。

〈風が燃える日の歌〉

この詩は少し細いペンで書かれている。

〈病者から病者への歌〉

四〇九・2　残つてゐる時↑残つて／ゐる時＝折り返しとみなした。

四〇九・7　邂逅↑［原］――［詩全3］会逅
四〇九・9　彼女たちを探し索めた↑彼女たちを／探し索めた＝折り返しとみなした。

四〇九・11　虹彩↑［原］紅彩
〈流寓〉

四一四・4　などいう↑などという＝原稿に戻した。

四一四・5　などいふ↑などといふ＝原稿に戻した。

〈敗者となつた兵士たちを回想する歌〉

四二五・20　直情↑真情＝原稿によって校訂。

〈酒場のある街の夕べから〉

表題は「〈酒場のある街の夕べの歌〉」を手直ししている。

〈不遇な愛のために書かれた詩の一部〉

四二九・11　与へることのできた↑与へることができた＝原稿によって校訂。

〈多様な夏のなかの一つのうた〉

表題は「〈多様な歌のなかの一つのうた〉」を「〈多様な歌のなかの一つの夏のうた〉」に直し、更に手直ししている。


〈美しく優しい歌〉

この詩は少し細いペンで書かれている。

四三五・9　飾装＝原稿倒語。

〈連鎖〉

四三七・14　酸鼻↑［原］惨尾＝「全著作集」以来校訂がまちまちだが、以下五八三・4、六九九・13もすべて「酸鼻」に校訂。

〈何を夏の夜に信じたか〉

四四二・2　尖つた↑失つた＝原稿によって校訂。五五九・10にもある。

〈死霊〉

この詩から「〈残酷詩篇〉」までの四篇は少し細いペンで書かれている。

〈都会での擬抒情歌〉

四五〇・13　知つてゐる↑知つている＝原稿によって校訂。

〈自由な夜のために歌はれた詩の一部〉

四五九・1　わづかな↑わづか＝原稿によって校訂。

〈暗い季節〉

四七〇・8　きてゐる↑きている＝原稿によって校訂。

〈自由な夜のために書かれた詩の一部〉［あきらかにすべては……］

四七三・4　うへを↑［原］うへと
四七三・5　檻禁＝原稿ママ。この用字は『転位のための十篇』所収の「絶望から苛酷へ」にもある。

四七三・9　赦されてはゐない↑赦されてゐない＝原稿によって校訂。
四七三・11　かも知れない↑かもしれない＝原稿によって校訂。

〈一九五一年夏に記したうた〉
四七五・14　速やか↑速か＝原稿によって校訂。
四七六・6　忌否＝原稿ママ

〈わたしたちの星に寄せる歌〉
表題は「〈われらが星に寄せる歌〉」を手直ししている。

〈檻の季節〉
四七九・9　かも知れない↑かもしれない＝原稿によって校訂。
四七九・16　わたしに↑わたしたちに＝原稿によって校訂。

〈夜の広場〉
四八一・11　布教師↑［原］普教師

〈地球が区劃される〉
四八八・11と12の間にあった「騒乱が近づくだらう」の一行が抹消されている。

〈九月のはじめの詩篇〉
四九五・9　ついに↑つひに＝原稿によって校訂。
四九六・6　温気↑湿気＝原稿によって校訂。

〈残酷詩篇〉［おう風が冷えるとき……］
五〇三・4と5の間＝原稿を行アキありとみなした。

〈異邦人にうりわたされた時のうた〉
この詩から「〈売女Kが去つたときに贈るうた〉」までの四篇は少し細いペンで書かれている。
五〇九・8　没埋＝原稿倒語。
五一〇・2　フイナンツ↑フインナンツ＝原稿によって校訂。

〈自由な夜のために書かれた詩の一部〉［遠くまで追ってくる……］
五一七・14　わたしの↑わたしたちの＝原稿によって校訂。

〈動乱の季節〉
五二三・10　惰落↑堕落＝原稿どおりに戻す。二二・11ほかの註参照。

〈都会の秋のときのうた〉
五二八・3と4の間＝原稿を行アキありとみなした。

〈自由な夜のために書かれた詩の一部〉［ひとつの約束が……］
五二九・8　戴せて↑載せて＝原稿によって校訂。
五三〇・1　愛する者↑愛するもの＝原稿によって校訂。

〈反抗と現実〉
この詩から「〈自由な夜のために書かれた詩の一部〉」までの三篇は少し細いペンで書かれている。
五三一・14　微少↑微小＝原稿によって校訂。

〈火の秋のうた〉——あるユーラシヤ人に——
『転位のための十篇』所収の「火の秋の物語——あるユウラシヤ人に——」の初出発表形の異稿（第四巻解題参照）。

五四一・13　視つづけなければならない↑視つづけなけ／ればならない＝折り返しとみなした。

五四二・14　棘↑〔原〕蕀

ユーラシヤの暗い太陽の下で――父と子のうた――

この詩の表題には〈〉がない。次の次の項の「〈ユーラシヤの暗い太陽の下で〉」の別稿であり、第三連、第四連が異稿の関係にある。

五四三・9、五四四・14　ファター↑ファーター＝原稿によって校訂。

五四五・20　淪落↑〔原〕倫落

この詩には推敲の書き込みがあり、決定されないままになっている。その個処を示しておく。（傍線部は○囲いしてあり、代替案のないものは削除を想定しているかもしれない。）

五四三・10－14

が　沈黙のなかで彼らの空洞が発酵する　させる
そのゆくてには彼らの想像をこえた離反がある
おうこのやうな無数の離反を
ひとつの時刻が予感してゐる

五四四・11

また其処では星たちと風とが触れ合ひ

五四四・15－18

よ　未来の想像にそつて子は歩む　め
淪落したユーラシヤの土地と住居よ
また荒れはてた稗畑と山野よ
彼の眼がそれを視たとき彼の眼は乾く
彼のこころがそれを感じたとき彼のこころは悪意に
　充ちる

五四五・3

彼のむかう側に反逆の世界が秘されてゐる

五四五・15－20

彼のために
祝福は天からではなく地上の塵埃のなかからやつて
　こなくてはならない
彼は告知と祈禱とを拒否するであらう
彼は悲惨と飢餓とを抱擁するであらう
何よりもまず
彼は戦火と淪落とが地続きであることを知つてゐる
　接合するとき

川上春雄は『全著作集3』の解題でこの詩を「〈ユーラシヤの暗い太陽の下で〉」の「原作」としているが、先後関係については検討の余地があるとおもわれる。前述の理由で配列順を変更していないが、「〈〉のついている題名の詩」が「まず定稿ではないという意味を含んでいることはたしか」であるなら、「ユーラシヤの暗い太陽の下で」が「〈ユーラシヤの暗い太陽の下で〉」の

「定稿」ということになり、あとの作品になるとおもわれるからである。表題の〈 〉の有無のほかの主な異同は、主格の「彼」と「彼ら」、「ファター」と「ファーター」の表記である。また推敲の代替案のある個処は推敲前と同一である。

〈ユーラシヤの暗い太陽の下で〉

五四九・7　また↑まだ＝原稿によって校訂。

〈夕ぐれと夜と晨とのうた〉

五五五・17　また巨大な↑巨大な＝原稿によって校訂。

〈困難は暗いといふことではない〉

五五六・9　形骸↑形体＝原稿の「骸」の字の旁《つくり》は判読しがたい。

五五六・16　択選↑撰択＝原稿どおりに戻す。

〈忘れてのちに彼等は何処に〉

五六四・2　行つたか↑いつたか＝原稿どおりに戻す。

〈夜は異邦のやうに〉

五六六・5　しらない↑知らない＝原稿どおりに戻す。

五六六・15　神によつて↑神々によつて＝原稿によって校訂。

五六七・4　視るためには↑視るために＝原稿によって校訂。

〈非詩的な詩人から詩的な女詩人へおくる晩秋の歌〉

五六九・7　錯感《コムプレックス》↑錯感《コンプレックス》＝原稿によって校訂。

〈忘れることのできないことの歌〉

五七一・17　くひ荒らされ↑くひ荒され＝原稿によって校訂。

〈後悔する時の歌〉

表題は「〈後悔する歌〉」を手直ししている。

〈自由な夜のために書かれた詩の一部〉［遠くからは……］

五七六・13　別訣↑訣別＝原稿どおり倒語に戻す。

〈秋のなかの暗い場処で〉

五七八・11　戴せて↑載せて＝原稿によって校訂。

〈暗い記念碑〉

五八七・3　情操の↑情操や＝原稿によって校訂。

〈風景と智慧〉

五九一・2　在るがまま↑あるがまま＝原稿によって校訂。

〈地の繫約〉

表題は「〈地の契約〉」を手直ししている。

五九八・11　うけねばならなかつた↑うけねばならな／かつた＝折り返しとみなした。

〈知られざる秋のうた〉

六〇三・5　ヘビイサイド↑ヘビサイド＝原稿によって校訂。

〈祝禱〉

六〇四・13　既に↑すでに＝原稿によって校訂。

六〇五・10　戴せられた↑載せられた＝原稿によって校訂。

〈深夜に目覚めてゐた時のうた〉

六〇六・15　辛い↑幸い＝原稿によって校訂。

ユーラシヤの暗い太陽の下で
——父と子のうた——

悲しみが子に遺傳する
悲しみたこの時代を生き存(ながら)へる
かつて父が見た過失と敗北とが
無数の記録と重圧になつて体系(ズイステーム)のなかに存續する
夕ぐれと夜よ
暗い電燈のしたでこころを語り合ふことのなかつた父と子よ
俺と子のなかにあるアウター・コンプレックスよ
沈黙のなかで彼らの空洞が醗酵するとき
そのゆゑに彼らの想像をこえた誰かがある
おう このやうな無数の誰かを
ひとつの時期が予感してゐる
未知の異邦では星たちと風とが触れ合ひ
ビルディングと鋪路とが響き合ひ
都会のなかの電燈と街燈とが磨滅してゐる
都会は港湾を背にして
無数の灯が運河のうへを流れる

父と子とその愛しみよ
深く何処までも離れてつひに巨大のしたで相遇ふのであるか
体系(ズイステーム)とその上に築かれた住居や選挙をはさんで
彼らはそれを守るものと破壊するものとに訣れるのであるか
彼らは鉄把に手をかけ鉄床を肩になつてゐるのであるか
彼らは塹壕やビルディングの壁を振動させて来襲するのであるか
ああかならずしもいくつかはそれを解かねばならぬ
血と戦闘が生む無数の暴力の重合を解かねばならぬ
障壁を互へずに解かねばならぬ
父と子が彼らの生を賭けて解かねばならぬ

未来の想像にそつて子たちはあるいてゐる
彼のうへで暗い太陽と風とが交互にあつてゐる
彼は土壌の埋められた鋪路のうへを歩んでゐる
彼はじぶんの運命に対しコンプレックスを感じてゐる

凍結したユーラシヤの土地と住居
また荒れはてた牧場と山野
彼の眼がそれを視たとき彼の眼は乾く
彼のこころがそれを感じたとき彼のこころは苦悩に充ちる
彼は運命のまだ生れぬ
自らの意志によつて未来の想像の陰をこえてゆく
彼のむかふ側には未来の世界が拓かれてゐる
ああ 彼は夢のとこしへにゆかなければ

〜//

ユーラシヤの暗い太陽の下で
充ち足りたものは既に在る
遠い遠い古代の傳說を遠い遠い古代の悲劇とは離れてしまつた
彼は粉末の砂鉄のやうに
自らの大地を掘つて行く
ああ彼を狂燥でもつて充たせよ
彼は孤独を死に近く
死と鎖のやうに求めてゐる
彼の頭上にはユーラシヤの喪服がとんでゐる
彼のうへを未来と過去とが過ぎる
彼のために
秩序は天からではなく地上の塵埃の底からやつてくることを信じる
彼は苦悶と混濁とを拒否するであらう
彼は悲傷と錯覚とを抱擁するであらう
何ものもない
彼は散文と淪落とが醜きであることを知つてゐる
擁護するとき
彼はユーラシヤの背景を凝視してゐる
彼の星は何処で眠るであらう
彼は眠りに落ちるであらう

〈秋の炎〉
六〇九・15　穀草↑雑草＝原稿によって校訂。
六一〇・2　土気色↑土ケ色＝略記とみなして校訂。
六一〇・4　骨の髄↑骨の膸＝三・8の註参照。
〈踏切番の歌〉
表題は「〈ある種族のいまの歌〉」を手直ししている。
〈砂漠〉
表題は「〈愛の砂漠〉」を手直ししている。
〈向うから来た秋のために〉
六一三・12　焦躁↑［原］焦燥
表題は「〈向うから来た秋〉」を手直ししている。
六二一・2　蔭＝「日蔭」の「日」を抹消しているように見える。
〈火山湖から帰つて〉
六二六・13　ゐるのか↑ゐるか＝原稿によって校訂。
〈わたしたちの魂を鎮めるための詩の一部〉
表題は「〈わたしたちの魂の鎮めのための詩の一部〉」を手直ししている。
六二七・9　功かつ《カラクリ》↑功猾《カラクリ》＝原稿どおりに戻す。
六二八・12　老いたる者↑老いたるもの＝原稿によって校訂。
六二八・14　空からしめよ↑空しからしめよ＝原稿どおりに戻す。
〈赤い日が落ちかかつてゐた或時刻に〉
六三一・8　確実に↑［原］確信に
〈城砦〉
六三七・10　喧噪↑喧躁＝原稿によって校訂。
〈罪びとの罪の歌〉
表題は「〈ひとびとの非行の歌〉」を手直ししている。
六三九・14　スイステム↑スヰステム＝そろえずに原稿どおりに戻す。
六四〇・8　怯惰＝原稿ママ
〈冬に具への詩の一部〉
六四一・3　わたし↑わたしたち＝原稿によって校訂。
六四二・3　織↑綾＝原稿によって校訂。
〈積木と夕ぐれ〉
六四三・3　軒端↑［原］―［詩全4］軒場
〈記憶によつて回想された風景の詩〉
六四八・7　挨拶↑［原］拶挨＝第二巻五〇三・4の註参照。
六五七・5、6も同様。
〈星と繋がれた歌〉
六六〇・5　何といふ↑何という＝原稿によって校訂。
〈冬にならない時の歌〉
六六六・7、10　架空↑［原］仮空
〈明日からはまた寂しくなる〉
六七〇・4　追かけても↑追ひかけても＝そろえずに原稿どおりに戻す。
〈雪が消えてまた来る季節〉

六六一・11　晨←雲＝原稿によって校訂。

〈風と冬と奈落の土地〉

六六四・10　人家と樹木と道路←人家と道路＝原稿によって校訂。

「日時計篇」以後

川上春雄は『全著作集3』の解題で次のように書いている。

「全著作集の『定本詩集』に収録した「手形」は、いま一篇を発掘収載したにとどまったが、じつは同時期にかかれた相当大量の草稿が著者の手もとにあることは確実であり、一括しまいなくして所在がわからないだけであるから、ここで「手形」一連の詩とよぶこととする。もし発見されれば、何等かのかたちで発表されることがあるかもしれない。」

おそらくは著者への問い合わせと返答の感触から、このように確信的に書かれたと推測されるが、それら「〈手形〉一連の詩」は、やがて『吉本隆明新詩集』（一九七五年一一月一日、試行叢刊第七集、試行出版部刊）の第Ⅱ部として収録された。その内容を川上の年代推定とともにあげる。

一九五二年

〈救ひのない春〉

〈よりよい世界へ〉

〈危機に生き危機に死ぬ歌〉

〈独りであるぼくに来た春の歌〉

〈ひとびとは美しい言葉でもつて〉

〈夕ぐれごとの従属の歌〉

〈絶望はまだ近くにゐる〉

〈太陽が遠のく〉

〈苛酷な審判〉

〈夕日がわたしたちの視る風景のうへに〉

〈時代のなかのひとつの死の歌〉

〈緑の季節と躓てつの時刻〉

〈雨期の詩〉

〈死者のために捧げられた弔詩〉

〈夜のつぎに破局がくる〉

〈ぼくの友たちによせるぼくのうた〉

一九五三年

〈韋駄天〉

〈一九五三年夏のための歌〉

〈青葉の蔭から〉

〈亡命〉

〈われらの愛した悪は何処へいつた〉

〈運河のうへの太陽の歌〉

〈暗い地点で〉

一九五三年推定

〈死のむかふへ〉

〈危地に立つ階級へ〉

一九五三年以降と推定
〈ぼくの言葉が戦乱と抗争する〉

これらの詩稿は『吉本隆明新詩集第二版』（一九八一年一一月一日、試行叢刊第七集、試行出版部刊）に再録され、さらに呼称を「〈手形〉詩篇」と変えて『吉本隆明全詩集』、『吉本隆明詩全集4』に再録された。『新詩集』の後記「詩集のあとで」において「予測は百パーセント適中した」と川上は書いているが、いつこれらの詩稿を入手したかはわかっていない。（一九六八年一一月一日、一二月八日の川上春雄宛書簡に、「原稿さがしてみます」、「みつかりません」といった言及がある。）また「現在までに発見された旧詩稿には、これ以外の収録可能作品はない。」とも川上は書いており、「詩集のあとで」の記述を見るかぎり「〈手形〉一連の詩」は『新詩集』に収録された二十六篇のみに受けとれるのだが、じつは川上春雄文庫には「〈手形〉詩篇不採用詩稿」という原稿の一束が残されており、両方あわせて六十七枚の原稿から、二十六枚二十六篇だけが採用されていることがわかる。

収録されなかった四十一枚には、白紙や反故原稿もあるが、『転位のための十篇』収録の詩や一九五三―五五年発表の詩の初期段階の異稿とおもわれる詩篇が多く含まれている。また短い詩やなぜ採用されなかったかいぶかしくおもわれる詩も含まれている。

原稿の体裁・形式は、「片面だけに15～25㎜のうすくほそい罫線」が引かれていることに変りはないものの、大きさは「日時計篇」のほぼ二倍の縦252×横357ミリ程の用紙が使われている。以後の著者の詩の原稿はこのB4サイズの大きさの用紙で書かれることになる。また一篇を除いて「綴り穴」の跡はない。

全著作集の編集では発表詩の異稿は収録しないという編集方針があったので、『新詩集』もその延長で発表形に近い異稿は省く判断をしたとおもわれるが、本全集では異稿もすべて本文として収録してきており、また詩のかたちをなしているものはすべて起す方針できているので、その観点から新たに二十一篇を収録した。また全体の総称を「「日時計篇」以後」とした。呼称を変更したのは、発表された「〈手形〉」はかつて同じ原稿の一束のなかにあった可能性が高いとしても、現在これらの詩稿群のなかに含まれているわけではないので、「残照篇」や「日時計篇」と同じような呼び方をするのは妥当ではないという理由と、これまでの詩稿群のように草稿の状態としてのある全体的なまとまりをもっているとは言えないように感じられるからでもある。手直しのまったくない草稿もあれば、甚だしい推敲が加えられて完成されている草稿も、まだ推敲の過程にあるとおもわれる草稿も、すべてが抹消されている草稿も、ある一部の詩行だけ残されてあとは抹消されている草稿もあり、さまざまな段階の草稿が含まれている。

新たに二十一篇を加えることでよりはっきり見えてくることがある。

一つは、『転位のための十篇』は、これまで言われてきたように「日時計篇（下）」に対応するというよりも、むしろ「「日時計篇」以後」の詩稿により多くの対応関係をもっている。逆のほうから言えば、「「日時計篇」以後」の詩稿は、『転位のための十篇』の一部と一九五三―五五年の発表詩に対応関係をもっている。

一つは、『新詩集』以来の年代推定と配列順を再検討したほうがよいのではないかという判断である。

川上は年代推定の理由について具体的な言及をしていないが、これまで冒頭におかれていた「〈救ひのない春〉」、「〈よりよい世界へ〉」、「〈危機に生き危機に死ぬ歌〉」の筆跡の似通った三篇は、文をごく短い語句で切って行をあらため言葉を運んでおり、息を詰めた長い詩行を数多く含む「日時計篇」の多くの詩篇につづく一九五二年のはじめに位置することはありえないとおもわれる。むしろこれら三篇の書き方は『転位のための十篇』以後の発表詩に似通うものであり、一九五三―五四年の春と推定し配列を後ろへ移動させた。

逆に「一九五三年以降と推定」された末尾の「〈ぼくの言葉が戦乱と抗争する〉」は「日時計篇」に近い時点のものと推定し、前へ移動させた。たとえば「兵士」、「砲煙」といった語は「日時計篇（下）」のなかで頻繁に使われているが、「兵士」が主たる人物として登場するのは『転位のための十篇』所収の「火の秋の物語」が最後だからである。

筆記具の多くはブルーブラックインクのペンで書かれているが、一部はブルーインクであり、推敲の赤字入れは赤色のインクや赤鉛筆を用いているものもあり、その他の詩篇についても、表現上の特徴だけでなく、その筆記具の色の違いや共通性を考慮して配列を検討したが、判断がむずかしい。一九五三―五五年の発表詩との関連から、おそらく一九五四年の詩稿もこの詩稿群には含まれているとおもわれるが、一九五三年と一九五四年の作品が順序を逆にして配列されているものがあるかもしれない。まだ検討の余地が残っている。

以下、個々の項でインクの色についてことわっていないものは、すべてブルーブラックインクである。

〈ぼくの言葉が戦乱と抗争する〉

表題について川上春雄の説明を借りれば、「著者による標題が二個あり、どちらも抹消されたのち、三個目の題名らしいものが、草稿の右辺にわずかに「〈……うた〉」と読めるが、点線の部分が破損亡失していて復元が不可能なため、やむを得ず、編者が最初の一行をとって仮の標題とした。」はじめの表題「〈詩の言葉のために書かれた挽歌〉」を「〈詩の言葉への告訣〉」と改め、さらに「〈……葉と兵士たちの物語〉」と改めたものを抹消している。第一連、第二連、第三連の上に、それぞれ丸囲いして12、15、15という行数を示すとおもわれる数値が記されている。大幅な推敲の手直し（末尾二行はさらにブルーインクの手直し）の上、全体を赤インクのペンでラフに抹消している。破損の下部のへこみを指して川上の筆跡で「綴込の穴のあとですね」と鉛筆で書き込まれているが、不確かである。

六六九・4　砲煙←［原］炮煙＝三三三・9の註参照。

第二連と第三連の間にあった以下の八行一連が丸囲いされた後に抹消されている。

おうぼくの言葉を貧しい兵士は拒絶する
彼に殺戮を訓練させ彼が番犬とならねばならなかつた
彼の窮乏をどうにもできない
彼の近親憎悪と殺伐を愛するこころを救済できない
彼の秩序からの脱落を防ぐことができない
ぼくの言葉はひるがへるだらう
ぼくの言葉は彼の優しいこころを冷却させ
彼の家庭を破壊したものに抗ふ

〈独りであるぼくに来た春の歌〉

かなりの推敲がされており、最終的に抹消・加筆は赤インクが使われている。表題は抹消されている。『転位のための十篇』所収の「一九五二年五月の悲歌」の初期段階の異稿とおもわれる。

六七二・13　五月←斧＝原稿の赤インクの直しはにじんでいるが「五月」と読める。「一九五二年五月の悲歌」も「五月」。

六七三・10のあとに一行アキでつづく以下の七行が赤インクで抹消されている。

春よ　都会の鈴懸の列のなかで
まるで指さすように空に呼びかけてゐる春よ
ぼくはその季節にまつたく自由な孤立を浴びて歩む
ぼくの傍でひとびとは語り合つて過ぎる
あまりに遠い距離で
いつたい　誰と誰とが悩み合つてゐるのか
ぼくにはそれを繋ぎ合はせる路上がない

六七四・7　童話＝赤インクで抹消されているが、直しの二文字は判読できない。「一九五二年五月の悲歌」では「説話」。

〈独りぼつちの春の歌〉

本全集にはじめて収録される。表題は「〈独りであるぼくに来た春の歌〉」が抹消され「〈ぼくにきた春の歌〉」とされ、さらにそれが抹消されて「〈独りぼつちの春の

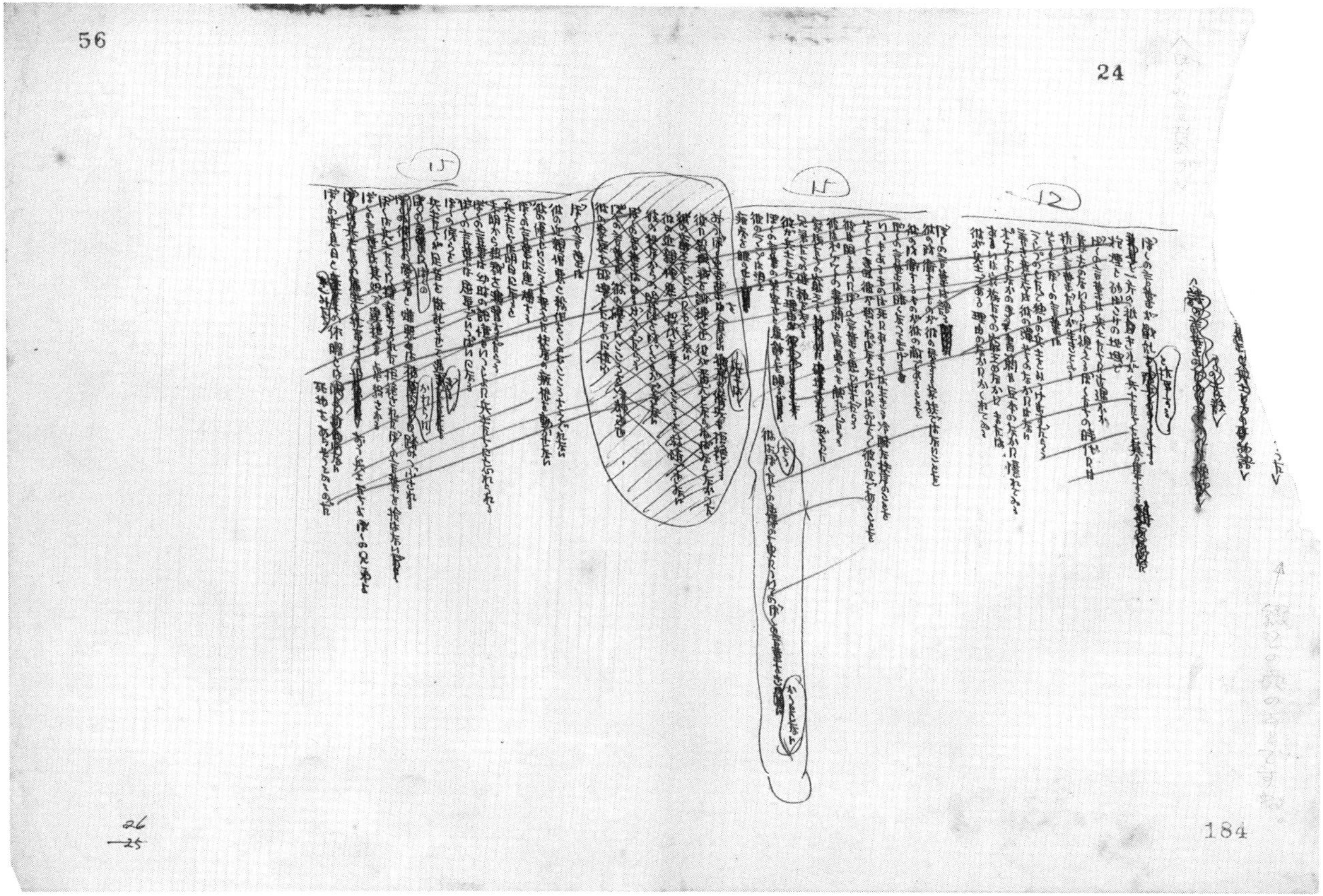
56
24
184

歌〉」とされたほか、第一連、第二連にかなりの推敲がある。その上で、表題、第一連、第二連、第三連冒頭三行、第四連末尾二行が赤インクのペンの斜線で抹消されている。この詩も「一九五二年五月の悲歌」の初期段階の異稿とおもわれる。

〈悲歌〉

本全集にはじめて収録される。この詩も「一九五二年五月の悲歌」の初期段階の異稿とおもわれる。「〈独りであるぼくに来た春の歌〉」、「〈独りぽつちの春の歌〉」、「〈悲歌〉」と定稿へのジグザグな段階を示しているとおもわれる。

第三連と第四連は赤インクのペンで全体を丸囲いしてそれぞれ③と②の番号が振られて位置を入れ替えるように指示されているが、①の数字はない。

第三連六七八・9につづく以下の八行が赤インクのペンで抹消されている。

ぼくはそのひとへのぼくの無償を憎むだ
繋ぎとめることのできないぼくの魂のちからを蔑んだ
秩序への　愛への
ぼくの訣別と　ぼくにきこえてくる悲歌よ
にんげんはいま無数の影像となつて
ぼくの苦しげな歌のなかに流転する
彼らの自身の形態を
ぼくの歌のなかに描かうとしてゐる

第四連六七八・11につづく以下の九行が赤インクのペンで抹消されている。

ぼくは視るのだ
無数のひとびとの歩む足音が
都会のなかにコロニイを形づくつてゆくと
そのあとから必ずぼくの不在をとがめるような
きみやきみの仲間たちの抗ふうたごえがつづくのを
そうしてきみたちは一瞥で
ぼくの窓わくと黒布とを見わける
赦されない歌のひとつとして
きみたちはぼくの悲歌をきかうとするのか

第五連六七八・12の前の以下の一行が赤インクのペンで抹消されている。

独りぽつちのぼくにきた春よ

第六連六七九・8と9の間の以下の二行が赤インクのペンで抹消されている。

ぼくは死に彼らは無限だ

ぼくの遠い友たちよ

第七連六七九·17末行につづく以下の一行が赤インクのペンで抹消されている。

ぼくはまだ途絶えない夢を繋いでゐたい

第三連、第五連の冒頭にあった縦に三つの＊印も赤インクのペンで抹消されている。

また「一九五二年五月の悲歌」の初期段階の異稿の一部とおもわれる以下の原稿一枚が残っている。

ぼくは知らないのだ
ぼくの歌の意味とぼくの訣別の意味とその行手を
背信にこころを裂かれることの歴史的な意味を

＊　＊　＊

明日がくる
ちひさな慾望をつれてやつてくる
都会がたくさんの窓をまた開け放つて
ぼくらのための不幸な風を部屋のなかへ招きよせる
けれどもそれは明るい風景なのだ
明日がまた翌日を約束するだらうし
訣別を忘却がつれてゆき
ぼくはつぎの可能のまへでぼくのすべてを燃すだらう
から
戦火や乾いた風の夜
ラムプのしたで描くであらう未来の寂かな安息にくら
　べれば
ぼくはまだ信ずることの少なかつた者だ
けつしてぼくの安息を描きやしない
ぼくはふたたび
秩序への　愛への
ぼくの寂しい訣別を　意志的な棄却のやうに思ひ直し
ぼくの悲歌を睡りにかへることも出来る

〈ひとびとは美しい言葉でもつて〉

赤インクのペンで、冒頭二行が丸囲いされ、他の行はすべてラフに抹消されている。

〈苛酷な審判〉

『転位のための十篇』所収の「審判」の初期段階の異稿とおもわれる。ブルーインクのペンで書かれている。赤インクのペンで、冒頭「不幸な感情に追ひつめられたこころは／まるで不幸な時代の骸骨のやうにつめたくきしみ」の二行が抹消されて六八三·2、3の二行が丸囲いされ、次の「ひとつのことをかんがへる」の一行が抹消されて六八三·4－7の四行が丸囲いされ、六八四·7－15の九行が丸囲いされている。

<悲歌>

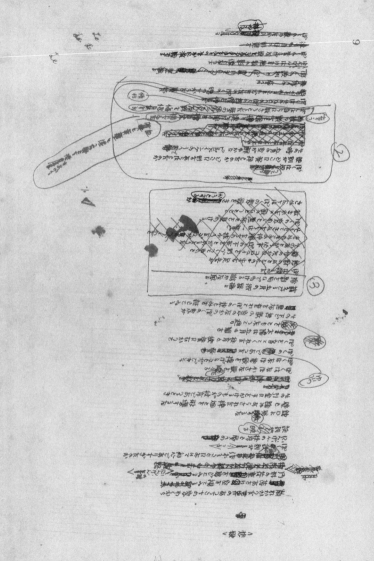

絶望がぼくの前方でかたい扉をとざしてゐる
ぼくの遠くにはとくに銃口を擬して
時期を待つてゐる
称ることのない映像を　ぼくは彼らのために憎む
未来と過去とを鐘のやうにならしてゐる人生を憎む
亜流がぼくたちの肩から
未来の肩に移される
その時のぼくたちの表情を憎む
鉄鎖の
ぶかつた大風からしかたな風をとどこうとしてゐる
表にゐるものはいつもぼくたちの友あるに候ずる
ぼくは渡されて路上に
星のうた　落下のうた　冬への風のうた
ぼくはぼくの仲間たちに何を告げよう
彼らのゆく路に　彼らの草土に歌いである
希望をとりかへす　ぼくの暗いこころを訪れようとする左
るために
太陽をゆさぶるためにその銃口を発射する者
いつもある者は生きある者は死ぬ
つまりいささかの技巧が整来るところで
彼らがぼくたちをもとめようとしてゐる左
墜ちた鐘の残量をのせて　めぐつてきた地球の人の未来よ
草と虫と花たちのうつロ
陽が照り
影が転移する
ぼくはひとり

〈夕日がわたしたちの視る風景のうへに〉

『転位のための十篇』所収の「死者へ瀕死者から」の初期段階の異稿とおもわれる。赤インクのペンで、六六六・16の一行、六六七・1―10の十行、六六七・15―17の三行が丸囲いされ、その他の行はラフに抹消されている。

〈貨車（ワゴン）と日附けについての擬牧歌〉

本全集にはじめて収録される。共通するいくつかの語句から、前項と同時期の作品とおもわれる。ブルーインクのペンで書かれていて抹消はない。

〈時代のなかのひとつの死の歌〉

共通する語句から前項および次項と同期時の作品とおもわれる。抹消はない。

六九〇・8　壊えさらう＝原稿ママ。「潰《つい》えさらう」の意とおもわれる。

〈緑の季節と蹉てつの時刻〉

直しはほとんどないが、六九三・9と10の間の一行「白いエプロンの端から小さな足が出ている」が抹消されている。

〈死者のために捧げられた弔詩〉

ブルーインクのペンで書かれている。赤インクのペンで、六九四・10―15の六行、六九五・9―10の二行、六九五・16―18の三行、六九六・3―6の四行が丸囲いされ、その他の行はラフに抹消されている。

〈雨期の詩〉

ブルーインクのペンで書かれている。直しはほとんどない。

〈暗い太陽とそのしたの路〉

本全集にはじめて収録される。ブルーインクのペンで書かれている。

〈夕ぐれごとの従属の歌〉

表題は「〈夕ぐれごとの従属歌〉」を手直ししている。ブルーインクのペンで、七〇一・9―19の十一行が丸囲いされ、その他の行はラフに抹消されている。

七〇〇・6　報導＝原稿ママ

〈絶望はまだ近くにゐる〉

ブルーインクのペンで書かれている。赤インクのペンで、七〇四・5―13の九行が丸囲いされ、表題とその他の行はラフに抹消されている。

〈黙契〉

本全集にはじめて収録される。表題は「〈従属歌〉」を抹消して書かれている。ブルーインクのペンで書かれていて、多少の手直しの上、赤インクのペンでかなりの抹消・加筆がなされている。『転位のための十篇』所収の「黙契」の初期段階の異稿とおもわれる。

「〈従属歌〉」の表題で、以下のような異稿の断片の原稿が一枚ある。

きみのちいさな敗北は
塵埃をながしてゐるどす黝い晨の運河べりで
生活の窮乏や愛のあせきつた女の背信を
一瞬の泥水のやうにのみくだし
みじめな浮浪者のきもちになる
たつたそれだけのことだ

〈太陽が遠のく〉

表題ははじめ「太陽は遠のく」とされ、それを「遠のく太陽のために」と改め、さらに赤インクのペンで直されている。ブルーインクのペンで書かれている。おなじインクでの推敲がなされ、さらに赤インクのペンで推敲と挿入の指示がなされている。七二・4「ぼくたちの路上を鋪装する」の前にあった一行「ぼくたちはしだいにするどくしだいに苛酷に」は赤インクのペンで抹消されたまま指示はないが、原稿下部の余白にある「ぼくたちの理由はしだいに荒廃し」をその代替案とみなした。また挿入にともなう行アケの位置をこれまでとは変更した（七二・0－1）。

〈蹉跌〉

本全集にはじめて収録される。表題は「〈蹉跌のための詩〉」を手直ししている。大幅な推敲の削除、書き直しがなされている。七三・4－10の七行、七四・1－2の二行は丸囲いされて斜線で抹消されている。「蹉跌の季節」（一九五三年一〇月）の初期段階の異稿とおもわれる。

七三・12　迫脅＝原稿倒語。
七四・4　喉咽＝原稿倒語。

同題の以下のような推敲まじりの断片原稿がある。（網掛けの二行は丸囲いされた上で抹消されている。）

ぼくたちの思想が
不幸な植民地から脱落する
ぼくたちの苛酷な非議がぼろぼろになる
ぼくたちの肩と髪の毛のうへで
疲労がつみかさなる
ぼくたちはとべと言はれても
いまは気圧に抗へない
ぼくたちはぼくたちを深く軽蔑する
ぼくたちはぼくたちの苦悩と忍辱で
自滅の幻想をつくりだす

〈ついにそれは来た……〉

本全集にはじめて収録される。赤鉛筆で、七五・4の一行と七五・10－13の四行が丸囲いされ、その他の行は抹消されている。「死者へ瀕死者から」や「蹉跌の季節」と共通する語句、詩行がある。また後出の「〈運河のうへの太陽の歌〉」に共通な語句がある。

〈太陽が遠のく〉

[illegible]

太陽は遠のく

[illegible]

こゝ明にきざみこまれた　ぼくたちの[illegible]
太陽は遠のく
血の黄昏れのほうへ　ぼくたちの離反とすらされた
かすかの陥没のほうへ
ぼくたちの危機と　ぼくたちの破局のほうへ
太陽はかつてテラスの守護神であった
善意とけりんだ火星のように
太陽は且て軌道を設けてみた
ひとびとは炎を視あげるとき
闇と温暖とが樹てのを感じた
ひとびとはその下で瞑想することを知り
憎悪と鐘撲にうつむかないように
本能が等しく排泄することを知ってゐた

あゝいまぼくたちの本能は
何を排除することを知ってゐるか
すでに謙譲と論理の中を　正しい精神に
納ぐことを失ったのではないか
且て市民とともにあった[illegible]の善は
いまむかうの扉を破壊されたぼくたちとともに
あらねばならぬ
ぼくたちの瞬きとぼくたちの[illegible]とともにあら
ねばならぬ
ぼくたちの実存とぼくたちの荒寥とに
放擲せねばならぬ

① [illegible]
ぼくたちの中核とぼくたちの本能とが[illegible]
創造的な隔絶のうへを

太陽は遠のく
はじめにぼくたちの路上を　蒼白を　むらさきな晩夏を
つぎにぼくたちの意志を
酔と陰影にうりわたして
太陽は遠のく
ぼくたちは睡るのか笑ふのか知らない
ぼくたちの防ぎと風景とはすでに破壊されるのかどうか知らない
[illegible]
ぼくたちの路上を鎖塞する
そこに明日の食卓と荒涼とを設ける
みしられぬ路上にぼくたちの腰と非議と抗訴とを

遠ざかろうとする太陽よ
おまえは知るだろう
ぼくたちの抹された方向から　ふたたび
それは登らねばならぬことを
ぼくたちの路を照射せねばならぬことを

② ぼくたちのさびしい生涯は
いま怒鍋をうけ
あの倫理に向かうする仕事にかかはぬところで
瞬め差にむかって[illegible]埋没させようとする

[illegible]

ぼくたちの理由はなにかに充満し

〈さてつの季節〉

本全集にはじめて収録される。かなりの推敲の手直しが加えられている。この詩も「蹉跌の季節」の初期段階の異稿とおもわれる。より発表形に近い。七一七・2－6の五行は、以下の赤鉛筆で丸囲いした五行を抹消した上で下部に書き直されている。

ゆるやかにやつてきて
ぼくたちの都会とぼくたちの生活のうへに
かぶさる苛酷よ
それはほとんど幻影とおなじように
ぼくたちをおびやかす

七一七・4　世□の□□者＝直しの文字が重なっていて判読できない。「蹉跌の季節」では「世界の支配者」。
七一七・5　□□する＝「軒端の惨苦を／のぞいてあるく」を書き直しているが、「軒端」に文字が重なっていて判読できない。「蹉跌の季節」では「生産する」。
七一七・15－七一八・1の三行も赤鉛筆で丸囲いされている。

〈われらの愛した悪は何処へいつた〉

赤インクのペンで、第三連七二一・8－13の六行が丸囲いされ、他の行はすべてラフに抹消されている。

七二一・4　あらがつた↑［原］あがらつた＝三五・17の註参照。


〈運河のうへの太陽の歌〉

表題は「〈汚物のうへの太陽の歌〉」を手直ししている。「死者へ瀕死者から」に「運河が汚物をうかべてゐる」の一行がある。赤鉛筆で、七二三・4－5、8－9、七二三・16－七二四・1のそれぞれ二行が丸囲いされ、他の行はすべて抹消されている。


〈夜のつぎに破局がくる〉

手直しはまったくない。ブルーインクのペンで書かれている。


〈ぼくの友たちによせるぼくのうた〉

表題は「〈未来によせるぼくのうた〉」を抹消して改めている。表題以外の手直しはまったくない。ブルーインクのペンで書かれている。


〈冬〉

本全集ではじめて収録される。手直しはまったくない。


〈うしなはれた愛とその経路について〉

本全集ではじめて収録される。手直しはまったくない。


〈われわれの外がわからは〉

本全集ではじめて収録される。表題はなく、すべて抹消されている。


〈惨苦の語り手〉

本全集ではじめて収録される。表題は「〈惨苦の語り手に〉」を「〈惨苦の語り手として〉」と改め、さらに「として」を抹消している。かなりの推敲の上、七二六・1

－3の三行が丸囲いされて、他の行は表題を含めて抹消されている。
七三六・6　いつも没理する＝「保証してゐない」を抹消して書き直しているが、「没理」の文字は判読がむずかしい。
七三六・15　基礎←［原］キソ

〈失語症〉

本全集ではじめて収録される。推敲の上、表題ともすべて抹消されている。


〈時はちかづく〉

本全集ではじめて収録される。表題ともすべて抹消されている。


〈風が吹くたびに〉

本全集ではじめて収録される。本文はすべて抹消されている。


〈ちひさな群へ〉

本全集ではじめて収録される。表題は「〈神話をのこさない者へ〉」を改めている。『転位のための十篇』所収の「ちひさな群への挨拶」の初期段階の異稿とおもわれる。ブルーインクのペンで書かれている。第一連にかなりの推敲があり、七四四・5と6の間にあった以下の四行が抹消されている。

　そうしてぼくたちを凍死させないために着てゐた衣裳を
　はがしてしまつたのはぼくたちではない
　おうぼくたちの羞恥を裸にしてしまひ
　とつとと狡猾な奴らの仲間へ追こんだのはぼくたちではない

〈危地に立つひとびとへ〉

本全集ではじめて収録される。表題の「危地」を「守勢」に改め、また戻している。冒頭の一行「ぼくたちの契約が魂のなかでさわぎたてる」が抹消されている。ブルーインクのペンで書かれている。


〈危地に立つ階級へ〉

ブルーインクのペンで書かれている。手直しはわずかである。七四七・6の行頭に黒丸印がある。

七四七・11　辱従＝原稿ママ

〈死のむかふへ〉

ブルーインクのペンで書かれている。手直しはわずかである。七四九・18と19の間にあった一行「貧乏人の子だくさんとかこくな秩序のことをかんがへる」が削除されている。


〈それはうつくしいか〉

〈たのしい十字架〉

二篇とも本全集ではじめて収録される。手直しはまったくない。

七五二・4、5　挫せう＝「坐礁」と「挫折」が重なっているとおもわれる。

〈惨劇〉

本全集ではじめて収録される。表題のあとに書きさしとおもわれる以下の三行ずつ

われわれはしづかな夕日のなかに
われわれのうつくしくもない生活を了らせる
われわれは眠るまへの時刻を

春はいまにも
われわれの都会へやつてくる
独りでにつめたくなつてしまつた

がつづけて抹消されてから書きはじめられている。推敲の手直しののち、冒頭の二行は抹消されている。

七五三・2　魂の惨劇＝この語句は「〈救ひのない春〉」のほか、「破滅的な時代へ与へる歌」、「少年期」（ともに一九五五年四月）にもある。

〈いまはひとつの季節〉

本全集ではじめて収録される。手直しはわずかである。第一連に「〈救ひのない春〉」と同じ語句がある。

おなじ筆跡で共通する用語の混じる以下のような原稿断片がある。「クリシス」という語句は「昏い冬」（一九五四年三月）にもある。

この季節にはちいさな風もふかない
住みかへられたわれわれの都会の
貧しい生活
出口のない苦悩からはいだして
夕ぐれ
はかられない未来を設計する
夕ぐれ　都会はしづむ
かげ絵のやうなクリシスの睡りへ

〈救ひのない春〉

表題は「〈救ひのない春がきた〉」を手直ししている。大幅な推敲が加えられ、かなりの抹消・書き直しがある。末行の下部に「〈3・8。〉」とあって抹消されている。（原稿下部の書き込みは川上によるもの。）

第三連冒頭の以下のような異稿断片の原稿一枚がある。

救ひのない春がきたら
死もまたちかくへくる
ふりきらうとしても
無駄の無駄
ぼくたちの瞋りから狂気がこぼれおちる

ねむの花に春

[illegible]

ねむの花に春がきたら

しろい帯のたれ

かわいた[illegible]

[illegible]

青い[illegible]

ひとつの[illegible]

一げんの[illegible]

[illegible] ひとの[illegible]

[illegible]

[illegible]

それから

[illegible] にはさんだ

[illegible]

ねむの花に春がきたら

死もまたちかくへくる

ふきころうとしても

無駄の無駄

[illegible]

往見がぶらさがってゐる

[illegible] 揺動のなかに

かがやく世紀はこないに

生活からしたたりおちる

この病気で

すでに久しく友ヵ抵抗と戦ってゐる

形くはうまくさせることになって

けが誰とおかしてゐる

ただ私は友の民衆のために

おも良い国家

憎く[illegible]

[illegible]

ねむの花の実

ちひさな実

ぼくたちが[illegible]ってゐるのだ

[illegible]代の傷に

とほい春をまちける

つまり

うつくしい[illegible]

[illegible]表情のきらめ

ストイックな[illegible]

と、

そして

[illegible]

[illegible]

昭和伍拾歳漆月拾肆午前参時

No. 1

1952年とおもわれるもの 16

1953と 7

インク書いた時のもの

しかし 1953と 2

[illegible]

合計 26

〈よりよい世界へ〉
「〈世界から貧困を奪ふため〉」の表題で「なぜだかわからないことが／ありすぎるのだ」と書きかけられて、抹消された後に書かれている。「破滅的な時代へ与へる歌」（一九五五年四月）の「Ⅰ」と「Ⅳ」に共通する詩行がある。
七五九・16から七六〇・17までの十九行が丸囲いされ、表題を含めて全体がラフに抹消されている。
七六〇・6　意外↑［原］以外
〈危機に生き危機に死ぬ歌〉
原稿上部に「綴り穴」の痕跡が二つある。
七六二・7　危機↑［原］危キ
〈韋駄天〉
手直しはまったくない。
〈一九五三年夏のための歌〉
手直しはごくわずかである。
七六五・8　砲火↑［原］炮火＝三三・9の註参照。
七六五・15　さんさ＝「死者へ瀕死者から」第四巻五七・14にでてくる「惨慅」か、盛岡などの「参差踊り」の「参差」か。
〈青葉の蔭から〉
表題は「〈青葉の影から〉」の「影」を直している。手直しはごくわずかである。
〈亡命〉
第三連七七一・1の前の三行
おまへは何処へゆくか
おまへはおまへの墓地へゆく
おまへはくらい胎内へゆくおまへは何をするか
が抹消され、第三連七七一・3の後の二行
ばらばらになつた機械をまくらにして
ぐうぐう眠りたいとおもふ
が抹消され、第四連七七一・4の前の一行
おまへが醒めてからが問題だ
が抹消されている。
〈暗い地点で〉
手直しはまったくない。

Ⅱ

〈手形〉
斉藤国雄絵画個展（一九六八年三月一八―二四日、文芸春秋画廊）の案内状に発表された旧稿。川上春雄文庫に原稿の複写が残されている。『吉本隆明全著作集1』

（一九六八年一二月二〇日、勁草書房刊）に収録され、『吉本隆明全詩集』、『吉本隆明詩全集5』（二〇〇六年一一月二五日、思潮社刊）に再録された。初出では表題と署名の前に「斉藤国雄氏の個展に際しこの詩をおくる」との献辞が掲げられていた。また初出では二カ所の行アキが詰められていたほか、七七・10は「すなはち　それは」と字アキがあった。複写の状態が悪く判読はできないが、原稿の表題ははじめの表題を抹消して書き改められている。本文も行の抹消や推敲の赤字入れが多少ある。原稿には署名がある。

川上春雄は、この詩の『全著作集1』収録の過程で原稿の複写を入手し、原稿の大きさが「日時計篇」までとは違っていることに気がつき、「〈手形〉一連の詩」の探索がはじまったとおもわれる。その解題で川上は「昭和二十六年か二十七年に制作された作品と推定する。」と書いている。しかし「「日時計篇」以後」の「〈救ひのない春〉」ほか三篇について触れたと同じ理由で、この詩も「日時計篇（下）」とは少し時間を隔てた時点で、一九五三―五四年頃に書かれたと推定するほうが妥当とおもわれる。

III

Phenomenon of Bronze in Surface Coatings

『色材協会誌』（一九五一年九月二五日　第二四巻第四号、社団法人色材協会発行）に発表され、本全集にはじめて収録される。初出では「資料」の項で掲載された。初出の組み方を参照し再現させた。『吉本隆明資料集60』（二〇〇六年一一月二五日、猫々堂刊）にも写真版で収録された。宿沢あぐりの調査・研究「吉本隆明資料拾遺（19）吉本が訳した化学論文について」（二〇一四年）によれば、著者自身の論文ではなく、副題に略記のある「INDUSTRIAL and ENGINEERING CHEMISTRY」（アメリカ化学会発行）に発表された化学論文の抄訳である。宿沢が原文と照らして調査した初出の転記・印刷ミスを正した。

（間宮幹彦）

吉本隆明全集《よしもとたかあきぜんしゅう》3　一九五一―一九五四

二〇一六年一二月三〇日　初版

著　者　吉本隆明

発行者　株式会社晶文社
東京都千代田区神田神保町一－一一
郵便番号一〇一－〇〇五一
電話番号〇三－三五一八－四九四〇（代表）
〇三－三五一八－四九四二（編集）
URL http://www.shobunsha.co.jp

印刷・製本　中央精版印刷株式会社

ISBN978-4-7949-7103-6　printed in japan
落丁・乱丁本はお取替えいたします。